天下文化
BELIEVE IN READING

連戰回憶錄（下）

從破冰到永平

連戰◎著

目錄

目錄

第三部

破冰之旅

第十一章

尋求兩岸和平

民國九十四年（二〇〇五年）在我一生的工作生涯中，是難忘的一年，也是值得書寫記憶的一年。這一年的年初，我決定不再競選連任中國國民黨黨主席；但是稍後我同時又做了一個重要決定，在卸任之前以黨主席身分赴中國大陸訪問，希望能為緊張趨於戰爭邊緣的兩岸關係化解危機，後來也就是中外媒體空前關注的「和平之旅」。

我做成這兩項重要的決定，個人的考慮點一是前一年的立委選舉，我率領的國民黨與親民黨、新黨首度採取協商總量管制合作，選舉揭曉國民黨席次較上屆增加十一席，由六十八席增加到七十九席，國民黨得票數增加二十四萬零七百一十票，而泛藍的選票加起來也過半，這是我功成身退，把黨主席交棒的理想時機；另一考慮點是，陳水扁當局操弄台獨的激進路線日趨明顯，刺激了大陸草擬制定「反分裂國家法」，換言之，大陸領導人得到他們法律的授權，在必要時刻，不排除出現對兩岸局勢動武的可能性。基於民族大義，以及希望兩岸要和平不要有戰爭的使命感驅使下，我以中國國民黨主席身分，首度從台灣跨海到中國大陸訪問，創下了一九四九年兩岸分治後國共歷史互動的新歷史，也為兩岸關係的改善帶來一線生機。

坦白說，由於國民黨內的不團結，造成二〇〇〇年總統大選失利，讓民進黨漁翁得利，陳水扁僅以百分之三十九選票當選，造成台灣首度出現總統的民意基礎未過半，國會席次也未過半的局面。台灣也第一次面臨少數政府受到國會在野多數監督的罕見政局。當時蒙多數黨員的不棄嫌，要我帶領改革後的國民黨東山再起，重新出發，推動國親合作，泛藍大團結，在大家共同的努力下，二〇〇四年的總統大選情勢原本看好，民調一路領先，勝券在握，誰知在投票的前一天下午竟然發生對手陳水扁與呂秀蓮雙雙中槍的不可思議狀況，為選舉投入最大變數，我與宋楚瑜的搭配競選，竟然以百分之零點一、不到三萬票的極些微差距（經後來驗票與扣除最高法院認定的潛在無效票）落敗，但我迄今都不承認。

事後這起疑點重重的槍擊案，被稱為「子彈門」事件，差距的票數比刮鬍刀的刀片還薄（蘇起胞弟蘇永欽教授說法）。此一選舉的歷史汙點，至今還未洗刷。當年超過五十萬的抗議民眾在台北景福門前高喊「沒有真相，沒有總統」的情景，相信仍烙印在不少人的腦海。

此一事件對我是難以承受的打擊，尤其陳水扁以受害人姿態高調操弄媒體，其實最終他是槍擊案的政治受利者、我才是真正的受害者。也因此，他和他的同路人，在立法院極力阻擋三一九槍擊案的真相調查，先是阻攔立法院成立「三一九槍擊事件真相調查特別委員會」，又提出覆議，聲請釋憲，後又對真相調查委員會召集人、前司法院長施啟揚所率領的調查隊伍「行使『行政抵抗權』」，真可說是前所未見、使出渾身解數在阻擋真相調查。截至十來年後的今天，仍然真相未明，成為台灣選舉史上最大的懸案。

疑點重重的所謂兇手陳義雄，事後陳屍在水塘中，死無對證，他會不會是另一樁冤案的「被害人」？由於我始終不承認陳水扁當選的正當性，因此緊接著二〇〇四年十二月十一日的立委選舉，媒體普遍認定這次選舉是爭議中的三一九槍擊案後、二〇〇四總統大選後第一次的藍綠對決，選舉結果有其重要指標意義，也是我與陳水扁再一次的民意對決。開票結果，泛藍合作拿下一百一十四席，擊敗泛綠陣營的一百零一席，另有其他黨派拿下十席，泛藍獲勝，國親兩黨立即取得合作共識，守住立法院長、副院長的重要職務，由王金平與親民黨的鍾榮吉出任。

這場選舉結束後，我的黨主席職務即將在二〇〇五年八月到期，我究竟還要不要競選連任？甚至也有不少人鼓吹還未滿七十歲的我，應該再戰一次，不承認二〇〇四的選舉結果。但坦白說，接連兩次的失利，雖然第二次勝負歷史真相還有爭論，但對我來說是嚴重的挫折與打擊，對於再競選這條路子，我是心灰意冷，意興闌珊。若我再選又失利，我豈不是愧對祖宗，又如何給子孫交代呢？因此二〇〇五年的春節我選擇出國度假，首次缺席國民黨的新春團拜，而正值中壯年的台北市長馬英九，以捨我其誰之姿跳躍而出，雖然他的參選決定，我事先並不知情，但只要大家同意，我也樂於交棒，此刻泛藍在國會再次擁有過半的政治實力，在這個政治基礎上，希望國民黨繼續團結奮鬥，早日實現恢復執政之路，我當時交棒的心情就是成功不必在我。

而我二〇〇五年四月的和平之旅，並非突發事件，也非臨時興起，而是歷經長期的醞釀與準備。到大陸訪問這個想法，其實已有多人向我建議。二〇〇〇年十一月，國民黨副主席吳伯雄向我報告，他有意在十一月下旬到大陸福建龍岩出席世界客屬懇親大會，也可能會碰到一些大陸的高層領導。我支持他的出訪，也委請他代表我於廣州黃花崗七十二烈士墓前獻花，這也是一九四九年後首度有中國國民黨主席落款的花籃於黃花崗出現，受到媒體廣泛報導。返國後我也安排吳伯雄到中常會報告，當時我裁示，「當今政府並不積極營造兩岸和平、合作、互惠、互利的兩岸關係，反而存有僥倖的『避戰心理』，有些官員甚至妄談『一年半載不會有戰事』的論調。須知，主持國家大政者，應該追求國家的永續發展，豈能短視眼前的局面而已？我們所追求的不是烏雲密布的兩岸關係，而應是陽光普照的兩岸關係。」當時國親新三個在野黨的主張，「兩岸關係回到『一個中國、各自表述』的九二共識，並盡速恢復召開國家統一委員會，就兩岸三通以及對大陸貿易政策是否調整，但我很遺憾執政當局遲不回應，我對此發展感到相當失望。

吳伯雄此行見到中共中央對台小組的核心人物副總理錢其琛以及海協會會長汪道涵、國務院台灣事務辦公室主任陳雲林等。大陸方面也委婉轉達，希望我在適當時機可以考慮訪問大陸，他們會做好接待。但坦白說，當時國民黨首度丟掉中央執政權，我的當務之急是整頓改革國民黨，重新喚起民心的支持，訪問中國大陸雖然曾是我競選的政見之一，但是我彼時並未動念。

隔了一年，我在行政院時的副院長徐立德先生，到上海參加一場兩岸中醫合作的論壇，由於他與我的關係，因此陳雲林也邀請他到北京跑了一趟，他還見到了錢其琛。他回國後很慎重其事地對我說：「大陸方面很慎重地提出兩岸應該建立溝通管道，尋求共識。」他還提到錢其琛肯定台灣經濟發展的經驗，並認為兩岸在經濟上是互補的，也是可以合作的。而從民族觀點來看，兩岸都是中國人，兩岸關係可以在和平中尋求發展。徐立德還告訴我，他們倆對談時，錢甚至提到你們的憲法所規定的領土還包括蒙古的全部領域（即包括已經宣布獨立的外蒙古），這不就是你們所認識的一中原則嗎？徐私下也建議有機會可以考慮訪問中國大陸，但我並未正面答覆，畢竟時機尚未成熟。

二〇〇三年初，由於國親合作成形，因此中國國民黨提名下任總統的大會，也就是第十六次全國黨員代表大會第二次大會提早於三月三十日於台南成功大學舉行，當時我在參選演說中就宣布「將在二〇〇四年三月總統大選勝利後，前往大陸進行『和平之旅』」。

然而在二〇〇四年神祕的三一九「子彈門」案爆發後，爆發了全國性尖銳的政治抗爭事件，以及冗長的司法驗票。但是對於訪問中國大陸的計畫，我並未打消，無時不盤桓在腦海之中。

民國九十三年（二〇〇四年）五月二十日陳水扁在就職演說中首度提出制憲時間表，在年底立委選舉活動高潮期間，行政院長游錫堃與陳水扁又先後宣布要修改駐外使館名稱，取消國營事業有中國的名稱，這些系列發展除了讓中國大陸不耐，後來也陸續傳出大陸人大可能要制定「反分裂國家法」的訊息（最早的訊息是大陸總理溫家寶訪問英國時，傳出大陸要訂定國家統一法）。而美方也因此向陳水扁施壓，要求陳水扁不要挑釁破壞台海現狀，壓縮陳原本的制憲空間，逼得陳水扁最後五二〇宣布的制憲內容不涉及國家主權、領土及統獨的議題。

到了民國九十四年（二〇〇五年）初，兩岸情勢更為緊張，主政者推動一系列分離主張，包括公投修憲、正名、入聯，一系列挑釁作為，一邊一國的主張和去中國化的作為昭然若揭，在民進黨政府與大陸溝通無門的情況下，對台灣的安危，國民黨不能置身事外。根據我個人的了解，當時的情勢非常嚴峻。

在大陸，中共中央若做了決定，如再推動民粹，就像「文化大革命」一樣，那將陷兩岸於戰爭邊緣，置台灣於險地。美國的中國問題專家謝淑麗（Susan Shirk）在她的著作《脆弱的強權》（*China: Fragile Superpower: How China's Internal Politics Could Derail Its Peaceful Rise*）中即曾提及：「美國一項民意調查發現，有百分之七十四的大陸民眾相信兩岸關係可能引爆衝突。」由此可知，當時兩岸情勢確實緊張，頗有山雨欲來風滿樓之況。

我常常覺得，做為引領進入新世紀的兩岸領導人，實尤應面對並正視兩岸對等分治的現實，及早實現直接的會晤，就任何有利於雙方人民福祉的議題，開誠布公的展開對話，讓兩岸關係能進入以談判代替對抗的時代。

就是基於這個理念，我早在第一次競選總統時就堅定地提出，在我當選中華民國總統後、在宣誓就職之前，我將以總統當選人的身分親訪中國大陸。雖然我兩次代表中國國民黨參選，都因故未能如願，也無法實現我以總統當選人身分前往大陸參訪的心願，但這項突破瓶頸，力謀兩岸和諧、積極促進交流合作的環境，開創和平發展、創造兩岸雙贏的目標，我從未放棄！

我未能如原先預期的當選總統，這兩次的參選失敗，老實說曾帶給我一些打擊，我也曾經短暫消極、嘗盡敗選的苦頭，但坦誠而言，我並未因此而被擊倒，因為，當時中國國民黨全體黨員同志並不因我未能當選總統，而怨我棄我，反而更加支持我，選舉我擔任中國國民黨主席。猶記得當年我是以百分之九十七的極高支持率當選的。當時，我心中有許多不足為外人道的辛酸與感慨，例如我代表國民黨參選，卻因失利導致中國國民黨在台灣首度交出執政權，這衝擊影響有多大。也因此我捐獻成立國民黨的智庫國家政策研究中心，讓眾多有經驗能力的政務官，能繼續為國家的永續發展獻智獻策。我清楚地告訴自己，絕對不能因個人的失敗而影響整個黨的發展前途。國民黨在敗選後，淪為在野黨，在任期間，我一定要發憤圖強、力爭上游，帶領國民黨東山再起。也就是在這個強烈的自我要求下，我想既然中國國民黨對我不離不棄，我便不能自我放棄，更不能自怨自艾，是以自我要求，必將全力以赴，為黨為國力挽狂瀾！

我這段心路歷程的表述，只是要強調，我對兩岸的看法與理念是始終一致的，也是務實而堅定的，並沒有絲毫因為參選總統敗選而改弦易轍。

這也是為什麼我在許多不確定的因素下，如本章前述，於二〇〇五年毅然決然地決定以在野的中國國民黨主席身分，應邀率團前往大陸參訪。

這次參訪是政府遷台、經歷五十六年後，中國國民黨主席第一次的正式參訪，也因此一創舉，而普遍受到國際與兩岸間的重大矚目，甚至定位本人是次大陸行是為兩岸的「破冰之旅」、「和平之旅」。

兩岸交流有助相互了解

其實希望兩岸和平，追求雙贏的理念，早在民國八十二年（一九九三）十二月十七日我在受邀出席行政院記者聯誼會演講時就提出過，當時我的演講題目是「排斥『零和』，走向『雙贏』，推動兩岸資訊交流的構想與呼籲」當時我就提出，為了促進兩岸關係的良性互動，為了加速邁向國統綱領的中程階段，兩岸有必要以耐心建立相互間的了解與信任。而要達到此一目標，加強雙方資訊交流，正是最有效的途徑。

當時我具體提出新聞傳播、經貿財務、文化藝術以及科學技術四方面的建議，主張坦誠合作，具體交流。

一、**新聞傳播方面**：雙方停止以「政治掛帥」的傳播媒體對抗，根據對等原則，開放兩岸新聞、電影、電視、錄影帶及出版品交流，協商相互保障著作權，並以平等互惠方式辦理影展、書展、錄影帶展，鼓勵兩岸報紙建立合作關係，建立新聞資訊交流管道，同意報紙相互輸入，開放兩岸報業在對方區域內派駐記者及成立分社，讓民眾能藉資訊的流通，增進雙方的了解，縮小思想的差距。

二、**經貿財務方面**：雙方開放並交換經營管理及貿易財務方面的資訊，實行「藏富於民」政策，採行更為開放的市場經濟體制，以提升兩岸資源的配置效率，構建互補互利的產業分工共識，以大陸為腹地，以台灣為亞太營運中心，結合兩岸經濟優勢，使國民所得都能大幅提升，人民生活水準持續提高，且趨於拉平，共謀社會經濟的發展，縮小經濟的差距。

三、**文化藝術方面**：雙方以維護傳揚中華文化的立場，加強兩岸傑出藝術團體的互訪、觀摩及演出；並就日益凋零的傳統藝術，選擇性的藉相互研習以獲得傳承；廣泛的蒐集、交換有關文化藝術資訊，進行傑出文化藝術人才之交流，促成中華文化的精進與再造，共同研究、檢討中國文字正體與簡體的問題，從統合文字使用共識開始，逐步減少文化認知歧異；邀請兩岸文化藝術人士代表，召開文化藝術相關學術研討會，透過研究、討論與意見交流，增進彼此的了解，以縮小兩岸的文化差距。

四、**科學技術方面**：雙方推動科技互補，發揮中國人的智慧，在尖端科技上交換資訊與人才，共求突破。尤其在民生領域的科技範疇，進行諸如災害防治、農漁生產技術開發的資訊交流，以提升產業水準，減少公害，縮小科技的差距。

我特別呼籲，我們以「資訊自由」自我期許，也以「資訊交流」寄望於大陸當局。在兩德統一的過程中，資訊交流曾經扮演了重要且極具關鍵性的角色，這是台海兩岸可以借鏡和深思的地方。我們尤其要呼籲中共當局，了解我們的善意與苦心，尊重我們的誠意與耐心，讓兩岸之間不再是你死我活的「零和」鬥爭，而能攜手共創「雙贏」之局。

我認為，台灣大陸，本是手足，一個「雙贏」的策略，就是為中華民族再創幸福光明的保證。兩岸相互學習，截長補短，更是邁向國家統一的捷徑。我們無意使「台灣經驗」，只成為台灣一隅的驕傲，我們希望提供此一經驗，成為兩岸共有的瑰寶。讓我們以更理性的態度，更開闊的心胸，更宏觀的視野，從資訊的坦誠交流做起，逐漸弭平兩岸現存的鴻溝。果能如此，中國的統一自然有水到渠成的一天；果能如此，我們一定可以共同奮起，在即將到來的二十一世紀中，為中華民族開創一個光明璀璨的新時代。

這是我在上個世紀一九九三年底對兩岸開放資訊交流合作的呼籲，兩岸互動交流合作走過二十五年，很多的軌跡正朝向我當年的建議，我感到欣慰，雖然這條正確的交流合作之路到得太晚，但總算邁出步伐。惟兩岸事務隨著政治情勢和緩緊張，曲曲折折，其實這條增進交流，開放合作，加強信任，縮小差距之路，走得並不順遂，否則成績可以更佳。

我也想起，在民國八十五年二月十六日美國《外交事務》季刊，曾經刊登了我一篇〈掌握和平契機〉的專文，陸續引起其他三十一家國際媒體轉載，廣受國際間的注意。該季刊是由美國外交關係協會出版，是對美國外交政策最具影響力的刊物之一，由美國前總統胡佛（Herbert Hoover）等於一九二一年創建，成員涵蓋全美的菁英，美國前總統布希（George H. W. Bush）也曾為美國外交關係協會的理事。

當時的兩岸情勢背景是，前一年李登輝總統訪美，中共在七月發動文攻武嚇，並中斷海基會與海協會的會談。民國八十五年三月中華民國首度舉行直接民選總統、副總統選舉，李登輝與我是國民黨提名候選人。當年的選前，中共當局又再次發布要在靠近台灣島嶼的附近進行飛彈試射演習，影響台灣大選的動機十分明顯。

這篇專文中我對國統綱領追求國家統一，有相當清晰闡述。我特別指出，由於時代與環境均已改變，我們也已放棄過時的意識型態之爭，而以實事求是的態度，重新出發。過去我們希望藉兩岸的生活差距，來凸顯我方自由市場制度的優越性；現在則希望促進大陸經貿開放發展，縮小兩岸差距，塑造有利兩岸統一條件。過去我們曾認為只有大陸發生動亂，民主與自由才有揭竿而起的生機；現在我們則希望大陸在穩定的變革中，向民主自由邁進。過去我們限制民眾與大陸接觸互動；現在我們鼓勵兩岸人民多交流往來，並且不排斥在適當的時候，進行政府間的往來。

在我們一向所關心的國際參與問題上，我也指出，國際社會應該面對兩岸分裂分治的現實，讓兩岸在聯合國及國際組織中都有充分的代表權。唯有如此，兩岸才更能以務實態度解決統一問題。易而言之，台灣與大陸都應該面對分裂的政治現實，互不否定對方為對等的政治實體，再積極營造有利的統一條件，才能使兩岸逐漸融合為一個民主、自由、均富的中國。

我當時認為，目前中共雖然尚未以宣示放棄對台使用武力為善意回應，但中華民國政府卻始終沒有放棄和平策略。目前雙方應重啟對談，有利於避免任何一方錯估情勢或形成誤會判斷，以致造成不幸結果。對於兩岸和平統一過程的障礙，中共認為增加台灣的國際承認，會助長台灣獨立，這是毫無根據。所謂台灣獨立，明確違反中華民國政策，現階段中華民國和中華人民共和國都不能代表全中國。

我強調，改善兩岸關係，應從增加了解開始，建立平行利益，追求雙贏。尤其在經貿交流合作方面，我特別提到民國八十四年二月，我在向立法院作施政報告時即指出，現階段兩岸關係，應以經貿為主軸，遵循市場的法則，讓海峽兩岸共享利益。為配合這個政策，我政府除已大幅開放投資與貿易的項目之外，最近也推出有關兩岸貨物直接運輸的「境外航運中心」計畫。這是我們為營造兩岸未來「直接三通」，所提出的積極措施。此外，台灣與澳門之間的航空協定目前也已完成，該協定允許飛機於澳門落地更改班機號碼後，原機轉赴大陸，亦是一項突破。

此外，我在專文中還提到，鼓勵雙方在藝術、文化、教育、文學、科技等方面廣泛交流。並希望今後專業人士的來往，不必侷限於參訪或會議，而擴大為長期的合作研究、技術研討及交換講學等。此外，我們已放寬官方人士前往大陸的限制，對大陸黨政人士來台，也採取了較簡化的程序。

還有對於中斷的兩岸協商，我當時也認為應該拋棄政治上的歧見，盡快恢復兩岸對話，才能使兩岸共蒙其利。

我提出上述的主張，都是基於合作的精神，也是出於兩岸互信的熱望，並完全遵循「國家統一綱領」的原則，希望兩岸建立理性、和平、對等、互惠的環境，共同追求國家統一。雖然近來台海兩岸的關係，有時趨向低迷，但是我們仍然相信，這只是暫時的現象，和平仍然是兩岸共同的期許。兩岸關係既然開展，經貿交流既已發動，今後既不會停止，也不應中斷。然而，我們也不能忽略其他課題，如兩岸軍事行動透明化、政治過程深入了解、文化交流的深化加強以及擴大兩岸新聞媒體對兩岸變革的報導等等，以利雙方相互了解。

專文的結尾，我注意提醒，未來，我們不能排除台海或許仍會偶有危機出現。屆時，兩岸無論如何都應具有積極尋求互利解決方案的決心以及落實這項決心的機制，以解除危機。本人相信，每次度過危機的經驗，都將使兩岸朝中國和平統一的共同目標，繼續邁進！

當時這篇投書要以行政院長名義發表，但是獲得的訊息是，以行政院長名義刊登可能會遭致中共當局抗議，經過協調，改以廣告名義刊登。這一曲折，我還曾遭致民進黨總統候選人彭明敏的調侃，怎麼是廣告。但是歪打正著，這篇文章在《外交事務》季刊登出後，反而帶來其他三十一家重要媒體以新聞體轉載，這就得到我原先的預期，希望國際間能更加理解我在行政院長任內對推動兩岸和平的做法與看法。

6P創造三贏

我也依稀記得在擔任副總統兼行政院長時，有一次和一位美國頗具分量的官員會晤時，曾提出「4P」的看法：

一、**務實（pragmatism）**：當前國家尚未統一，雙方對「一個中國」的看法，當然各有不同，但我們要務實的兼顧歷史與現實，不必相互漠視，互不認同。事實上，ROC與PRC都是存在的，ROC並沒有消失。所以看此事不必矇著眼睛，而要實事求是！

二、**對等（parity）**：在與中共對話時，我們不是地方政府，要有對等地位。主張對等並不等同於主張獨立，將對等與「台獨」或「分裂」

劃上等號是絕對錯誤的推論。

三、**進展**（**progress**）：確立彼此對等地位是突破兩岸政治僵局，邁向新格局的重要步驟，更是為兩岸關係大幅進展設想的積極作為。

四、**和平**（**peace**）：兩岸關係不是軍事對峙、武力相向，雙方間任何問題，都應以和平方式解決。

事實上，我還可以引申有了上述4P，就能再產生另2P，也就是**繁榮**（**prosperity**）與**夥伴關係**（**partnership**），也就是說，在對等的基礎上，兩岸可以共榮共存，追求建立一個「建設性互利合作夥伴關係」。

在國際間對台海情勢以及亞太地區的穩定寄予高度關切之際，一個和平與建設性的兩岸關係，不僅有利於台灣與大陸本身，也可以對國際社會尤其是這個區域的繁榮做出重大貢獻，這種「三贏」的兩岸關係，我一直認為，這是我們應該積極努力以赴的目標。

我也清楚記得，我在兩次參加總統大選時，曾經強調要突破當前兩岸僵持，需要堅持一個理想，認清兩個現實，依循三條軌道：

一、**堅持一個理想：**

中華民國大陸政策的最高目標在追求中國最終能在民主、自由、均富的前提下達成統一。而這個目標，在我們國家統一委員會設置的條文中及「國家統一綱領」中，已經明確載明。

二、**認清兩個現實：**

中國目前的現實是，在台灣海峽的兩岸各有一個政治實體，在行使有效統治權，形成分治的局面。中華民國政府在民國八十年（一九九一年）五月宣告，終止「動員戡亂時期」時，就已經不再將中共政權視為叛亂團體，而是務實的承認中共在中國大陸的統治權，並據此原則處理兩岸的交流與協商。

李登輝先生擔任中國國民黨主席、中華民國總統以來，全力採行民主改革，孕育產生了台灣人民當家作主的主體意識，雖然，李先生後來離開本黨，在國家意識上，也有其與過往不同的看法與說法，在台灣與大陸，都引發不同的批評。但基本上，在兩岸關係發展的過程中，台灣人民依中華民國憲法所訂的民主程序發展與大陸在改革開放前提下，走向民主小康社會的進度，應是不可缺的條件。

三、**依循三條軌道：**

（一）**和平**：中國古語有云：「和為貴」，我一向希望兩岸能走出過去軍事對峙的階段，以和平方式處理彼此間的爭端。

（二）**發展**：中華民國在台灣有半世紀，在經濟發展、社會多元化及政治民主化等方面取得一些成就。中共在民國六十七年（一九七八年）開始進行經濟改革，對其改革方向與成就，我曾多次公開肯定。本著血濃於水的民族情感，我們願意以「台灣經驗」來協助大陸進一步發展。

（三）**交流**：十多年來，兩岸在社會、經貿、文化、農業等領域有相當密切的交流，我認為，政治的分歧不應該阻撓正常的交流，我尤深信，交流是促進了解，增加互信的必要途徑。

我一向認為，當世界的先進國家都在以和平代替對抗，以互利融合，謀求交流合作的時候，我們兩岸當然不能夠還陷在這種兄弟鬩牆的困局當中，徒然消耗資源，相互抵消實力，無益於國際社會，更何況，今天海峽兩岸的分離對峙，是歷史留下的問題，我們這一代的中華兒女、炎黃子孫，當然要合力共謀化解。

因此，如何總結過去，瞻望未來，為中華民族未來世世代代的子孫規劃發展願景，同心協力，以前瞻性的眼光，大格局的胸襟，共同追求現代化，尋找適合全體中國人的生活方式及制度，我認為這已成為兩岸同胞，特別是兩岸領導人，刻不容緩的重要工作。

戒急用忍導致鎖國窘況

當然回顧過去兩岸局勢的發展，很遺憾李登輝總統任內推動的「戒急用忍」政策，使得我大力擘劃的亞太營運中心計畫，在實施近兩年之後停止，胎死腹中，過渡三通而設計的「境外航運中心計畫」也無計可施。如果當年沒有這個戒急用忍政策，照我原有的交流合作雙贏計畫推動，兩岸三通，經貿全方位合作，三通早在二十世紀末的最後十年或十五年間就實現，以當年台灣經貿的實力，台商的積極進取精神，亞太營運中心實現，以大陸沿海為腹地，設計研發中心在台灣，外國企業以台灣為投資大陸的跳板，台灣經濟再創奇蹟指日可待。可惜，我們自己耽誤了太多寶貴的時間，甚至自我設限，導致鎖國的經濟倒退窘況，多少人對此錯誤政策痛罵不已。

因此在我決定參選總統的時候，我決定尋求改變，要實現被耽誤已久、我在行政院服務期間的重要大陸政策主張，為兩岸解除緊張，追求交流合作，為人民謀福祉。

當年我在宣布代表中國國民黨參選總統時，還提出一個有人稱為劃時代的提議：「本人願意負責地宣示，當選總統之後，只要大陸領導人江澤民先生能以具體行動展現和平誠意，那麼本人將依據『國家統一綱領』，推動兩岸之間進入中程－互信合作階段，也就是促成雙方建立『和平競賽的兄弟關係』。」

記得民國八十五年，我在立法院答覆質詢時就曾明白指出，國統綱領並未排除兩岸高層的對話交流，當時我力主即時恢復辜汪會談。猶記當時還提及要達到上述目標，最可行的方法就是：「促進互利與共榮，擴大協商與交流，並建立正常化之關係。」

以上幾段話都是我二〇〇〇年參與總統競選時，提出的政策與方針，遺憾的是，我並未能如願獲得當選。但今天事隔超過二十年，回過頭來看，我們目前兩岸的互動與交流、合作，事實上，和我當年所提是相同的，雖然不見得完全相符，有些地方還是處在進行之中，但發展的方向是一致的。假如民國八十九年（二〇〇〇年）和九十三年（二〇〇四年）我都能順利當上總統，兩岸關係的發展，經過我的主政、主導，可否有另一番局面？但是這都已成過去了，我們的眼光不能停留在過去，而是在未來，更重要的是，如何為兩岸同胞，以及後代子孫，創造和平美好的願景。

兩岸發展關鍵在「人」

事實上，影響兩岸關係發展的因素，我一直覺得最大的關鍵在人而非事。因為任何事、任何問題，都有解決之道，最重要的就是主其事的人，要有度、有為，更要有包容的胸襟與雙贏的意志！所謂「事在人為」，不就是這個意思嗎？

早在民國九十二年（二〇〇三年）三月三十日，我在中國國民黨的總統提名大會上，發表演說時，就提出「兩岸和平路線」並向與會代表們宣示了我的兩岸政策立場。我當時特別強調，中國國民黨過去執政期間所建立的「九二共識」，並未使中華民國的權益受損，反而建立了兩岸協商交流的平台，這是一個存異求同及存同化異的過程。國民黨執政後，將在「九二共識」的基礎上，立即全力推動兩岸直航事宜，提升企業競爭力，並將與大陸訂定租稅協定，共同打擊犯罪協議，杜絕「錢進大陸，債留台灣」的弊端。同時，也要與大陸簽署投資保障協議，確保台商的權益。讓台商不再是獨自打拚的孤兒，最後，還要推動綜合性的「兩岸協議」，有效處理兩岸間的重大問題，使兩岸能有長期的和平與發展。

我在上述講話中，也進一步的提出承諾：「如果明年三月能夠贏得總統大選，連戰將即刻訪問大陸，展開『和平之旅』。要能使兩岸平等相處，合作雙贏，為台灣兩千三百萬人民及後代子孫開拓一個安身立命與永續發展的機運。連戰不畏懼任何的汙蔑與抹黑，勇敢承擔起這次歷史的責任與使命。」

民國九十三年（二〇〇四年），我也曾以總統候選人身分明白指出，協商談判不應預先設定前提框架，只要在對等的基礎之上，兩岸之間沒有不能討論或協商的議題，包括「交流程序的建立」、「雙方關係的定位」、「簽署和平協議」、「建立軍事互信機制」等，都可以逐步成為兩岸對話與協商的標的！談判是雙方建立共識的必要過程，只有透過不斷的對話與溝通，才能促使兩岸關係趨向正常，這是我十八年前的想法，十八年後的今天，我的想法仍然如此！

兩岸春節包機成功啟航

二〇〇四年底立法委員選舉獲勝後，國民黨籍的立委頻頻來看我，尤其是蔣孝嚴立委，大力推動春節包機專案，熱心協助在大陸的台商與其眷屬、幹部能順利返鄉過農曆年。農曆年闔家團圓、歡樂過節是所有家庭最重要的大事，所謂「每逢佳節倍思親」，許多台商與眷屬對於實現春節包機一直有很熱切的盼望。

早在二〇〇二年十月二十七日蔣孝嚴就提出在二〇〇三年春節期間採取「直航包機」方案，方便台商順利返鄉過年，當時獲得一百位立委的連署。具體的建議方案是，在春節時段允許台灣的航空公司航機以定點、定時、定物方式，專程接載台商往返上海和台北，以解決數十萬台商返鄉過年一票難求的問題。但是由於兩岸雙方當時兩會協商仍中斷，加上一些技術的問題，對岸主張兩岸航機要對飛，陸委會不同意，因互信不足，使得此議當時始終無法實現。但我認為蔣孝嚴當時的提案是正確的方向，唯一的出發點也是為台商服務。因此二〇〇五年一月初，也就是當年春節前夕，中國民黨大陸事務部主任張榮恭銜我之命先赴北京與大陸國台辦主任陳雲林、副主任李炳才期前協調。同年一月九日我再指示中央政策會執行長曾永權請其牽頭到北京推動商議春節包機的可行性。最後國共雙方敲定由兩岸民間協商來推動落實，這也就是民進黨執政期間所謂的澳門模式。

二〇〇五年為協商兩岸春節包機方案，雙方的民航官員以「民間白手套」模式在澳門協商。二〇〇五年一月十五日時任台北市航空運輸商業同業公會理事長樂大信為首的台灣代表團，與大陸民航協會海峽兩岸航空運輸交流委員會副理事長浦照洲為首的大陸代表團，在澳門凱悅飯店，經過兩個小時的協商，達成二〇〇五年春節包機以「雙向、對飛、多點、不落地」方式達成協議。這項模式可說是在野先行，民間團體具體協商，兩岸官方最後認可，受利的是兩岸人民。我了解推動其中的艱辛，其實這是雙方務實的妥協。由於此舉，也獲得了美國白宮與國務院的肯定。

兩岸春節包機的成功實現，首度打破兩岸隔絕五十六年後，兩岸客機雙向對飛、不中停、兩岸多點起降，這也是兩岸無法實現直接空中通航前，一個過渡性的試點直航做法，這與我當年想推動的境外轉運計畫，向前跨了一步。

而這一年初，中國國民黨黨史館館長邵銘煌向黨內提到，民國九十四年是總理孫中山先生逝世八十週年、同盟會成立一百週年以及中國國民黨領導抗日勝利六十週年，台灣光復也適逢六十週年，這些黨史與國史是結合在一起。因此黨內也對是否啟動我以黨主席身分訪問大陸，到南京謁陵，展開思考。當然我的訪問大陸計畫，絕不能只是參加一些儀式性活動而已。

二〇〇五年的春節過後，二月份的某天徐立德到辦公室找我，他說對岸很正式地轉達一個訊息：「正式邀請連主席到中國大陸訪問，如果連主席再不下決定就遲了，遲了宋楚瑜會走到前面。」後來媒體報導陳水扁與宋楚瑜於二月二十四日於台北賓館見面，陳聲稱要託宋帶口信給對岸領導人，陳還在此場合送了「誠信」二字的書法給宋。而後來的發展，我側面得知，大陸方面的立場為，如果是邀請台灣政黨領袖到大陸訪問，依歷史情感與政治實力，還是以中國國民黨連戰主席為優先，親民黨宋主席若要來訪，哪怕是比國民黨晚一天都可以。這個立場，據悉，中共方面也告知親民黨代表。至於陳水扁的口信究竟帶到沒，後來媒體報導說，宋楚瑜聲稱沒有要為陳水扁帶口信。但扁宋會後，兩者的支持者都起了激烈情緒反彈，這倒是人之常情，人民一時難以接受指標性的政治人物如此轉彎。甚至連當時的民進黨主席蘇貞昌還對外宣稱「扁宋會」是達到裂解泛藍的目的，他說目的達到就好，扁宋不必再會。這也顯示當時的民進黨中央也並不那麼認同陳水扁推動的扁宋會。

與宋楚瑜碰面，陳水扁當時還試著安撫對台獨支持者說：「不要自欺欺人，正名制憲，建立台灣國做不到就是做不到，李登輝執政十二年也做不到。」但是反觀而今保外就醫中的陳水扁，迄今仍在外逍遙推銷台獨建國主張，兩相對照下，當年民進黨主政下的兩岸關係，兩岸豈有政治互信可言？

其實在陳水扁於二月二十四日推動扁宋會時，他也透過總統府祕書長游錫堃於二月二十二日電約我的祕書長林豐正，希望同步進行與我的會晤。但是我的態度很堅定，「以我對陳水扁的了解，誠信不夠，這個會面是沒必要的。」因此游的辦公室打電話到林豐正的辦公室，都是由祕書陳其華接聽後，就沒有進一步下文。如果當時我也答應與陳水扁碰面，相信支持我的泛藍群眾，反應可能更為激烈。

行前的動員與籌備

後來政治情勢的演變，中共總書記胡錦濤在當年的四、五、七月這三個月份，先後邀請了中國國民黨、親民黨及新黨三位在野黨主席訪問中國大陸，開創兩岸政黨的交流新頁。

當年二月徐立德跟我報告中共當局的邀請後，我也覺得出訪中國大陸的時機成熟了。在決定接受胡錦濤總書記的邀訪後，許多的準備工作要動起來，我立即邀約了智庫高級顧問徐立德、黨祕書長林豐正等幕僚開會，一開始保密階段，參與的人並不多，但是黨的各級幹部以及我過去的一些老部屬都集體動員起來要做好這次重要且有歷史性的訪問。

對於國共兩黨的互動議題討論，最早由徐立德牽頭（徐帶著他的幕僚馬紹章博士參與協助），我請他與國民黨智庫負責，林豐正也加入，參加成員包括丁懋時、蘇起、蔡勳雄、蔡政文等人。他們討論的方向主要是依據我在行政院長時期的重要政策主張以及兩次參選總統時所提出的兩岸議題的政見為主軸。例如以九二共識發展兩岸對話基礎，盡速恢復兩岸兩會交流；建立軍事互信機制、降低兩岸武裝衝突危險；另外簽署綜合性的兩岸協議，建立兩岸關係的正式穩定架構；擴大交流，建立交流秩序。我當時也主張推動兩岸海空直航，開放大陸觀光客來台等等。後來國共兩黨幕僚的商議中，也商議建立國共交流的平台，由於當年國民黨是在野黨，因此此一黨際交流機制，後來對兩岸關係的正向發展也發揮了若干影響力。

為使這次的訪問能夠圓滿，三月份我決定委請國民黨副主席江丙坤先跑一趟探路之旅。推動江丙坤先行，一方面是他過去擔任過經濟部長與經建會主委，也曾經擔任領袖代表出席亞太經合會議，對經濟熟悉。國民黨在野期間我也委請他擔任服務台商的工作，因此對他此行，我賦予他的任務是為兩岸的經貿合作找出共識與發展方向，同時也為我的訪問大陸勘了路線。

我是在二月二十七日於國民黨中央一項紀念二二八的活動上，對外宣布指派江丙坤三月間擇期率團訪問大陸。我強調，在國人一致追求族群和諧之際，兩岸之間也應該追求和諧共處，避免戰爭的發生，這都是重要的事。此一宣布也立即受到中外媒體的重視，江丙坤之行是否為我訪問鋪路，也成外界注意的焦點評論。

但江丙坤三月二十八日要出訪的前兩天，也就是三月二十六日，民進黨中央在台北發動號稱百萬人遊行（警方最後估計約二十六萬人），反對中共制定「反分裂國家法」，在此遊行發起醞釀過程，媒體已經大幅報導。當時民進黨政府的態度是反對我在此時出訪大陸，認為時機不宜。在國民黨中常會上也有某位中常委建議事緩則圓，建議暫緩派團出訪。中常會後，就在常會廳上江丙坤臨時約了文傳會主委張榮恭與我的顧問李建榮等商量，鑑於台北街頭的政治情勢發展，是否推遲連主席的大陸訪問之行，換言之，江的訪問也稍微延後。但我思考了整個現有的事實及未來的遠景後，我還是決定要江丙坤等幕僚如期出發，以實際的行動向台灣人民展現和執政的民進黨當局不同的大陸政策路線，供人民比較選擇。我的主要考量無他，是基於一個和平發展的理念，更是基於一個政治領袖不應於現實，懼於威嚇，而應以後代子孫、國家、社會永續發展為目標。雖然國民黨也不贊成中共制定「反分裂國家法」，但是我們認為這部法律其實是被陳水扁政權的「一邊一國論」主張逼出來的。而國民黨就是要透過訪問，來推動兩岸的和平發展，讓「反分裂國家法」中，對台海情勢採取「非和平方式」沒有啟動的空間與可能，換言之，我們行動是要爭取和平，反對戰爭。我信心十足拍板定案要江如期出發，主要是我也掌握到民調多支持中國國民黨率團赴大陸訪問，希望和緩兩岸關係。

從今天來看，如果當年因為民進黨號稱的百萬人大遊行導致我猶豫退縮，致民國九十四年（二〇〇五年）的「連胡會」未能順利進行，則兩岸的歷史發展軌跡，當然就可能因此整個重寫。

來自中國官方的正式邀請

江丙坤一行於三月二十八日出發。同天下午我也搭機赴日本名古屋，我此行主要是參觀日本名古屋愛知縣舉辦的國際博覽會。江丙坤第一站就到廣州祭拜黃花崗七十二烈士。江丙坤在大陸訪問備受禮遇，當時國台辦主任陳雲林在接待交流時又提議江丙坤到南京去看看。江丙坤打電話到日本來請示，我同意他繼續到南京，也就是當年的國民政府所在地。江丙坤到中山陵謁陵時，上了《紐約時報》的頭版，可見當時國際社會對國共兩黨的交流是多麼的關切。沒想到在南京時，陳雲林又提議他到北京，一方面看看國父的衣冠塚，另一方面也可談談兩岸經濟方面的議題以及對兩岸未來的展望。江丙坤依舊打電話回來請示，我認為兩岸有這個機會很難得，也就同意他繼續北行。這一次，又再度上了《紐約時報》的頭版。

江丙坤到北京的當晚，陳雲林設宴款待時特別指出，連戰主席指派江丙坤副主席率團來訪，「是開啟了貴我兩黨之間黨對黨對話的先聲。」其實二〇〇〇年國民黨首度在野，在當年十月的一次中常會上我就曾經因應兩岸新情勢，提出兩岸兩黨之間可以進行黨際交流。從吳伯雄到江丙坤，尤其江丙坤此行是經過黨中央的正式指派，也為一九四九年之後的國共兩黨之間，開啟了兩黨高層次的對話先河。

江丙坤等人由南京到北京，在離開北京前和中國前外交部長唐家璇在中南海紫光閣見了面，當然也針對台商到大陸投資所面臨的問題與如何加強彼此合作，作了廣泛的意見交換。但江丙坤與唐家璇會面獲得的最重要訊息是，大陸方面正式邀請我到大陸訪問。

當時，我正在日本訪問，接到江丙坤的越洋電話，他在電話中告訴我此一邀請訊息，江說他也代表我接受此一邀請。三十一日下午大陸全國政協主席賈慶林會見江丙坤副主席一行時，他明確地道出「國民黨主席連戰已經表達來大陸訪問的意願，我們歡迎並邀請連戰主席在他認為合適的時候，訪問大陸」。當晚賈慶林主席在北京飯店十八樓有個小範圍的宴會，宴請江丙坤等人，身兼大陸對台事務小組副組長的賈慶林在席間指示陳雲林主任，要新華社會後馬上對外發布，胡錦濤總書記邀請我訪問大陸的重要新聞。

當晚大陸新華社正式對外發布訊息：「中共中央政治局常委、全國政協主席賈慶林在會見江丙坤副主席時，代表中共中央總書記胡錦濤，歡迎並邀請連戰主席在他認為合適的時候訪問大陸。」

出訪行程的安排及其意義

在出訪進入最後緊鑼密鼓時期，幕僚中的議題組——這是此行最核心的部分，負責兩黨將要討論的具體議題的分析準備工作，主要是由智庫負責。

有關議題的規劃方面，由於此行具有象徵性意義，希望能藉此次交流，打開兩岸另一扇大門，讓人民有選擇的機會。因此，這次兩黨會談應該不僅討論重要的議題，同時應該有為兩岸和平與溝通鋪路的作用。經過討論後，當時初步決定的議題，在政治面包括：（一）和平宣言，後來演變成連胡五項共同願景；（二）兩岸共同參與國際活動；（三）兩黨定期會談平台；（四）推動兩岸中程協議。在經濟面，則包括：（一）建立兩岸財經論壇；（二）兩岸投資保障；（三）推動兩岸三通；（四）開放台灣農產品進入大陸。在社會面，則主要是共同打擊犯罪。

在行程的安排方面，每一個行程點與活動的安排，都具有其意義。在南京，最重要的意義是到中山陵謁陵。中山先生既是中華民國的國父，也是中國國民黨的總理。國民黨退居台灣後二次再野，喪失執政權，身為黨員心頭之沉重與屈辱，無與倫比。在兩岸相隔近六十年後，我們到大陸的第一站當然選擇南京，既有歷史傳承的意義，到中山陵謁陵除了對一位無私無我的政治家、革命先行者的崇敬外，同時也是呼應中山先生和平奮鬥救中國的號召。

西安行程的安排，則是祭拜我的祖母。這個行程的安排，既是盡為人子孫應有的孝道，同時也彰顯兩岸的歷史淵源。到了西安，我還特別安排回到了我小學的母校——後宰門小學，在那一刻，濃縮了六十多年的歷史，雖然表面平靜，但心中澎湃不已。

北京的行程，是此行的核心行程，重點有兩個，一是與胡總書記的會面，一是到北大演講。與胡總書記的會面，一方面是建立兩黨和解的象徵意義，同時討論主要的議題。在與胡先生見面談話的過程中，個人覺得他是一位具有高度與宏觀格局的領導人，立場堅定，態度親切，而且看事情也看得很準很遠。在整個會面過程中，他從來沒有講一些我無法接受的語言文字，甚至連主要官員都沒有，顯然可見其細心的程度，以及對建立長期互動的期望。

至於北大行程的安排，也有其用意。大學是思想啟蒙之聖堂，北大在中國近代史上的地位，以其自由、進步又愛國之學風而享譽海內外，到北大演講，可以為此行增添文化與思想意義，同時我也想藉這個機會與大陸學子面對面的溝通。

早在二月的某天，我便將常年協助我撰稿的顧問李建榮找到辦公室，我親口告訴他，我決定要到中國大陸訪問，並交給他一份徐立德轉給我的初稿，請他協助改寫。我告訴李建榮，過去美國總統柯林頓及俄羅斯總統普丁（Vladimir Putin）等都受邀到過北大講演（後來李建榮幫我查出包括小布希、卡特〔Jimmy Carter〕、印度總理瓦巴義〔Atal Bihari Vajpayee〕等二十一國領袖都到過北大演講）。

北大的學術地位動見觀瞻，我在北大發表演講的重要性不下於與胡錦濤的見面。我和胡錦濤見面的議題，智庫已在準備，這種議題都是大方向，難有我個人見解發揮，但是北大這場演講則不同，可以有我個人的許多觀點可發揮，希望他好好動動腦筋協助。我說馬紹章博士的初稿以自由主義把北大與台大做個連結是很好的頭，可以留用參考。我先闡述了一些我想講的一大綱，讓他去發揮。這期間我自己也不斷找資料、思考要如何講，才能打動北大師生的心。因此在將近兩個月的期間，李建榮陪著我經過八次的正式改稿，最後一次定稿前，我也請李建榮約擔任過新聞局長、外交部長的胡志強、擔任過新聞局長、陸委會主委的蘇起過目提供意見。但為求保密，我要求不得影印，看完改完立即帶回。甚至我也親自打電話給老友錢復，請他回憶當年北大知名教授除胡適、傅斯年外，還有哪幾位，主要是錢復的父親錢思亮先生擔任過台大校長，他對早年的台大教授可能比我熟。甚至我為了了解紐約聯合國大廈前一尊終結戰爭的雕塑，我也請了過去的老同事把雕塑的正面及背後文字拍下，越洋傳真供我參考。為了這場演講的準備，我投入心力之多，超過過去歷次的講演[1]。

幕僚作業是成敗關鍵

出發前我也指派時任黨祕書長林豐正率員於四月十四日前往香港，十八日前往北京，兩度和陳雲林主任密切溝通協調。協調議題包括行程的安排、雙方共識應呈現的文件名稱，鑑於當時民進黨政府一再宣稱兩岸民間團體不得簽署具有公權力意涵的協議或文件，所以我們最後想出以「願景」來代替雙方的共識，提出雙方未來要共同努力的方向。「和平、破冰之旅」經由雙方人員不辭辛勞的徹夜協調，相互的包容、體諒與安排，才得以順利完成。林豐正回到機場直奔我家說明協調結果，等我拍板定案。儘管這僅只是一次前期的「幕僚作業」，但其折衝協調卻是「破冰之旅」能否順利成行及其成敗的關鍵所在，並於協調中完成國共兩黨的「兩岸和平發展五項願景」草案。

我還記得，當年「扁政府」在江丙坤等出發赴大陸前，一再地恐嚇，說國共之間若簽署協定，就要移送法辦，陳水扁更在出訪教廷時，恫嚇江丙坤及我本人準備訪問大陸一事「絕不會坐視不管」。

為此，國民黨也作了評估，如果扁政府當時敢抓我本人或江丙坤等人，讓我們為推動兩岸和平大計而坐牢，甚至致我成為政治犯，那勢必將掀起台灣的政壇風暴，台灣會不會陷入動亂，誰也不敢打包票，連美國等國際會不會介入，當政者都必須衡量，當時，我們是認為陳水扁應不至於如此蠻幹，一意孤行，所以，江丙坤等幕僚仍如期先行前往大陸！

但江丙坤回台後，仍然遭到陳水扁政府以涉嫌外患罪提告。我記得，當時，基於政治的風險、擔心我赴大陸和平之旅，受到陳水扁的阻攔，出不了門，國民黨智庫曾詢問了法界意見，當時有位律師還建議，不妨考慮改訪問日本，等確定出境到東京後，再轉機進入大陸。但是我後來沒有接受這項提議，一方面我認為出訪一定要光明磊落，坦坦蕩蕩。另一方面，主要是陳水扁的態度出現逆轉。

對於我欲赴中國大陸訪問，陳水扁政府從原先的打壓，到他從教廷訪問歸來後一改態度，表示支持我訪問「中國」，又說「連宋的訪問大陸是投石問路」、「我們可以給他們祝福」；但他又提出要求，要我行前和他先談談。他原本尖酸刻薄說：「要連將心比心，不要在朝說一套，在野說一套，不要有了『中國』，沒有台灣。」對陳水扁這種態度，台北市長馬英九也站出來批評：「陳水扁先在媒體把連戰罵一頓，然後說你再跟我談一談，這根本沒有誠意，反而帶有羞辱意味，稍微有點性格的人都不會接受。」於是我指示祕書長林豐正代表說明，強調突破兩岸僵局是每一個政黨的責任，未來國民黨到大陸訪問，是以「黨對黨」溝通方式開啟和平之門，現階段「既不需政府的授權，也不需政府的核准」。

臨行前兩周，四月十一日國民黨中央黨部廣場舉行屏東縣高樹鄉芋頭正名及美食推廣活動，希望藉此建立自有品牌，打開全國知名度。我當天受邀化身台灣農產品的代言人，我致詞時大力推廣台灣優良農產品。我強調，國民黨執政時重視農民權益，我在擔任台灣省主席的時候，推廣「一鄉鎮一特產」打下基礎，民進黨執政後卻產銷失調，農民血本無歸，國民黨將努力為台灣農產品找出路，促進農產品運銷大陸，不會讓農民心血白費。

在這場公開活動後，我在當天下午也發表聲明，國民黨是創建中華民國的政黨，捍衛中華民國、維護台灣安全，一向是國民黨至高無上的使命，從未妥協。國民黨主張和平、理性、對等、互惠的兩岸政策，自始至終從未改變。

我強調，國民黨未來的兩岸和平之旅就是站在這一立場出發，所有的活動將是光明磊落、公開透明，一定在維持國家尊嚴的前提下，以兩岸人民的互利雙贏，為最高指導原則。

我說突破兩岸僵局，是絕大多數民眾的希望，也是每一個政黨的責任。

我說明如果有涉及政府公權力的行使，國民黨一定會透過適當的管道及方式，與政府有關部門溝通，共同創造有利台灣人民發展的環境。

我表示，當前兩岸嚴峻對立的情勢，要突破兩岸僵局是一件非常迫切又十分艱困的任務，國民黨忠心盼望執政當局能以更開闊、更包容的胸襟，來珍惜這個契機，大家共同為兩岸和平把握機會、創造機會。國民黨一定會盡最大的努力，為兩岸創造和平，為台灣人民帶來安定、繁榮。

其實我出訪的訊息曝光後，總統府祕書長游錫堃辦公室就不斷聯繫林豐正祕書長辦公室，希望推動陳水扁與我的見面。其實與陳水扁見面，是有過不愉快的經驗，我很排斥。回想民國八十九年（二〇〇〇年）十月二十七日到總統府與他見面，話題之一就是如何建立台灣永續的能源政策，我當時提議興建中的核四是國家最後一座核能電廠，以替代即將陸續除役的核一廠、核二廠，另外也要發展綠色替代能源。當時陪同我與會的有林豐正祕書長、中央政策會執行長曾永權、中央文傳會主委胡志強等。陳水扁結束前還表示會尊重我所提出的意見，孰料一離開總統府，我的座車還未抵達中央黨部（與總統府距離只是一目之遙），媒體記者就打電話找上在車上的李建榮顧問，告知說行政院長張俊雄剛剛在行政院新聞局宣布停建核四廠，媒體要知道我的反應。當聽到轉述，我極為憤怒，認為陳水扁毫無誠意可言。當天下午中央黨部召開臨時中常會，會上砲聲隆隆，全體中常委也做出決議，不同意蕭萬長先生出任APEC的特使。

另外，二〇〇四年三一九槍擊案當晚，我從電視報導得知陳水扁已經搭乘專機從台南飛回台北官邸，我心裡想能搭飛機應該是已無大礙，我要王金平、林豐正、李建榮陪著我到總統官邸探視他的傷口，但他卻避不見面，只派邱義仁出來敷衍擋架，等我回到八德路競選總部與宋楚瑜等會商因應策略時，當天半夜他卻跟呂秀蓮錄了一段電視談話，要各電視台播放。他此舉的企圖明顯是要以電視直播，操控媒體報導有利他的選情，這明顯是違反中選會規定，中選會明白要求投票前一天晚上十點鐘應停止所有競選活動的規定。大家如果沒記錯，在投票前兩三天，報紙頭版刊登的都是沈富雄如何回應陳由豪舉證到陳水扁民生東路家給吳淑珍親送大數目政治獻金的新聞，所有媒體連篇累牘、高密度的報導下，對陳水扁的選情殺傷力甚大，但是三一九槍擊案的爆發以及陳水扁半夜的錄影談話，卻把陳由豪捐獻政治獻金的新聞全給擠掉了，這個槍擊案新聞與陳水扁呂秀蓮漏夜談話的新聞，持續報導到隔日投票，影響選舉投票行為昭然若揭。[2]

而同年選後的三月二十七日，陳水扁原也同意與我碰面，商討總統大選爭議如何驗票解決，但最後也放鴿子。因此過去與其碰面或約碰面，從沒有愉快的紀錄。但是這次訪問大陸前，我還是要林豐正對外說明，我從未排除與陳水扁見面，幕僚間可以先碰面。

目標清晰的出訪行程

透過國共兩黨事先的協議，我的出訪是要在四月二十日同步對外發布訊息。當天的大陸新華社，正式發布我的出訪行程。報導指出：「中共中央台灣工作辦公室與中國國民黨有關方面商定：應中共中央和中共中央總書記胡錦濤邀請，中國國民黨主席連戰率中國國民黨大陸訪問團，於四月二十六日至五月三日來南京、北京、西安、上海參觀訪問。」報導還表示：「四月十八日，中共中央台辦主任陳雲林與中國國民黨中央祕書長林豐正就中國國民黨主席連戰來大陸訪問的接待安排事宜進行了工作磋商。」

而我也特別安排在四月二十日的國民黨中常會上由林豐正祕書長作專案報告，並開放媒體採訪，讓中常委們及全國民眾了解我的此行安排。在會上副主席吳伯雄建議我應該帶著李登輝八十四年的演講、八十五年的就職演說以及陳水扁兩次的就職演說，這些內容可以反證部分人士的抹黑。他說這些人好像非搞得大家寸步難行，有這些材料，正好印證我大陸行的正當性；馬英九副主席則說，我這次和平之旅會見到中共國家領導人，過程中應秉持和平、理性對等、互惠的原則，適度表達台灣優先與台灣主體性，尤其在北京大學演講時，是和中國大陸人民對話的好時機，應提出自由、民主、人權、法治等概念，這是中華民國立國的根本，不能忽略。他還表示，國民黨是促成九二共識的政黨，但談九二共識外，還要加上一中各表，只有回到一中各表才能符合一中憲法，也代表國民黨的一中就是中華民國。

馬英九還提及建議對台灣的國際空間要著墨，因為這是國人關心的議題。至於是否要向政府報備，吳伯雄建議需要，否則依規定要被罰款兩萬元。但中常委陳釘雲則堅持在正大光明下前往大陸，加上陳水扁態度這麼不友善，毋須報備。蔣孝嚴常委指出和平之旅有歷史意義，應多強調中山先生與國民黨的關係，他還建議到上海時可以參觀中山先生故居。其他如姚江臨、沈慶京、林益世等常委也相繼發言，多表支持，也做了些提醒。

我回應說，此次本人應大陸國家領導人及中國共產黨高層領導人之邀前往訪問，預備四月二十六日啟程。各位都知道，中國國民黨和中國共產黨之間的聯繫及訪問，過去已有多次；不過以黨主席的身分和中國共產黨領導人的交談、見面，可以說是兩岸分治五十六年來的第一次。

我接著說明行程，首先要前往南京，向中山先生陵寢致敬，中山先生是本黨的總理，也是亞洲的一個民主共和國中華民國的國父。他畢生領導革命，推翻滿清帝國，建立民國；我相信一直到今天，都普受人民的尊崇。不但如此，中山先生倡議「自由、民主、均富」的思想，更是他畢生念茲在茲、全力以赴、鞠躬盡瘁所努力的崇高理想，直到今天還導引本黨、乃至於國家向前努力奮鬥。因此前往南京向總理致敬，不但代表全黨、也代表個人的心意。五十六年不是很短的時間，也許大家會有些感傷，然而它代表之意義是非常的嚴肅。

其次前往北京，本人一方面是以本黨主席的身分，另一方面也可以說以個人的身分，帶著人文的情懷以及和平的理想前去。我總以為，針對此行不必將「題目」做得太大，我很清楚「所謂國共第三次合作」的命題、時空背景完全不同，朝野已易色也易位，外界揣測是否可能與大陸當局簽署停戰協議、商談東南沿海撤除對台飛彈等議題，但我腦筋很清楚，做為在野黨，這次出訪不能與前兩次的合作相提並論，在野黨沒有公權力，也不能代表政府簽署任何協議。尤其兩岸人民關係條例是國民黨執政時期制定的，什麼能做，什麼不能做，我都一清二楚，不會自找麻煩。我的用意一方面也是降低外界對此行過高的期待，另一方面對於八天七夜行程能否順利成功，也該留有保留空間，畢竟這是五十六年來的第一次國共兩黨高層互動，互信與否、成功與否都要屆時才能定論。

我相信，只要我們本著和平、善意和誠信的基礎，大家理性地交換意見；並基於互惠、互助的出發點，在對等、雙贏的理念下，大家絕對可以探討不少的問題。

除此之外，我認為當時兩岸仍然存有若干的差異，但是兩岸之間也有共同的地方；如何在差異之處「存異求同」，如何在共同努力方向和共同接受的基礎上，擴大其效果，這才是正確的態度。在接下來的行程中，本人將和中共總書記及大陸的領導人，很坦誠地就相關事情交換意見。我們的目的，就是表達此時此刻能夠為兩岸帶來和平，為台海帶來安定，為將來締造有利的基礎。

我也提到林豐正祕書長經過兩次先遣作業非常的辛勞，前天晚上甚至工作至凌晨近四時，對方亦復如此。所以大家都是以很認真、很友好以及很願意促成解決事情的心意，處理訪問的準備工作。我會盡一切力量，按照大家寶貴的意見和方向去努力。

國際媒體爭相報導

其實我要到大陸訪問曝光之後，美方也重視多方打聽。美國在台協會台北辦事處長包道格也來看我，我向其作了初步說明，但美方也認為中共不能忽略與有公權力的政府打交道。美國方面表示大陸目前只願和台灣的在野黨接觸，兩岸領導人之間缺乏正式對話；美國認為北京領導人最終還是要和台灣民選的領導人以及台灣的政府談，並主張大陸應該處理此事。當然，大陸方面也見招拆招，已經表達歡迎民進黨在內的八位縣市長，出席在重慶舉行的亞太城市市長高峰會。

美國方面基本上對我大陸行是抱持肯定和歡迎的態度，稍早談到江丙坤先行，當時美國國務院發言人曾在記者會中說：「美方相信對話是解決兩岸歧見的最佳方式，美方希望看到的是一個兩岸人民都可以接受的解決方式。江丙坤訪問中國大陸，對於這個目標可以發揮貢獻，美方對此表示歡迎。」接著美國國務院亞太事務副助卿薛瑞福（Randall Schriver）也表示，如果台灣在野黨領袖訪問中國大陸的結果有助兩岸關係，美國就會支持，因為美國認為兩岸有對話總比沒對話好。他說：「這項外交會不會形成向前推進的機制呢？最終會不會有助於促成與台灣整個政治光譜的更大範圍對話？或者在台灣高度

二〇〇五年四月二十三日，北京一份報紙的頭版是我以台灣國民黨領導人身分造訪大陸的新聞，這是國民黨領導人自一九四九年後的首次訪問。（美聯社／達志影像提供）

分歧的內部政治氣氛中，這會不會是只限於跟反對黨接觸？我們都還不知道。」他表示，美國很注意這件事，還要再看看情況如何發展。他也補充說明，最終北京的領導人還是必須與台灣民選的領導階層會談，跟當政的政府談，才會對相關各方都有成效。

白宮發言人麥克雷蘭（Scott McClellan）相信兩岸對話對解決部分議題和降低緊張很重要。國務院副發言人厄立（Adam Ereli）也相信對話才是解決兩岸緊張的方式，美國對朝這個方向的步驟表示肯定與歡迎，「台灣個人最近到中國大陸訪問，是正面的步驟。」美國關心兩岸人民能採取達成彼此理解，能讓兩岸接受並對降低緊張有用的步驟。

而我訪問中國大陸的訊息，也引起國際媒體爭相報導。根據日本共同社報導，國民黨主席是一九四九年兩岸分裂後首度訪中，也是六十年來國民黨和共產黨首度的黨首會談，報導同時引述國民黨祕書長林豐正的發言，表示這項會談將對台海和平大有助益。

日本公共電視台NHK則報導，國民黨和共產黨黨首會談是一九四五年蔣介石和毛澤東在重慶會談後的第一次，也是一九四九年後的第一次。報導稱，國民黨將這次的訪問定位為和平之旅，希望有助於緩和緊張和改善關係。

產經新聞報導，連戰計畫針對台海和平及安定進行會談，陳水扁政府則對在野黨的「獨斷做法」進行牽制，指出未有政府當局授權而和中國簽署協定將是違法。

南韓聯合通訊社則報導，中共中央同意國民黨主席連戰，帶著台灣「國家安全局」的武裝警衛人員，自二十六日起參訪大陸。

由於我是中華民國卸任副總統，因此根據禮遇條例，一直有國安局的特勤人員保護我的安全。根據國共兩黨的協商，六位警衛人員將偕同前往。由於攜槍警衛同行，這是需要跟兩邊的政府各自事先商量，最後都獲得圓滿解決，因而成為媒體注意的報導。而北京同意我國安局特勤警衛

「配槍同行」，也展現對我個人的高度禮遇及尊重；當時台灣的國安局亦同意六位警職人員一行公出，象徵了當時政府部門的一個善意。而國安局特勤警衛與中共中央警衛局的首度碰面與同場執行任務，更是兩岸分治以來的第一次，這也提供二〇一五年十一月馬習新加坡會晤的警衛經驗。

出發前一天上午，我在中央黨部舉行中外記者會，下午則預備與陳水扁通電話，因此這一天還是挺忙碌的。文傳會為此行設計了一個標語為「世紀領航和平之旅」，並輔以和平鴿的造型圖案。我邀請三位同行的副主席吳伯雄、江丙坤、林澄枝一起出席。一開場我就說：「現在流行什麼報備的，我的記者

二〇〇五年四月二十五日和平之旅行前記者會。

會就當作是向全民報備吧！」這個開場也引得現場媒體記者一陣笑聲。

我在記者會中強調，兩岸不能再以內戰格局來看待，要「重視現實」、「重視當下」、「重視目前」。我將以民間身分為兩岸和平略盡棉薄之力，不是去談判。「我們不領政府的公糧，也未獲授權，不會給自己太大壓力，更沒必要自訂達成的目標與要求。」

但我也提到，從幼年離開大陸，已經有五十九年多未再訪問過大陸，這次出訪是第一次。感傷的不是兩岸之間的千山阻隔，而是歷史的辛酸。兩岸從一九八七年，蔣故總統經國先生開放大陸探親，打開交流大門以來，一九九三年辜汪會談成功打破僵局，之後大大小小接觸十七次。希望我的出訪，能就台灣人民的福祉、利益等議題，與大陸領導人加強交換意見。

媒體也問及我是否會接受台北市長馬英九的建議，在北京大學演講時，談民主及台灣主體性，我回答說北京大學是中國近代新思潮的發源地，也是自由思想的濫觴，能獲邀到北大演講是榮幸，但因時間限制，不會以此為全盤的演講內容。

記者也問起美國在台協會台北辦事處長包道格日前拜訪我，是否代表美方關切。我答覆說，國民黨的努力，除了美國公開肯定外，還有不少亞洲、歐洲的領導人也私下表達肯定。其實促進兩岸和平，是我與國民黨一貫的政策與立場，從未改變過。我會在正視現實的基礎下，客觀、虛心地了解大陸的看法，共同開創兩岸的未來與和平，營造互惠、互利、雙贏的大環境，這是兩岸互動時，應有的勇氣與格局。

時間過得很快終於要啟程了，經過時任黨祕書長的林豐正和民進黨及扁政府溝通，游錫堃約林豐正在台北賓館會商，也有一定結果，獲得理解。事後我同意出發前給陳水扁撥個電話，以示尊重。但我強調我無法承認陳水扁的總統地位，因此我可能只稱呼他「陳先生」或「水扁兄」。林豐正轉達我的意見後，游錫堃回話「陳水扁不會在意連主席如何稱呼他」。林游會上，游錫堃也代表政府部門保證我們出訪在國門的安全，會做好因應。因此在我出發前，為了表示尊重，我特別在國民黨中央黨部主席辦公室親自打了電話給陳水扁，我一開口就用閩南語稱呼他「水扁兄啊，我連戰啦，你好，你好，看到報紙上寫，你說贊成我去大陸，還給我祝福，多謝你啊，我嘛就國民黨的政策給你說明。」

我向其表示，本人將率國民黨幹部組團前往大陸。我的和平之旅，性質是個人的、民間的，不會涉及公權力，在與大陸方面討論時，如果對方有正面回應，未來可供政府參考或由政府加以落實，對朝野都有利，也有助提升台灣的地位。我強調，國民黨一向的大陸政策立場，就是維護國家尊嚴、保障台灣民眾福祉，以及捍衛中華民國憲政體制，攏是國民黨的一貫堅持，絕對不會改變。親像江丙坤副主席和大陸達成的十二點結論，攏是為了台灣的百姓；政府若能積極看待，必有利於國家社會，這也是我此次和平之旅大陸行所秉持的原則。

陳水扁則在電話的另一邊稱：「連主席你好，辛苦了，明天要出國了。」他說「你此行將是第一次和中共領導人溝通對話，絕對有其意義，所以政府很重視，身為總統也非常重視，相信訪問中國後，若有具體的觀察或心得，可以向政府報告或提供我參考。」陳也提到朝野對九二共識看法有不同，他沒有否認九二會談的內涵，但說沒有九二共識是歷史事實，但也祝福我此行順利圓滿。他說：「相信連主席所說的一定會遵守國家法律，一定會捍衛國家主權、尊嚴、安全，謀求台灣兩千三百萬人民最高福祉。至於政府態度很清楚，就是中華民國政府願意在『民主、對等、和平』下，與對岸改善關係及恢復對話，建立兩岸和平穩定的互動架構。」我也回應說，民主政治中，朝野政黨的看法有同有異是常態。國民黨的大陸政策明確、公開。我的主張就是國民黨長期的主張，不會突然多一點，也不會少一點，也不會予以改變，而將維持一貫。

當時，決定要打這通電話，也是思考許久，其中的折衝、溝通也是不在話下，辦公室幕僚為求留下證據，還將我與扁的通話，作了完整的錄音。我們兩人講了約十一分鐘，最後我說「那按呢就好啦，你嘛是真沒閒；啊咱哪有機會再擱講啦！再見。」我掛上了電話，結束通話。在我電話旁，我請林豐正、文傳會主委張榮恭見證。通完電話之後，為對新聞界發布消息，我特別請鄭麗文及李建榮重聽一遍對話全文，並由張榮恭、鄭麗文協助對外發布新聞。總統府事後也發布新聞，並對外稱意外我全程以閩南話講；是的，我認識他多年，他當台北市議員時就認識他，當年都是以閩南語交談，並無特別用意。

我注意到陳知道我不承認他總統的職務，因此他在通話中特別強調其總統職務與政府的立場。但我反覆要他不用擔心，我與國民黨自有分寸，把握立場。

我事後想陳水扁對我出訪態度的一百八十度大轉彎，或許跟美方的表態有關。既然他改變了態度，我同意和他通個電話，也是給他一個下台階，我也必須考量台灣人民的觀感。

而我的訪問團成員安排時，許多國民黨籍立委都想參加，但我在北大講演時，我曾說總不能在立法院放空城，當時引起在場北大師生的哄堂大笑。國民黨中央政策會與立法院黨團後來協調以抽籤方式決定五名代表，最為公平。行前抽籤由黨團書記長陳杰主持，後來抽中的是林鴻池、紀國棟、楊麗環、林正峰、李全教。

出發前這天上午，我還檢視了抵達南京機場的講話稿，我認為還要再增加一些對大陸同胞感情的呼喚，因此中午時我臨時又約了李建榮見面，請他再代為修正。而林豐正祕書長也帶來了二十七日下午要贈送南京天妃宮（媽祖廟）的一塊大匾，讓我過目，這塊匾額就放在我辦公室一角。

出發前一晚，內人幫忙整理行李，我也沒再外出，方瑀對出訪的服裝搭配非常重視，他也幫我挑了幾條領帶，問我的意見。我說與胡總書記碰面時，該打條藍領帶較好。由於出訪的議題、談話內容等事先都已經準備好，因此我的心情也算篤定，這一夜如常上床睡得很好，只期待明天的出訪能夠順利。

注釋

1 講稿全文詳見下冊五二二頁。

2 詳盡內容請參見上冊第十章〈民主蒙塵〉。

第十二章

二〇〇五年破冰之旅

由於情資顯示，民進黨與台聯將在我們一行人出發當日，發動人群到機場抗議，因此四月二十六日一早訪問團成員與我分兩梯次出發。這天一早下點小雨，有點濕冷，團隊一早在中央黨部集合上遊覽車，聽從警方的建議，由一航廈下車，再步行到二航廈辦理登機，主要是避免與抗議群眾接觸，避免發生不必要衝突，以確保安全。而我與內人一行則稍晚出發，當我步出家門時，已有多家電視媒體的攝影機在門口等候訪問我的出訪心情，我記得是以俗語「未晚先投宿，雞鳴早看天」來形容自己出發前的心情。

但出發當天早上還是發生一段大插曲，也就是我偕同內人，在警衛人員陪同下，車隊由家裡出發赴機場，從建國北路上高速公路未久，在三重路段就受到台獨分子史明率十幾輛計程車組成的車隊惡意干擾、阻擋，甚至欲逼近我的座車，差一點就衝到路肩，釀成車禍。所幸，後來公路警察強力隔離滋事者，並扣押人才化險為夷。

抵達中正機場，我的車隊被安排直接駛入二航廈停機坪，再步行進入機場辦理登機手續。進入機場，王金平與馬英九兩位副主席及若干位黨務幹部與立委及台北縣長周錫瑋、桃園縣長朱立倫等前來送行。在登機前，也意外碰到親民黨主席宋楚瑜前來給我祝福。雖然我們全團的安全未獲干擾，但我抵達機場時，獲知出境大廳卻是一場混亂，我甚感難過。在機場外及大廳內，上千綠色群眾在民進黨籍民代王世堅、徐國勇、林國慶率領下鼓噪叫囂，連關刀都有人帶上揮舞著，但支持我出訪的民眾，包括桃園縣黨部主委傅忠雄等以及新黨主席郁慕明等動員的群眾也來的不少，予以反制。

藍綠各支持人士所組團體相見於機場大門、棍棒齊發，驚嚇了其他出國的旅客。我登機前又得知傅忠雄主委被打倒在地，部分民眾掛彩受傷，對此一衝突事件，真的感到遺憾。我在接受媒體訪問時特別指出：「感謝下大雨來送機的朋友們，但有部分人因過去的誤會到場，相信國民黨過去、現在、未來的努力，能讓他們感覺得到。」由於警方動員三千六百七十九名警力也無法維持秩序，甚至對於在機場大廳鬧事者，警方只蒐證不取締，也引起機場登機旅客的不滿。國民黨與親民黨立委都公開指責航警局長陳瑞添執法不公，縱容違法，最終也導致陳瑞添當夜十一時去職。

原先，林豐正與游錫堃的會商中，政府部門保證機場的安全與秩序，但最後以失序衝突收場。我事後回想，陳水扁前一天才與我通電話祝福，游錫堃也信誓旦旦確保我們一行登機安全，因為陳、游的表態，我原以為執政黨的檯面人物會知所節制。但臨到現場，龐大警力卻無法鎮壓取締盤踞航廈大廳的現場暴力現行犯，這樣的放任縱容脫序行為，實在太不可取，執政者責無旁貸。機場是國家大門，也是國際觀瞻所在。三千多名警力居然坐視機場大廳的失序衝突，讓抗議者任意放鞭炮、鬥毆，雞蛋、石頭亂飛，這簡直是丟國家的臉，愧對國人，貽笑國際。

但此一衝突事件，到我訪問歸來，就趨於平靜，連親民黨與新黨主席稍後訪問大陸，在中正機場國門，都未再遭遇我當時所碰到的「震撼衝突」。

首站南京：相隔六十年的重逢

四月二十六日上午，我率中國國民黨三位副主席吳伯雄、林澄枝、江丙坤等六十五人組成「和平之旅」訪問團，赴大陸的南京、北京、西安及上海四個城市，進行了八天七夜的訪問。此行，不僅揭開了國共兩黨互動的新頁，也為僵持對立六十年的兩岸關係開啟了「機會之窗」，並打開了「希望之門」，深受中外媒體及國際政治領袖們的矚目與肯定！

等待了近六十年，我代表中國國民黨，終於將腳印重新印在中國大陸之地，包括我的出生地西安等四大城市。等待這一刻，已經超過了半世紀，一般普遍認為，我跨出的這一步，是個人一小步，卻是兩岸關係突破性重新啟動的一大步，歷史意義深遠無比。

有媒體更指出：連戰的這一步，代表一個對立的時代應該結束，一個和解的時代應該開展，他與中共領導人胡錦濤握手、晤面、會談，不僅是國共兩黨之間的歷史性重大事件，更為兩岸交流樹立了新的里程碑。

當天上午十點五十分，港龍航空的客機載著我們一行先抵達香港，香港政府給予我們一行禮遇通關，中共駐香港聯絡辦公室台灣事務部部長、中台辦主任助理邢魁山、香港政府政制事務局局長林瑞麟、署理行政長官副官呂漢國、中台辦聯絡局副局長何建華及周寧等人接機。因為搬運行李在候機室等了近兩小時，才又轉搭東方航空包機飛抵南京。在香港等候轉機期間，我也親自體會到老兵返鄉、大批台商及來往兩地的旅客一再反映轉機的不便與不耐。原本我陸委會駐香港最高代表——中華旅行社總經理鮑正鋼到了香港機場禁區要與我碰面，但是由於兩岸聯繫中斷，香港特區政府不同意他與我見面，他也被阻隔在外未能進入貴賓室。鮑正鋼為此，還對香港政府提出抗議。

在香港等待轉機期間，我也得知稍後要搭乘的大陸東方航空包機機長是東航資深飛行員樊儒，今年初曾執行上海台商春節首航班機，也是首位穿越北極極地航線的大陸機長。由此也可見，大陸方面對包機任務，也是仔細挑選安排的。下午四時四十分，東方航空MU5002客機載著中國國民黨大陸訪問團一行抵達南京祿口機場。當飛機落地緩緩駛向停機坪時，我透過機艙的小窗口，已經看到停機坪備了一個歡迎台，前邊擠滿了歡迎的人群與新聞記者們，尤其是攝影鏡頭多得數不清。

我站出艙門，與內人一起和歡迎人群揮手致意。國台辦主任陳雲林、中共江蘇省委副書記任彥申和江蘇各地的台商協會代表群集熱情歡迎我們，這真是歷史性的一刻！相對於台北出發時大雨，以及機場的抗爭，此時的南京卻是陽光普照，熱情洋溢，兩個機場的場景感受完全不同。

「台北與南京的距離可以說不是很遠，但距離上次到南京來（我上次經過南京是抗戰勝利之後，和母親坐民生公司輪船由重慶到下關換火車到上海，已整整六十年），整整的間隔了六十年，實在有相見恨晚之感。」但即使再晚，畢竟還是邁開了一大步！從機場到南京市區，我隔著車窗往外瞧，南京的街景，中山路上的梧桐樹，尤其看到沿途南京市民同胞們夾道歡迎的盛況，心中真是百感交集！

南京曾是中華民國國民政府和行憲之初的首都所在地，也是中國國民黨創黨人、中華民國國父孫中山先生的陵寢所在地，至今對國民黨而言，南京仍是具有歷史連結與感情彙集的地方。因此，我在機場致辭時，也代表中國國民黨對廣大的南京市民們說：「國民黨很想念大家，也很關心大家。」我想這兩句話，可以道出中國國民黨對大陸同胞分隔半世紀的思念與關懷！

我注意到我問候南京市民的一番話，成了四月二十八日《聯合報》社論的評論觀點，該社評道出「其實中華民國的政治領袖，已經很久未見訴諸『大陸同胞』的談話；反而由於兩岸高層的尖銳對抗，甚至在兩岸人民之間亦形成了仇怨。連戰的一聲問好，令人突然發覺：其實，台灣的政治領袖，仍然有訴諸大陸民眾的制高點。不必妄自菲薄，更不必與十三億人為敵。」這段評論可以說是深獲我心。

抵達南京時，我記得有位南京的官員曾說，南京的街道規劃，路旁的法國梧桐樹，這些都與國民黨有歷史的情感淵源！他們也都普遍認為，我在機場的簡短問候語，直接拉近了與南京市民的情感。當晚，訪問團一行下榻金陵飯店，飯店大廳也掛起歡迎我們的大幅紅布條。

在抵達南京——也就是相隔六十年後的第一站，晚宴是參加中共江蘇省委書記李源潮的歡迎晚宴。李源潮是位謙謙君子，相當具有文人氣息，自〇五年以來近十年，每年我們都有透過書信聯絡，相互問安，當年的李書記，後來已當上中共中央政治局委員、中共國家副主席，他在和我的多次會晤中，我可以充分感受到李先生有深厚的底子，是有內容、有深度的領導人。

我記得，他在晚宴致詞中說：連戰主席此次大陸之行，受到海內外華人的高度重視和世界各國的普遍關注，在當前台海關係複雜多變的形勢下，連主席能排除各種干擾，跨越兩岸五十多年的隔閡分離，率中國國民黨代表團來大陸訪問，我做為一個中國人，對主席此舉表示真心的讚賞與歡迎。

我聽了之後，除了對李先生的熱誠表示謝意之外，也指出，南京對中國國民黨來說，有歷史連結的關係，也有感情連結的關係，尤其是中山先生的陵寢就在這裡，我六十年前來過南京，相隔這麼久，真有一種相逢恨晚的感覺。

我也表示，大家如何秉承理性、互信、尊重的理念，彼此強有力的推動交流，一定會給兩岸人民帶來穩定、繁榮與希望。

因為這是我抵達大陸的第一場餐宴，所以，特別重視這份情誼。

拜謁中山陵

我的和平之旅，第一站選擇南京，所考慮的就是拜謁國父，也是中國國民黨的創始者、總理，更是中華民國的創建者孫中山先生的陵寢；中國

中山陵現場年輕的民眾高舉「中山不死，國共求同」布條和中國國民黨黨旗。

大批南京民眾歡迎我們的來訪。

國民黨播遷來台灣之後，兩次大選失敗，喪失了執政權，我本人自當負起責任，對黨、國和人民，我心頭之沉重，更是無可言喻。

身為中國國民黨的領導人，能親臨中山陵，向中山先生虔誠致敬，是

我在致敬後應邀題詞。

拜謁中山陵。

我本人和所有參訪團成員最大的心願之一。中山陵擠滿了人潮，有同胞高喊著我的名字，支持我、歡迎我，那種發自內心的呼喊，讓我激動無比，也感受良多，我在致敬後，應邀題詞，寫下「中山美陵」四字以為紀念！我在大庭廣眾前題字，這可是第一次，雖然這一節目來得突然，但心中的誠意與敬意，卻是言語、文字無法形容的！

中山陵入口處的花崗石牌坊上，刻有中山先生手書的「博愛」兩字。

我也特別在中山陵前博愛廣場上發表演說，這一年真是具有歷史意義的一年，不只是中國國民黨總理孫中山先生逝世八十週年，也是抗戰勝利六十週年紀念日。因此，我率領的國民黨「和平之旅」也是「破冰之旅」

訪問團抵達南京，具有無比的歷史深意。

我很清楚，孫中山先生也是中國大陸所推崇的革命先行者，紀念中山先生、共同實現中山先生的革命理想，是兩岸人民能夠共同接受的語言。我念茲在茲的是中山先生的理想，我更寄語兩岸的執政當局，應以中山先生為師，共同打造兩岸和平穩定、互助合作、共創雙贏的理想。我也期待台灣能繼續努力，再造經濟奇蹟，向均富社會前進，我更期許大陸方面能快速成長，早日達成小康、和諧社會。我相信，我的這番話，是充滿善意的，是各方面應都能接受的政治談話。

我尤其在談話中特別呼籲兩岸共同追隨革命先行者孫中山先生的腳步，發憤圖強，讓中華民族揚眉吐氣，因為，這是長久以來，中國人民期望民族昌盛的共同心聲。我是毫不保留的說出一個炎黃子孫的夢想！我身為中國國民黨的主席，親眼目睹中山陵的林園管理單位，這麼精心的整理，維護中山先生的紀念墓園，我心中有很深的感謝，不管這是不是統戰，但能夠用心維護我們中國國民黨創黨人孫總理的紀念墓園，確實是令人感動的。

當我們拜謁了中山陵之後，內心的激動，自然不在話下。是日（四月二十七日）中午，中共南京市委書記羅志軍，在南京國際會議中心會見並宴請訪問團一行。

羅志軍在會見時，首先代表六百四十萬南京市民對我們表示熱烈歡迎，他還說：在電視上看到連戰主席機場發表的談話，說到「台灣和南京相隔不遠，但相見恨晚。」我們聽了都非常感動！

羅還特別提及，南京市人大常委會很早就制定了二部法令，一是「中山陵園風景區保護條例」，以更好的保護中山陵；二是肯定台商保護條例。目前（二〇〇五年）南京有台商企業兩千二百多家，每年有數十萬台胞來南京探親、觀光旅遊。

羅志軍還說，從電視轉播中還看到南京市民扛著「常常回家看看」的歡迎條幅，「我想這也是全南京人民的心聲」！

我聽了他的話，也指出，南京與中國國民黨確實有非常深厚的淵源，上午在中山陵拜謁，看到成千上萬南京民眾自發參與的熱情場面，是我們來之前無法想像的，我非常感動！

午宴結束後，我去參觀了國民政府總統府大堂，此行，可說是時隔五十六年之後，中國國民黨主席再一次重新走進這座曾經是中國國民黨歷史上輝煌的標誌性建築，南京長江路二九二號。

歷史上這棟建築，辛亥革命勝利後孫中山先生在此就任中華民國臨時大總統，後來中國國民黨建立了國民政府之後，蔣介石、林森在此擔任過國民政府主席，行憲後，蔣介石、李宗仁也都曾在此擔任過總統，如今它成為南京中國近代史遺址博物館，但據我所知，南京人都習慣將此地叫做「總統府」。

我當時很仔細地看，聽解說人員的說明，我們沿著歷史的足跡，從西花園進入孫中山臨時大總統辦公室，在這裡，保持了中山先生在中國進入現代化社會轉折點的關鍵時刻辦公室的原貌；在這裡，中山先生也發布了一系列文告，並廢除了封建時代的種種制度和陋習，中國從此告別了皇帝、皇朝，孫中山的和平奮鬥救中國初步成功了。

我還特別記得穿過清代兩江總督署史料展廳、禮堂，進入了二堂，有一間總統接見外賓接待處，看到牆上掛有中國國民黨黨旗，和國民政府國旗，我心中很感動！解說員也說，抗日戰爭勝利後的民國三十五年（一九四六年）蔣介石重新回到這裡，但三年之後，中國國民黨政府又從這裡遷往台灣！

對於間隔了半個多世紀，再次走進總統府的中國國民黨主席，南京總統府的管理單位贈送了一幅蘇繡，是幅繡有孫中山就任臨時大總統的辦公室。我收了此禮，也留下「和平奮鬥救中國」的題詞！

當天晚上六時三十分，我們由大陸方面接待單位安排，到夫子廟前的狀元樓酒店及第廳，品嘗聞名的秦淮小吃，回想起來，這頓晚宴共有二十三道秦淮小吃，其中既有代表老南京特色的鴨血粉絲湯、炸臭豆腐，也有新南京紫茼蒿炒肉絲、花湯圓等，這些特色小吃相當特別。晚宴後，我們一行步行出酒店準備步行一段到夫子廟，由於當時媒體的事先報導，以致整個夫子廟、秦淮河畔沿途步行區都擠滿了民眾，大家爭相想和我及內人、其他團員們一聚，甚至照相，打招呼，那股熱情至今難以忘懷，有人還甚至戲稱，滿街都是歡迎連主席的人潮，而且是自發性，這種盛況，令我留下深刻印象，就像在台灣選舉時的掃街盛況，萬頭攢動。

在南京待不到三十個小時，雖然時間很短，但留給我的卻是長長久久的深刻印象，〇五年之後，我又到南京參訪過三趟，每次來都有不同的感受，特別是城市建設的突飛猛進，更是讓人驚豔！

謁陵感言—做一個揚眉吐氣的中華民族

王書記、李副主任、各位親愛的好朋友，我們南京市所有親愛的市民同胞，大家午安！大家好！

今天永平和內人以及國民黨三位副主席率同我們所有大陸「和平之旅」的訪問團全體的團員來到中山陵，受到我們市民同胞熱烈的歡迎，實在是令我們非常非常地感動。我在向他們打招呼，他們看不見，但是實在是非常非常的熱烈，非常的熱忱，在這裡我要首先謝謝書記，以及中山美陵管理單位各位領導和幹部，給我們這麼好的一個安排。

各位市民同胞、各位媒體的朋友，今年是中山先生逝世八十週年的一個年份，也是對日抗戰勝利六十週年的一個紀念，在這樣子的一個時刻，本人代表中國國民黨率同所有的團員來到我們創黨總理中山先生陵寢之前，來獻上最高的敬意，我們是以莊嚴、虔敬的心情來到這裡，尤其看到這麼多民眾自發、自動地來到這裡，更加激動，心裡面真是感到無比的振奮。

各位也知道，中山先生領導國民革命，推翻滿清，建立了亞洲第一個民主共和國，那就是中華民國。但是，不止如此，他是一位革命家，更是一個政治家，他以民主、自由、均富的理念來全心全意地追求中華民族的復興和昌盛。犧牲奉獻，死而後已，這是他整個的生命奮鬥史。當然，很遺憾的就是他沒有辦法親眼看到，民國十四年，他離開之後所發生的很多的事情。包括南北的統一，以及不平等條約的廢除。他一而再，再而三提出要為這個民族雪恥圖強，當然不幸，他沒有看到這些。但是今天，我們來到此地，我們尤其回想到中山先生那種壯闊的思想，那種全心全意為民服務、奉獻的精神，所謂博愛，所謂天下為公，都在這個碑、牌、門樓上面寫的清清楚楚。

我想，面對今天兩岸的局勢，尤其這種可以說是稱為嚴峻的一個僵局，我們免不掉會回憶到中山先生彌留的時候，一再的昭示國人不要忘記和平、奮鬥、救中國。和平、奮鬥，中華民族有前途、有出息，對不對？所以在這個時刻，我們回想到這種叮囑、叮嚀，我們非常期盼大家無論是在哪裡，都能夠本著一個和平的、奮鬥的心情，來讓我們抓住這個時代，讓台灣能夠持續不斷地經濟的發展、均富社會的建立，讓大陸快速地成長，完成小康社會，這才是我們今天應該認知，全力以赴的總目標。

我非常感謝的就是，中山先生是我們今天兩岸大家共同尊崇的國族前輩，在大陸，他被尊稱為革命的先行者，讓我們大家一起追隨革命先行者的腳步，共同的來努力，奮發圖強，讓我們能夠在二十一世紀的時候真正地做一個揚眉吐氣的中華民族。

所以，此時此刻，我也要特別地感謝相關的各個單位以及大陸的政府，長年以來為了維護整理環境，可以說是已經做到盡善盡美的地步了，我們非常的謝謝大家，我們是不是也給管理單位鼓一個掌表示感謝的意思。

我們今天時間雖然很短，但是這種心情是讓我們永難忘記的，我再一次的感謝成千上萬的市民同胞，能夠一起到這裡來，這樣子的一個陽光普照、這樣子的一個好天氣，讓我們大家互相勉勵，也互相祝福，祝大家身體健康、萬事如意，謝謝大家。

第二站北京：代母返校訴情懷

二十八日上午，我們搭機離開南京，接近中午抵達北京，在同一時間中共中央總書記胡錦濤正在菲律賓訪問，我記得胡總書記在菲律賓參加華人各界舉行的歡迎會上發表了重要談話。在談到兩岸關係和中國國民黨連戰主席在大陸訪問時，胡錦濤說，台灣問題關係到中國的主權和領土的完整，牽動著包括台灣同胞在內的全中國人民的殷切期盼和神聖使命，也是廣大海外同胞的共同願望。胡錦濤說，最近幾天，中國國民黨連戰主席正率領訪問團訪問大陸。這是中國共產黨和中國國民黨關係史上的一件大事，也是當前兩岸關係中的一件大事，我期待明天與連戰主席見面會談。我相信連戰主席的和平之旅一定會取得成功！

這是胡錦濤在海外首次對我率團赴大陸訪問的講話，當時，我對和胡總書記的會晤，除了有份期盼之外，更多是一份無法形容的壓力，因為國共已有近六十年未接觸，更不必說談判了，當然，對此行率中國國民黨大陸訪問團來訪，著眼的並非談判，而是化冰，是和平，然而，我也想藉著這個難得的機會，能開創出兩岸的另一番境界。同時，是年中國國民黨是失掉政權的政黨，是一在野黨，行前出發受到執政的民進黨的各種質疑、挑釁、阻撓，當時，國際間也是以一種高度冷眼的心態來看，我們此次大陸行，美國的立場與關切自然不在話下。

四月二十八日中午十一時許，我們抵達了北京國際機場，這是國共及兩岸分隔近五十六年後，中國國民黨的主席首次踏上北京的土地。

在歡迎儀式中，當時大陸國台辦主任陳雲林致詞時說，應中國共產黨中央委員會和中共中央總書記胡錦濤的邀請，連主席率中國國民黨大陸訪問團今天抵達北京，中國共產黨中央委員會台灣工作辦公室、中共北京市委員會、北京市台辦及台商代表們、北京各界人士，在這裡盛情地歡迎中國國民黨大陸訪問團的全體成員。

我在機場的講話中，也特別表示，北京是一個政治的中心，也是一個文化中心，可以說是世界的名城，千年的古都，在這裡我們可以看到傳統和現代並存，我們也可以看到華夏的文化和世界的文化交滙，我們真正可以看到物質的文明跟精神的文明，是相互輝映的。今天來到此地，我們非常的高興，也希望能夠利用這一次的訪問，對於一般發展建設的實際情況來做進一步的了解。

但是，除了這些之外，我特別表示，各位也都知道，本人及代表團這一次應邀，將和胡總書記以及各位領導就兩岸重要的和平以及經貿文化的交流這些議題來交換意見，我們今天都非常關心兩岸的關係，怎樣能夠在和解、對話這個過程中，能夠建立一個和平的、雙贏的未來。我相信這是兩岸人民共同的心聲，也是我們大家要負起的歷史責任，同樣的也是阻擋不住的民意傾向。所以，今天我們國民黨要追隨大家，在這樣的環境下，讓我們共同放眼當前，讓我們重視當前，讓我們能夠有機會同樣地展望未來、開創未來。

我還特別指出，今天的訪問，對我個人、對我的家人，我的同事們，說起來實在走得不容易，來得也不容易。我們非常珍惜這一次寶貴的機會，願意多聽聽、多看看、多了解、多談談。明天我相信還有機會拜訪北京地區，尤其是北京大學各位知識界的領袖及青年朋友，相信也可以通過這個機會向他們來討教及交換意見，我相信，一定能給我個人留下一個彌足珍貴的經驗。

出了機場，我們直奔下榻的北京飯店，沿途景象也令我印象深刻，北京的街道街景、沿途的建築大樓，道路的寬敞，尤其長安大街的氣勢，不輸紐約、華盛頓、東京、倫敦等大城市。

我在南京時還聽說，抵北京可能會有沙塵暴，但，老天保佑，一切都正常，不僅無沙塵，反而是陽光普照的大好天！或許這也是我此行的好兆頭！

中午，北京市委書記劉琪在飯店會見，並宴請我們訪問團全體。席間，我特別語重心長地說了一段國民黨、孫中山與北京的「民國軼事」：民國肇建初年，由於中國內部局勢混亂，南北衝突不斷，民國元年（一九一二年）八月，孫中山聯合四個政黨在北京湖廣會館成立「國民黨」，飲水思源，國民黨和北京有擺脫不了的深厚淵源。中山先生也因為奔走革命勞累，從民國元年（一九一二年）後到十四年（一九二五年）間只到過北京一次，這也是他最後一次。中山先生從天津趕來的時候，身體已經不行了，他對北京各界公開演講，說：「中華民國諸君，這次，來不是為『爭地位』、『爭權勢』，而是為共同救國家。」

我更表示，「不敢講這次我率國民黨到訪，有多大貢獻，但中山先生之精神，卻是導引永遠不能忘的價值基礎！」

其實，我講這段確是打從心底之真心話，有感而發，不但是對自己，更是對國民黨的期許。當年，猶記我率團出訪時，許多人士戴著有色眼鏡來看，甚至直言：連戰的大陸行是為了連任黨主席所做的暖身。

今天看來，持此偏頗、別有心思的這一批人，不但是看走了眼，老實說，也低估了我的智慧、胸懷與格局。

二十八日下午五時三十分，我和全體團員抵達人民大會堂和全國政協主席賈慶林會晤，我和賈主席雖然是第一次見面，但我很清楚，這次我率團來訪，背後真正主導的，除了胡總書記之外，就是身兼中共中央對台工作領導小組副組長的賈慶林，因此，當我握著賈主席的手，就感受到他的熱情，尤其是聽了他的談話，更感受到賈主席為人之直爽與氣度！

四月二十八日會晤全國政協主席賈慶林。

賈主席說，跨越了六十年的歷史時空，國共兩黨領導人為謀求推動台海地區之和平穩定，促進海峽兩岸之交流發展，具有重大的歷史和現實意義。他說，不久前與江丙坤副主席見面時，曾引用魯迅的詩句：「渡盡劫波兄弟在，相逢一笑泯恩仇」等比喻，我率團來訪，他期待這樣的境界，能以胡錦濤總書記和連戰主席的握手為標誌，成為國共兩黨關係的真實寫照。

賈主席在談話中，我特別有感的是：「只要真誠擁護兩岸人民的利益，謀求兩岸人民的福祉，就代表了歷史的正確選擇，就一定能夠得到兩岸人民的肯定與認同。」

當時，聽了賈主席的一席話後，我心中就浮現出過往我閱讀英國文豪狄更斯（Charles Dickens）以法國大革命為時代背景所撰之名著——《雙城記》的引言：「這是最好的時代，也是最壞的時代；這是智慧的時代，也是愚蠢的時代；這是篤信的時代，也是疑慮的時代；這是光明的季節，也是黑暗的季節；這是溫煦的春天，也是嚴酷的冬天；我們什麼都有，也什麼都沒有；我們全都會上天堂，也全都會下地獄。」有了上述的思維，在和賈慶林晤談時，我也表達了個人的觀點，我說，此行從南京開始，一路看到大陸發生了歷史性的變化，我的到訪是看到歷史趨勢，從民意調查與立法委員的選舉看來，也是得到台灣民意的支持，希望海峽兩岸雙方能夠透過彼此之努力，相互理解，相互信任，為兩岸關係帶來安定和有希望的未來。

我也回顧了上世紀九十年代初期中國國民黨執政時期，當時我在行政院擔任院長，透過大家的努力，曾在新加坡好不容易的舉辦了辜汪會談，打破了四十年的國共僵局。此刻憶起當時的狀況，不管大家對李登輝先生的國家認同立場有何看法，但他是當時的總統，對辜汪會談也有他的力促之實，這是毋須去否認的。

因此，我和賈主席談話時，也特別指出，辜汪會談後之幾年，雙方關係成長快速，大大小小的會議也有二十七次之多，對若干事項有具體的結論，開啟了兩岸關係很好的契機。但是經過民進黨陳水扁執政後，兩岸卻愈走愈遠，甚至背道而馳，大家都很擔心，而我這次到北京來，就是代表許多台灣人民對此情勢的關心，對於人民的期盼，彼此都有擺脫不了的責任。

我也表示，這幾年來，國民黨積極推動春節包機與台灣農產品銷往大陸的種種努力，不但是為了兩岸同胞的互利融合，更是衷心的希望兩岸能達互助雙贏的目標。

和賈主席正式晤談後，賈主席還宴請我團，席間，當我再度致詞時，我特別指出：「如果我們一直對現在和過去糾纏不休，我們就可能失去未來。」今天，我們必須關注的是未來，因為世界正在變化中，我們不能再被舊的思維、舊的方式、舊的框架所束縛，以致讓舊時代的恐懼、仇恨和「零和對立」遮住了眼睛，看不見指向未來的新路標。

所以，我進一步說，我來了！我以中國國民黨主席的身分來到北京。這就象徵著我們都已深切的體認到，新的世界潮流就是要拆除阻擋彼此交流的高牆，就是要尋找能增進相互理解的契機。我們的會面，無疑代表著開啟「兩岸交流新紀元」的第一步。

針對有些人也許認為甚至疑慮，我率國民黨來大陸之行，不確定的因素太多了，我還特別強調，的確，我們無法預知未來，否則，「未來」就不足以稱為未來。但事實上，我們能夠追求未來，關鍵在於我們是否具有關注未來的理念，是否具有善用當前各種機會以增進互動的共識，是否具有為打造前景而建立存同化異的信念。如果我們能從正面的方向發展，我們應該能夠看到由「交流、理解、尊重、互信與希望」等無形要素所形塑的「和平新未來」。只要大家同心同理，我們可以共同改變歷史，讓這個時代成為最好的時代。

我和賈慶林的首次會晤至今也已逾十七年了，每當憶起，對當日的情景，歷歷在目，心中至感。我辦公室至今仍擺著一只仿古的花瓶，就是賈主席所贈。

四月二十九日是我此行的重頭戲，這天上午我要到知名學府北京大學演講，下午則要率領代表團與胡總書記等一行會談。

北大講座獲好評

「四月二十九日春意甚濃的燕園迎來了一位特殊的客人——中國國民黨主席連戰，儘管每年都會接待多批各國政要和社會名流，見慣了大場面的北大師生對於連戰的來訪，仍然給予高度關注和熱情歡迎。同學受訪時表示，那是自己人嘛，我很高興他來！」以上，是我看到大陸媒體對我到北大參訪並應邀演講的報導！的確，北大的這場演講，也可以說是我這次到大陸訪問和胡錦濤總書記晤談發表五項共同願景之外，非常重要的一場活動。「堅持和平·走向雙贏」[1]是我在北大這場演講的主題，為了準備這場演講，我可說是費了一些心思，對講話內容，一改再改，為的就是求周延，也為的更是要充分的表達我對兩岸同胞福祉、對中華民族的共榮，心中的願景。

據事後我的了解，在北大的這場演講，由於入場券供不應求，校方不得不在公眾大食堂擺了電視實況轉播，中央人民廣播電台也在校園多處包括食堂架設擴音器材，供無法進入現場的同學們收看、收聽。

收視率與收聽率都創了紀錄，胡總書記當天下午和我見面時，也對我在北大的演講內容表示，令他有感，而且印象深刻。

北大現場人山人海，基於安全考量我們直接驅車抵達會場。

有一位朋友告訴我以前美國總統柯林頓到北大演講，電視轉播都要遲點時間才播出，為的就是以防萬一，但是對我的演講則是同步播出，可見其中的差別，盡在不言中。

九點三十分我抵達北京大學辦公樓禮堂，準備發表演講，當進場時，北大的師生夾道歡迎，掌聲不斷，北大校務委員會主任閔維方教授與國台辦主任陳雲林陪著我與內人方瑀一起走上講台就座。演講會是由北大副校長郝平博士主持，他說道：「今天我們相聚在美麗的未名湖畔，熱烈歡迎中國國民黨主席連戰一行訪問我校，並發表演講。」他

二〇〇五年四月二十九日，大陸中央電視台於全國直播我在北京大學的演講，在北京車站外的巨大螢幕上也能同步收看。（美聯社／達志影像提供）

也說明：「正在國外參加學術會議的北京大學許智宏校長也專門委託我向連戰主席和各位嘉賓的到來表示誠摯的歡迎。」

緊接著閔維方主任代表致歡迎詞，我很仔細聆聽他是如何介紹我：「連戰主席是我們北大師生所熟知的台灣著名政治家，也是一位望重士林的學者，一九五七年，連戰先生畢業於台灣大學政治系，一九六一年取得美國芝加哥大學國際公法與外交碩士學位，一九六五年獲得美國芝加哥大學博士學位。一九六五年至一九六八年他曾在美國威斯康辛大學和康乃狄克大學執教，一九六八年回台後任台灣大學政治系客座教授、政治系主任及政治研究所所長。」

接著他又介紹我的黨務資歷：「一九七六年，連戰先生出任中國國民黨青年工作會主任。此後歷任國民黨中央委員會副祕書長、中常委、副主席、主席，今天，做為首位訪問北京大學的中國國民黨主席，連戰先生將在這裡發表演講，我們為此而深感榮幸。」講到這裡，我意會到我在台灣的公職，他就「略而不談」。

他接著介紹：「近一段時間以來，兩岸政黨之間的交流互動呈現新的活躍局面。前不久，江丙坤副主席率領中國國民黨參訪團對大陸進行了訪問，連戰主席此行更是舉世矚目，意義重大。我們完全有理由相信兩岸關係的良性發展，雙方在各個領域進一步加強交流與合作，是人心所向，不可阻擋的歷史潮流。我們也完全相信，連戰主席的來訪，必將有助於推動兩岸關係和平穩定發展，有助於催生兩岸合作與交流的嶄新局面。」

他指出：「北京大學是一所有著悠久歷史和重要學術影響的高等學府，一百多年來，北大秉持著愛國、進步、民主、科學的光榮傳統，為爭取中華民族的獨立解放，為人民的自由民主，為現代化建設和教育、文化、科技事業的發展，做出了獨特的卓越貢獻。」

他表示，近年來，北大在兩岸的文教學術交流中也發揮了重要作用。北京大學與台灣的許多大學和學術機構之間交流、交往，十分活躍。目前，在北大學習的台灣學生包括博士研究生、碩士研究生和大學本科生已有兩百六十五位。我們相信，隨著兩岸關係的進一步發展，我們北大與台灣高等院校與學術機構的交流、交往還會得到更加進一步的發展，還會更加密切。

他接著又介紹家母與北大的淵源，他說，在此，我還要高興地告訴大家，燕園的山水草木與連戰主席還另有一番特殊的淵源和情誼。這裡，曾經是連主席的母親趙蘭坤女士學習和生活過的地方。一九三〇年八月，趙蘭坤女士得到遼寧坤光私立女校校長方祥慶先生的推薦赴燕京大學宗教學院宗教社會科專修學習，趙蘭坤女

北大閔維方教授致贈家母就讀燕京大學時時的照片。

士也是我們北京大學的校友，今天連戰主席回到自己母親的學校，我們深感高興，並表示熱烈歡迎。

他最後提到，「春風猶化千層雪，海水流連兩岸新」，他深信，兩岸之間充滿著真誠的交流與交往，不僅將不斷增進兩岸同胞的相互了解和骨肉連繫，也必將促進兩岸的共同繁榮與發展，促進中華民族的團結與振興。他希望北京大學能給連戰主席一行留下美好的印象，也預祝連戰主席的大陸行取得圓滿成功，謝謝大家。

閔主任介紹時，我望台下看去，禮堂的正後方布置著一幅巨幅標語：「兩岸同胞共同攜手，為中華民族偉大復興而努力。」這也可說是大陸方面對兩岸交流合作的盼望。

在郝平副校長再次介紹與滿場的掌聲歡迎中，我約在十點鐘左右踏上演講台，開始了我的演講。

事實上，從車子進入北大校園，我就深深感受到北大師生的熱情，北大是中國首屆一指的學府，也是中國新思潮的發源地，包括柯林頓、普丁總統在內的大國領袖，都曾應邀在此發表重要演說，因此，我對此番演講的重視，自不在話下。在長達四十分鐘演說過程，我每每心有所思，口有所言，將之視為我在校園課堂授課般，侃侃而談，抒發歷史情感與個人情懷。

在這場演說，我為了強調改革開放之路的正確，特別引述了鄧小平在一九九二年南巡的一段重要講話：「不堅持社會主義，不改革開放、不發展經濟、不改善人民生活，只能是死路一條。基本路線要管一百年，動搖不得。」我記得還以四川口音仿鄧

北京大學演講現場除了坐滿學生外，還湧入大量媒體朋友。

小平語氣強調「動搖不得」，獲得台下師生的掌聲和笑聲。

我也在談話中，把北大和台大的淵源連結起來，我提及北大是中國大學的翹楚，也是中國現代史中新思潮的發源地。在北大校園中豎立有蔡元培校長的紀念銅像，北大的校風，就是傳承著蔡校長所揭示的「循思想自由原則，取兼容並包之義」這兩句話，也就是因為這種自由的、包容的學術研究風氣，使得北大培育出來無數承先啟後的社會菁英。在中國的現代史上，北大師生，總在社會需要之際，挺身而出，各領風騷，不落人後，走在時代的先端，參與政治與社會運動，展現了知識分子憂時愛國的情操。

我也提到自己曾任教的台灣大學也有同樣的傳統與自由的學風，師生們也以參與過爭自由、保民主、護國傳統等行動為榮。也許是因為歷史的因緣際會，台灣大學曾經成為兩岸學術人才的熔爐。民國三十八年（一九四九年）後，北大的一些教授與學生，就像思想種子一樣，來到了台大，也讓自由主義在台大開花結果，例如胡適之、蔣夢麟，前台大校長傅斯年、錢思亮，享有盛名的毛子水、陳雪屏、洪炎秋等都是受歡迎的教授。尤其胡適與傅斯年當年都是北大五四運動的健將，傅先生擔任過北大代理校長，從來還出任台大校長。我還特別指出，至今，走入台大校園，仍會難忘代表自由主義的「傅鐘」的迴盪聲響。因此，北大是中國自由主義的先鋒，台大則是台灣自由主義的堡壘，隔海相輝映，北大、台大可說是師出同門，一脈相承。

我寄語北大師生，當前最重要的就是「多元與包容」、「互助與雙贏」；我告訴師生們說，雙贏是我所堅持的唯一格局，和平則是我所堅持的唯一理念。

在這樣的出發點，現狀的維持有其必要性，但我必須強調，維持穩定的狀況，並非靜態、退縮、消極，而是一方面避免爭議，另一方面存異求同、凝聚善意、累積動力、開創亮麗的未來。

有媒體做了統計，我在北大的演講，整場約響起了十九次的掌聲，平均每兩分鐘一次。而主持當天演講會的北大副校長郝平（二〇〇五年後陸續出任北京外國語大學校長、大陸教育部副部長、北京大學黨委書記、二〇一八年十月接任北大校長）說：「北大的師生聽演講一向給掌聲很吝嗇的，但連戰這次講演博得滿堂采，他講得實在太精采了！」中外媒體也都對我的北大演講給予高度評價。大陸專家甚至也評論說：「連戰的講演是情真意切，感人至深；嚴肅而不乏幽默談話。」

其實，北大建校迄今已有一〇七年的歷史了，因此，我告訴北大師生，來到北大就好像走進中國現代史的時光隧道一樣。中國的人才都薈萃在這裡，中國近百年的歷史也濃縮在這裡，回頭看看在座的每一位就如同北大的前輩先賢一樣，大家所關心的是中華民族的未來是什麼？

我們應該選擇怎樣的一條道路？中國現代史告訴我們，在找尋的過程中，曾出現了種種曲折與挑戰，走了不少冤枉路，更讓國家社會與人民付出了極為慘痛代價。但是無論道路如何曲折，做為一個知識分子，仍要有百折不撓的勇氣與決心，承擔歷史的責任，為廣大人民找出路，尤其在座的老師、同學們，都是要承擔中國未來建設使命的菁英，因此讓我們這一代開始遠離衝突、流血的惡夢，讓兩岸和平的理想實現，共同提升兩岸人民的生活水平，確保國家競爭優勢，這不但是我們這一代，更也是你們下一代，所必須一肩挑起的重責大任。

因此，我期勉所有同學，當我們面對歷史最嚴厲挑戰的時刻，我們應當具備什麼樣的格局與勇氣，才能走向正確的歷史方向與目標呢？我將之歸納為十二個字——「為民族立生命，為萬世開太平。」

連胡會的「世紀之握」

四月二十九日上午結束了北大的演講，下午進行了此次和平之旅最重要的行程，那就是下午三點，在人民大會堂，我帶領所有團員會晤了中共中央總書記胡錦濤先生，並發表國共兩黨的新聞公報，也就是「兩岸和平發展共同願景」。

這場眾所矚目的連胡會，是在人民大會堂的福建廳舉行。兩點五十九分，胡總書記在國務院副總理吳儀、中央辦公廳主任王剛等陪同下，站在人民大會堂北大廳的紅地毯走道上，等候我們的到來。

這歷史一握可說是化解兩黨六十年僵局的新篇章。

我由內人方瑀及吳伯雄、江丙坤、林澄枝等三位副主席及全體團員陪同一起抵達人民大會堂，當我走近離兩米左右距離時，胡總書記也迎上前一步，我立刻伸出手和總書記親切一握，一旁的攝影記者們，喀嚓、喀嚓地拍照，而這個歷史一握，可說是繼毛澤東與蔣介石在民國三十四年（一九四五年）重慶握手之後，國共兩黨最高領導人時隔六十年後的又一握手，也代表著兩黨近一世紀僵局的化解，國共交流歷史新篇章的締造！更代表的是兩岸絕大多數人民願意良性互動發展的決心與誠意！我與胡總書記這個「世紀之握」的鏡頭，也立即透過各種媒體管道，傳送到全球各個角落。

與總書記握手後，他還招呼我以不同角度向在場數百名記者揮手致意，我也依序向胡先生介紹內人及三位副主席吳伯雄、江丙坤、林澄枝、黨祕書長林豐正及智庫高級顧問徐立德。握手時，胡先生對江丙坤說上次來談得很好，對徐立德則說「謝謝你多年來的工作」。而後，我們雙方一起步行到大廳與雙方會見成員拍張大合照。

外界包括美國總統布希都以「歷史性的會晤」來形容我與胡錦濤總書記的晤談，在這次會談後，雖然沒有簽訂任何類似和平協議的文件，或是終止武力對峙等協議，但基本而言，我倆都有共同的認知與定見，也就是國共兩黨基於促進兩岸關係和平穩定發展的承諾和對人民權益的關切，因此，經過深入的交流、探討，我和胡總書記決定共同發布「兩岸和平發展共同願景」，以新聞公報的方式對外發表。這項共同願景，也已列入中國國民黨的黨綱，也就是，這是國民黨在兩岸政策中的最高原則，是黨的目標與方向。

二〇〇五年和胡錦濤在北京的會晤，仔細回顧共有四次：第一次是全團會晤，然後是少數人之會談，第三次是中南海宴會前私晤，及隨後筵席間交談。整體而言，晤談的內容，對兩岸整體的發展，是有其歷史深意，這也是國共的重要史實，因此，我特別作了以下憶述：

再一次謝謝總書記和各位，我們這次來訪問，有些人對這個時機好像有意見，我已經講過多次，在二〇〇三年本人參加大選時，就公開指出國民黨對兩岸關係的基本主張，第一點我就提到如果當選，第一件事要做的就是到大陸進行和平之旅，按照我們所提出來的兩岸和平發展的路線來規劃，當時就有很多批評，但是在這樣子的環境裡面，我們覺得很有意思的是，因為有的人講訪問大陸可以，有的人講就不可以，完全是兩套標準，當然，我這次離開台北的時候，也聽到若干的聲音，也有若干百分比的反對，有時多一點（有選舉的時候），沒選舉的時候，就少一點，他們對國民黨有誤會，對和平之旅有不同的看法，當然在民主社會，他們的意見我們能了解，但我相信，他們長久以後一定會對國民黨現在努力的方向，有更真實、更確切的了解與肯定，我也提到，有心人士說我們此行到大陸是要聯共賣台，我覺得這個指責實在太沉重；毫無疑問的，因為時間對他們這些人來講，似乎過得太快，快到讓他們的思維仍停留在過去，沒能跟上時代，所以他們無法接受國民黨的作為，今天，我們是以人民的福祉做為優先的考慮來大陸訪問，這都是大家可以看到的實情，也是兩岸人民共同的期盼，我曾經提到柯爾在面對東西德的情勢時曾說：「我們要相互容忍。」甚至在南韓、北韓進行會談時，盧大統領也說：「要同理心，要兄弟情。」我想這些呼籲、這些聲音，都給我們更多的惕勵，再一次謝謝胡總書記對我們此行的關心。

非常的感謝！我們國共兩黨事實上都是為中國的富強，人民的安樂做為努力的目標，但不幸的就是在三十年代日本鐵蹄的侵略，中斷中止了我們文明的建設與現代化的進程。抗戰勝利以後，我們彼此又對國家發展的路線有不同的看法，更遺憾的是以內戰的方式來解決這樣的問題，一直到今天，一道台灣海峽，隔離了很多家庭與很多的個人，造成很多的不幸，甚至於民族都陷入困境，讓我們感嘆不已，但是，過去五十幾年來兩岸的領導人，我們也看到在關鍵的時刻，做了關鍵的決定，這些關鍵的決定扭轉了歷史的方向，我必須強調，在台灣，經國先生，他不但對推動所謂的經濟發展與民主化，有無可磨滅的貢獻，尤其是在晚年的時候，無論是在公開或私下的場合，念茲在茲講了好幾次，「我是中國人，也是台灣人。」當時很多人覺得為什麼會講這種話呢？我認為，那就是因為他當時就已經體認到兩岸共同的未來，將是我們重大的考驗與挑戰。

台灣的歷史整個的來看，比較特殊的是，不是因為它僅僅是地理上的一個島嶼，而是它是一個移民的社會、閩粵地區的人民一波波的到台灣來，但是也就在這個時間台灣曾經被荷蘭人統治了四十六、七年，所以現在有一些所謂的台獨分子把台灣的歷史從那個時候開始切割，我覺得這是非常荒謬，但是荷蘭人的確統治過台灣，差不多有四十多年，讓人難以忘懷的，更是可以說是泣血椎心的痛，那就是在甲午戰爭後簽訂的《馬關條約》，把台灣割讓給日本，五十年來在日本統治下，把台灣人做為殖民地的次等國民，可以說沒有什麼尊嚴、沒有什麼自己的立場，完全是一個次殖民地，強力的去中國化，所以在這樣的一個過程當中，台灣的歷史一方面有它的積極面：人民冒險犯難，開疆拓土，篳路藍縷，開啟山林，為整個民族開拓新的生命，所以它包含了有一種極具冒險、活潑，和熱情的精神，同時，也很嚮往民主、自由與自在；但是在另一方面，還有一個深層的意義，長期的歷史過程，對台灣人民有一種非常悲傷的、自我壓抑的感情作用，長久以來受荷蘭人統治也好、日本人的欺壓也好，讓在台灣的人對求尊嚴、對做自己的主張，特別敏感，所以在這樣複雜的環境影響之下，怎麼樣用心去了解，用情去影響，我想才真正可以了解台灣人。

所以今天我們覺得在台灣有其特殊的歷史背景，在進行兩岸的交流，建構和平的機制之際，本人特別呼籲要重視台灣人民的付出、民風與民族際遇，對尊嚴與平等的渴望，這是一個重點。另外一方面，在大陸我們也看到鄧小平在七十年代開始，真可以說是做了驚天動地的決定，關鍵時刻，又一次扭轉了歷史的方向，改革開放，可以說是調整了文化大革命的方向，大幅度的提升人民的所得，今天無論是在經濟的成長，無論是在貿易的投資，大陸各方面都在世界名列前茅，所以這條改革的道路，小平先生說「動搖不得」，我們非常欽佩，兩岸重要領導人，都先後決定了歷史的方向調整，今天來看，我們認為是很正確，很值得努力的。而最顯著的就是兩岸各方面的制度的差異性，我們覺得愈來愈小，總結起來，兩岸因為我們兩黨所採取不同的路線、不同的制度，使得我們受到很多的教訓，甚至走了相當多的冤枉路，在這個過程裡面，我相信我們能夠來彙整、策動一些看法，那就是怎麼樣提升人民的生活水準是政府的最大責任，如何在國際化的大趨勢下提升我們的競爭力，叫它市場經濟或自由經濟任何名稱都沒有問題，這樣的發展方向，我相信兩岸都有相當的體認，總結來講，民主、團結、均富是我們大家努力的目標，所以怎麼再講得白一點，我昨天也講、今天也講，就是以今天兩岸的條件，我們不但是互相依存，而且是互相互補互惠，兩岸的合作，絕對是一加一大於二，兩岸合作賺全世界的錢，有什麼不可以，所以藉今天這個會談跟大家做以上報告。

總書記的一番話我非常的欽佩，宏觀跟歷史的眼光，是非常大格局的看法：我也願就這個機會先簡單的敘述一下我個人的看法：第一，大陸改革開放果真是驚天動地，可說是成功的改革，我們更可以從整個改革過程的經驗中知道，把經濟搞好，再逐步地來擴至其他的部分，這是很重要的一個邁向成功改革的步驟。我們已注意到大陸近二十年的經濟發展，可以說它是有一個方向在那兒，有一個明確的目標和策略，事實上，這麼一個改革、一個開放，它不會只是停止在特定的改革，特定的開放，而需不斷地引發其他的改革，其他的開放，橫的縱的都會有它的道理與意義，因為台灣也經歷了這樣的過程，這個是我們可以相互公開地做參考；第二點就是關於台商的問題，台灣的工商企業，希望在安定互利環境下持續發展，也就是兩岸經貿的關係，希望能維持穩定的成長。兩岸經貿對台灣來說，一直是出超，所以這是重要的；第三，互補，我們的工廠、勞力、人才、資金、技術，各有所圖，這是一個既成的事實，沒法辦法改變，很多的廠商到大陸以後，都擴充它的經營，擴充它的版圖，結果是把餅做大了，台灣的、大陸的合起來比原來還大，這不就是一加一等於二，甚至大於二，這是事實，所以我們對這樣的發展遠景充滿了信心，當然現在仍有很多的事情都對台商產生不便，所以，上一次江副主席來訪，跟陳主任（雲林）商談，搞到半夜非常辛苦，但是也得到十二項共識，這是非常重要的，希望大陸可以單方面實施的就來實施，直接可以做的就馬上來做，至於要台灣執政者來做的，我們還是可以聯同其他政黨跟無黨無派志同道合者，在立法院以通過法案的方式解決，如果他們（當政者）對這些事關人民福祉的事不以為意，我相信選舉的時候，他們會受到教訓；第四點，我們中國國民黨是堅定反對台獨，我們在選舉的時候，明確的主張對所謂制憲、所謂正名、所謂去中國化、一邊一國，所謂非理性的台獨時間表，每一樣都公開、斷然、堅決的表達反對立場，其結果是，我們在立委的選舉中得到大半的支持，在立法院我們是多數、支持這些立場的人，在立法院占了多數，當然選後親民黨支持度是少了百分之三十，名額少了百分之三十，但是我總覺得兩黨能夠合作，什麼事都可以掌握主導。

最重要的是，不要被人家分化，不要被人家裂解，這是智慧之所在。這幾點之後，我要特別提到的是總書記剛剛講的這幾個方向，我們都非常的欽佩，我特別就兩岸的合作問題，看是不是能再提一點我覺得具體的看法，第一當然這次的訪問，除了感謝以外，也是一個很重要的契機，兩黨六十年也好，五十六年也好，我們覺得這個機會實在很難能可貴，我很希望兩黨今後可以建立一個溝通的平台，不論有關兩岸關係的事項，甚至於社會各相關的議題，我們以黨跟黨的方式來協商處理，這方面自由度比較高，同時我們的自主性也高，不致受所謂台獨執政者的任何影響，我很希望能從這方面來著手。第二，就是您特別提到兩岸應盡速來恢復平等的協商機制，就共同或個別的相關議題來進行意見交換及其他各方面的商談，假如有這樣一個機制的建立，我相信台灣人民會適時的表示對問題的看法，我要強調的是，絕不能因為意識型態，斷送了人民的福祉，我這話是有群眾基礎的話，有群眾基礎的講法。第三，兩岸當前情勢混沌不明，有時因事、因時、因人、因話，產生許多謠言，常會引起很多人迷信謊話，我們不去理會謊話，但是周遭的友好國家，或許對問題不解，常會關心到底是怎麼一回事，所以，我們雙方能思考來推動和平協議，長期、中程的都可以再商量，因為我們不只是競爭，我們還有合作的一天，我們明善惡、彼此互信來建立機制，相信對兩岸人民具有正面的意義，從這點之後再演繹出來，就是總書記同各位都知道的，當前兩岸情勢在台灣選舉中是常常被拿來做炒弄的話題，每一次到選舉，兩岸軍事武力對峙就是一個話題，影響了雙方人民情感，我認為這對長久的發展都是不利的，也是不必要的，所以，我們是否可以思考來建立一個安全的機制，讓人民覺得我們是一起可以為未來努力，而不是鑽牛角尖的，不是可以被政客煽動。國際上也好，區域上也好，地區上也好，這方面的思考有很多的先例，包括了很多的做法，都可以讓我們做一個嘗試努力的目標。

除此之外，經濟層面建議兩岸再進一步加強經濟合作的關係，建立一個經濟合作的機制，我不願意在這裡用特定的名稱，因為太多了，第一它的名稱太多，第二它的步驟太長，例如，歐洲走的路線，最近看到關稅同盟，FTA啦！Common market各有名目，內容都不一樣，所以因地、因時、因國、因人不同，但是怎麼能夠建立這樣合作的機制——相互的合作——剛才總書記談到很多的相關問題，首先排除經貿的障礙進入關稅的豁免或是降低，再進入所有生產要素，至於人員、資金、資訊技術的轉移等自由的來往，再進一步包括貨幣的統一，最後進展到政策、財政政策的結合。這個過程相信大家都碰過的，我們可能要去談、要往這方向去推動。假如雙方面有一個負責的對口，能夠來談是最好的，我想，民間的工商企業、政黨團體都可以在這樣的情況做一個兩岸經濟的論壇來推動這種事情，絕對是順乎民意的事情，沒有人能阻擋，我不相信，在台灣有任何人敢阻擋。

在這裡我也要提到兩個方面，台灣經濟這兩年不景氣可說是陷入低迷，坦白的講，經濟無法成長，有一個重要的因素，就是鎖國的結果，一個封鎖自己的心態，造成自己被孤立，自我的內耗，讓自己陷入困境，我們很希望在國際區域化的環境裡，能夠跟大陸達成地區雙邊的協定、自由貿易的協定、多邊的協定等等，這對台灣經濟的發展影響力是無可限量的。畢竟，人家的貨有競爭力，你的貨沒有競爭力，誰要你的貨？韓國人的貨比你便宜百分之十，那怎麼跟人競爭。所以我們關心的是人民的福祉和未來，我覺得我們執政時候很努力，研發、創新、開拓市場，這幾年卻完全落空，在這樣的一個努力的過程中間，我很希望大陸能夠持有一個樂觀其成的看法，樂觀其成讓環境自由化，達到區域的合作。

最後一點，就是我們對外活動空間與國際的參與，這點，過去也往往成為政治人物在選舉時操弄的議題，目前，不妨排除政治的思考，回到實務面，針對兩岸人民切身的利益，來實事求是。舉例來說，前幾年台灣面對SARS肆虐，沒有任何國際的協助，沒有任何國際的情資，原本不應成為一個議題，最後卻成了議題，增加了彼此互相的爭鬥，我的意思是，功能性的東西，可以把政治考量擺一邊，比如聯合國衛生組織乃至於銀行組織，這種功能性的組織，尤其跟民眾福祉息息相關的事情，是否可以考慮以何種方式能夠讓台灣以適當的方式參與，甚至可以做一些貢獻。

我們要解決的是台灣老百姓的問題，不是台獨政權的問題，我們一定要弄得清楚，即使將來有機會在WHA碰到台灣的醫學專家，我們一定要強調這是為了人民，不是為了台獨政權開一條路，搞一邊一國。以我們推動春節包機來看，我相信人民都非常清楚，國民黨的立場也謝謝總書記及各位對上回江副主席達成的十二點共識都非常支持，尤其關於台商權利的保障，台灣農產品的出路，這些都沒有任何的政治意味，農民都直接、間接來跟我們講，對於今天民進黨沒有抱任何的希望，因為已經五年了，空轉了五年了，內耗五年了，很希望我們能替他們農民講話，因為台灣農業生計是占弱勢，對經濟貢獻不超過百分之三，現在變成百分之一，雖然是弱勢，但農民還是需要照顧的，吃飯還是需要的，農業技術還是滿有發展的，現在直、間接的農業很多，這是一個大問題，尤其中南部（就是我輸得很慘的地方），因為這些老百姓很可愛，往往三言兩語就這麼簡單的被政客騙了，所以這些人很需要幫助，所以江副主席前次來，希望解決的問題，這些都是非常重要的。

上述是我和胡總書記首次晤談，我所表達的一些談話內容。一般而言，海內外各界普遍認定，我與胡錦濤總書記的歷史性會晤，國共兩黨都是基於促進兩岸關係和平穩定發展的承諾和對人民利益的關切報導，簡單而言，這次新聞公報的成果，是建立國共兩黨交流的平台，討論兩岸人民所關心的議題。我記得四月二十九日下午和胡總書記會談之後，我在北京飯店舉行了和平之旅記者會，會中我提及：歷史是過去的事情，我們雖然沒有辦法改變它，但是，未來卻是我們可以努力掌握的！

我特別指出，和胡錦濤總書記在良好、自然的氣氛中進行了熱誠的意見交換，這是六十年來中國國民黨和中國共產黨最高層的第一次對話和交流，我是以慎重和非常珍惜的心情來進行這次對話。因此，對於如何把握當前，把握現實，開創未來，共謀發展，共享繁榮，是我們的共識。當時我也說了，今天國民黨是在野黨，並不負有執政的責任。但是兩岸關係攸關全體人民的福祉，所以一定要結合志同道合的政黨人士共同努力，相信可以推動兩岸互惠、雙贏、和平的關係，同時也希望能夠通過我們的努力，建設兩岸穩定和平發展的架構。

第三站西安：慎終追遠尋根源

二〇〇五年四月二十九日，我順利完成了與中共中央總書記胡錦濤的歷史性會晤之後，第二天四月三十日上午九時三十分，我率領的中國國民

熱情的西安鄉親高舉雙手以歡呼聲迎接我們。

黨大陸訪問團一行，乘坐中國東方航空公司的班機離開北京前往古城西安。

「少小離家老大回」，闊別了半個世紀後，我親率家人回到了出生的地方——古城西安。「鄉黨歡迎您！」、「歡迎您回家！」熱情的西安鄉親們以如潮的掌聲和歡呼聲迎接我們一行，令我和家人至感。

當我們抵達西安咸陽機場時。我在機場發表了感言表示，今天來到闊別將近六十年的西安，承蒙大家這樣熱情地歡迎我們，尤其看到許多台灣來到此地的工商企業代表，我們心裡實在是非常的榮幸，也

西安夾道歡迎的群眾。

感到非常的高興，首先代表內人以及國民黨三位副主席和所有的團員來向各位表示最由衷的謝意，同時也要藉這個機會向西安市所有的鄉親們、長輩們來請安、來問好。

西安是我出生的地方，也是我童年成長的地方，八歲才離開西安，所以八年抗戰那時，我在西安住了有三年，童年是在一個戰爭、戰亂的環境裡成長，可以說是在一個困苦的年代，所歷練出來的成長過程。但是西安的景物、西安的人事、在西安啟蒙的教育，隱隱約約都還常常出現在我的腦海，童年是彌足珍貴的歲月，不論它是戰爭、不論它是另外一個環境，對我來講都是最美麗、最珍惜的。

當時回到家鄉，其實心中就有股希望，期盼能夠找尋小時候的種種，因為，西安不僅是文化古都，現在更已經變成世界人類共同的文化遺產，它代表一種源遠流長的精神。十一個朝代在此建都實在是談何容易，幾千年的歷史談何容易。

當時，我也特別提及，西安的地理環境，大家也都知道是在黃土高原邊緣，這樣一個環境之下，先民真可以說是不怕艱難、堅苦卓絕、吃苦耐勞，這又代表西安另一種精神。我之所以有此意念，並不是在展示我的歷史知識，而是在表達我的內心感觸，今天我們所謂「絲綢之路」，由西安向西走到西域以及更遠的地方去，所代表的是中華民族文化融合的信念，堅決的信念，開創的信念和源遠流長的一個信念。

此刻，回想當年我講這些話，主要也是因為今天我們台灣海峽兩岸的關係，可以說真是面臨一個前所未有的一個情勢，但是身為中華民族的一員，我們實在是不願意看到這種僵局持續地延續下去，來到西安讓我們想到這個地方代表的環境，這個地方代表的意義，那種源遠流長，那種艱苦卓絕，那種融合包容，那種宏觀的精神，我想都是給我們很多很多的啟發。

因此，我特別向鄉親們強調，我們希望在短暫的訪問中間，能了解西安，以及陝西在最近以來各方面的發展，另外也希望有這個機會跟各位父老來交換意見，算是緬懷也是了解也是學習，我們希望大家能夠更進一步的了解，在相互的信任、善意等等的基礎之上，讓我們共同來創造一個亮麗美好的未來，帶給我們大家一個共同的信念。

我在西安念了兩個小學，一個叫作秀，一個叫做北新街，後宰門小學就是以前的北新街小學。四月三十日下午，我回到了闊別六十多年的母校——西安後宰門小學，受到了師生們的熱烈歡迎。

後宰門小學始建於一九三五年，原名為北新街小學，我是於一九四二年和一九四三年在這裡上學。七十多年來，後宰門小學培養了一批又一批莘莘學子，以其科學的管理、優秀的師資、一流的質量，成為西安市的名校。

當年，聽說我要回母校，許多校友們一大早就聚集在學校門前的街道旁邊，爭相一睹我這位老學長的風采。我還記得有一位一九八九年畢業的馬若飛，當天還抱著女兒舉著一個上寫「我們為您驕傲」的小舉牌，激動地對記者說：「連戰先生為了海峽兩岸的和平而努力，我們感到非常自豪。」

許多市民、大學生也紛紛趕來。一幅「連戰先生，我們為你加油」的大紅橫幅特別引人矚目，這是長安大學法學系的同學們連夜趕製出來的。同學們說：「連戰先生是為了促進海峽兩岸交流，推動兩岸和平發展而來，只要是炎黃子孫，都會為他喝彩、加油。」

在歡迎儀式上，後宰門小學校長白彩玲代表二千七百位師生，對我回到母校表示最誠摯的歡迎。她說：「有一個地方，叫家鄉；有一種情懷，叫思念。在學子面前，無論你身在何方，母校的惦記和關注永遠不會改變。」當時在台上有六位小朋友以抑揚頓挫的語調朗誦著：「連爺爺！您回來了！連爺爺！您終於回來了！」這段旁白讓台灣的隨行記者忍不住噗哧一笑，當這段報導傳回台灣，沒想到腦筋動得快的台灣手機業者竟然以此段內容為答鈴音樂，那時流行了好一陣子，也成為我此行的一段趣聞。

「月是故鄉明，情是故鄉親。」當年回到西安故居地，我真是抑制不住心中的感動，深情地對大家說：「我讀書的時候，正是日寇入侵，烽火連天，條件艱苦。今天看到同學們在這麼好的環境裡健康地成長、學習，更加感到和平的珍貴。」因此，我藉此機會勉勵在場的小小學弟妹們認真學習，長大後好好服務社會，服務人民，為中華民族的振興大展宏圖。在短暫的時光參觀同學們的學習情況，當我和內人看到小朋友們專心在學習書法時，我們內心感到無比的快慰。同學們給我這位老校友送了一幅自己的創作：美麗的西安，美麗的校園。我也給母校書寫了「陶鑄群英、溥益群倫、木鐸揚聲、功宏化育」的紀念條幅、並贈送祖父所著的《臺灣通史》、我的作品《改變才有希望》及藝術品〈宏圖〉，另也捐助十萬人民幣給學校充實設備，造育英才。

心香一瓣祭祖母

寫到這裡也相當的傷感，記得我的祖母來到陝西之後，沒有幾年就去世了。當年他只會台灣話，連一句普通話、陝西話都不懂，就隨著兒子到了西安。而後因為抗戰因素，兵荒馬亂年代，我隨父母逃難到重慶大後方。抗戰勝利隨即從長江而下，從上海登船到台灣的基隆港。而後國共內戰，海峽兩岸長達四十年的敵對隔絕，因而我們連家後代也始終無法盡人子的孝道，回西安掃墓，這也是我一直引為憾事。等到經國先生晚年宣布開放探親後，我特別委請台灣省新聞處一位也是陝西籍貫的老同事王保民，代我回西安找到祖母的墳地，代為掃墓。而我遲至二〇〇五年的和平之旅，才特別安排回西安的掃墓之旅，也是「尋洞之旅」。

祖母她老人家安息在清涼寺的旁邊，記得蔣孝嚴副主席曾經到過祖母的墓地，他告訴我說「矗立的墓碑文字是由右至左，是目前大陸的格式與我們台灣、傳統的不太一樣。」因此我這次回來前，特別要我的老部屬李德武、張哲琛先跑一趟，把墓碑重立一個，按照傳統做法，文字由上而下。所以當年到了西安老家，特別帶著家人，包括妻子、女兒惠心、女婿弘元、兒子勝文、勝武去祭拜（小女兒詠心在美國留學沒有同行）。六十多年來，連家沒有一個人回來過，所以身為子孫的我們，有這個責任，慎終追遠。

正時春光明媚時，心香一瓣祭親人。五月一日上午，我率同家人和中國國民黨大陸訪問團來到西安長安區上塔坡村清涼山，祭奠長眠在這裡的祖母（沈太夫人）。

墓園青青，香煙裊裊，紅燭高燒，素果芬芳。當時的我凝視祖母墳墓，深深地三叩首，並和家人一起默默從墓園右側繞過草地來到墓前，環繞著走了一圈，並在墓碑前駐足凝望。在秦腔曲牌《柳青娘》及《苦壽庵》的哀婉樂聲中，一家人在祖母墓前上香、祭拜、獻花、獻酒、獻果，並由司儀郭燕陸（國民黨行政管理委員會總務室主任）代為誦讀祭先祖母沈太夫人祭文。

祭拜結束，在墓園門前，我面對隨同前來的數百名記者，也表達了我內心的感觸。我說，今天這一刻，對我，對連家來講是永遠難以忘記的一刻，過去無法每一年來祭拜，今天能夠實現自己夢牽魂繞的願望，真是非常感動！我還記得，當我們

在妻兒、女婿陪同下為祖母上香，慎終追遠。

來到與墓園一牆之隔的清涼寺。清涼寺主持釋剛香對我說：「歡迎您和您的家人回鄉來，西安是故土，大陸是根。希望連戰先生以後常回來看看。相信您這次和平之旅，一定會開拓出海峽兩岸光明未來。」

回想起那個時代，當然和今天不一樣，那是一個烽火連天、兵荒馬亂的時代，生離死別，就是那麼一個環境。所以經過戰亂的人，看到年輕人成千上萬的走到前線去，流血甚至於傷亡，我們就會覺得和平的珍貴、和平的可愛。

我來自台灣，訪問團中許多同仁都來自台灣，兩岸這種情勢、僵局可以說已經超過五十六年，大家也都知道，在台灣有了大家的努力，在經濟上已經創造了台灣的奇蹟，現在正邁向創造第二次經濟奇蹟的一個關鍵時刻。在大陸，同樣所擁有的、具有的、面對的是一個千載難逢的好機會，所以所謂現代化、所謂富強康樂，不是一個遙不可及的夢想而已，是一個可以實現的願景和未來，在這樣的情況之下，是不是應該攜手同進，共創光明的願景？

當時，我還特別強調，我可以說，戰爭時期的童年在這樣的一個校園裡成長學習，那個時候也是陽光普照，也有嚴酷的冬天，春暖花開的春天，都是一樣的，而今在這麼一個美麗又安靜的校園裡，我們怎樣能夠掌握這個美好的機會，在校長老師呵護教育之下，我希望大家能努力地、好好地上學，用功地讀書，因為現在的世界已經在改變，甚至已經改變，都非常的普遍，現在和未來要走的道路是知識的經濟，以知識為基本的一個競爭環境，沒有知識的基礎，就沒有競爭的能力，所以有很多的國家，因為教育的不普及，整個社會貧窮沒有辦法改善，所以叫做世襲的貧窮、永遠的貧窮，因為教育門檻始終沒有辦法超越，而今天，無論在南京、北京、西安，教育是受到關切的重視，投資很多，因為這是為了我們共同的明天。

在西安停留期間，我們還參觀了名聞中外「有世界第八大奇蹟」之稱的秦兵馬俑。博物館館長吳永琪陪同我們到博物館一號坑參觀，並親自為我們導覽，並禮遇我們下坑道近身參觀。

原先館方好意提供與美國柯林頓總統相同的禮遇，讓我們戴上手套觀賞古陶鑄的刀，但我為尊重古物而婉謝了。

吳館長說明在二〇〇〇年時，為了讓台灣同胞也能一睹兵馬俑及秦文化的歷史之美，陝西省秦始皇兵馬俑博物館、寶雞博物館、咸陽博物館、鳳翔博物館、岐山縣博物館、隴縣博物館、寶雞市考古隊等，曾特地挑選一百多件秦代重要文物跨海到台灣展出，獲得熱烈回響。我也認為兩岸的文化交流很重要，中華文化的豐美，理應讓台灣人民也能認識了解，增強民族認同。

在離開前，館方特別精心挑選，致贈我出土於一號坑的席紋印跡古塊。我則為博物館題詞「遊秦塚而憫萬民，跨海峽為創雙贏」做為留念。

最後一站上海：深入闡述兩岸共同市場概念

訪問大陸，最後一站的行程是上海。當然，上海也是我小時候住了將近一年（一九四六年）的地方，當時我住在姑姑連夏甸（姑丈林伯奏）位於江灣的房子。為什麼安排上海這個行程？因為上海是大陸改革開放政策的象徵，尤其是浦東的開發，值得親自去體驗。因為上海也是台商匯聚之地，台商都是我們到大陸打拚的鄉親子弟，對他們表示關懷，也是應有之義。因為上海是大陸經濟的櫥窗，也是兩岸經濟合作的重鎮，我想在這個地方從經濟的角度來進行演講，為兩岸的經濟發展勾勒一個未來。

在上海的演講，主要的對象是台商。由於在五項願景中提到了兩岸共同市場的概念，但沒有深入發揮，因此我想藉這一場演講，就這個觀念進行比較深入的闡述。

五月二日上午，我在上海香格里拉飯店舉行了大陸行的中外國際記者會，我在會中強調此行與大陸就兩岸和平協議、配套的軍事互信機制等方面獲得一致看法，意義非常重大，呼籲民進黨政府應積極準備，透過兩岸的談判正式加以落實。

我首先向新聞界說明，四月二十九日和中共中央胡總書記交換意見後，曾在北京飯店召開過記者會，當時時間非常緊湊，無法跟大家做詳盡報告，由於我們的訪問，明天下午就將離開上海，藉此向大家補充說明連胡會的意義。記者會的全文在此分享：

一、有關兩黨建立溝通平台，中國國民黨與中國共產黨都非常重視這項提議，胡總書記也認同由國民黨與中共中央成為對口單位，由林豐正祕書長與陳雲林主任負責。

目的就是成立一個溝通平台，除了加強兩黨各級幹部平日交流，目前先確定成立兩個論壇，一個是和平發展論壇。一個是經濟、貿易與文化論壇，這兩個論壇分別對剛才提出的和平事宜及經貿文化相關事宜，分別進行意見交換，凝聚共識，提出各項具體意見，供兩岸參考和落實。

這兩個論壇不侷限在各黨的黨務工作人員而已，也可以邀請相關人士來參與，在今天兩岸官方的聯繫「還看不到影子的時候」，這種平台提出對和平和經貿兩項最重要的議程，是具有非常重大意義的。

二、在新聞公報裡第二點我們正式提議，促進和平協議。和平協議長久以來是台灣單方面提出的主張，過去國內及國際學者，也多談到類似問題，本人在二〇〇三年年底提出「兩岸和平路線圖」主張時，也談到這個問題。

但這個問題提出來，我必須講是從台灣單方面立場所提出，這個有重大影響的建議，受到胡總書記正面的回應，我們應該關心的是，尤其在「反分裂法」通過之後，其中所謂「非和平手段」，受到台灣以及國際非常重視的時刻，兩黨能夠在進行高層意見交流的時刻，獲得一致看法，我覺得這個才是問題的中心。所以，我們在這個問題上，既然都已經做出承諾，希望台灣政府可以積極準備，並透過兩岸的談判，正式加以落實。

大家也可以了解，一旦實現了結束當前兩岸敵對的狀態，它的內容長久以來，有很多具體研究跟建議，我相信那個時候，這種協商的結果，發展的結果，必定對台灣人民與亞太地區，有非常重大的意義，帶來一個真的、新的和平大環境。今天我們所談也許是原則的問題，但是「必須從原則出發」，「要說一步到位、所有細節都排得好好的」，沒有這種事情。

三、有關軍事互信機制的問題，兩岸建立軍事互信機制，也是非常重要、極其重要的看法，各位知道，軍事互信機制建立，也就是和平協議的配套，在我看來兩者是「密不可分」。

機制是一個制度的建立，不只是口頭承諾而已。今天有些人提出具體要求，但是軍事安全方面具體的要求，口頭承諾與制度建立事實上是兩回事，一旦制度建立，所有步驟上的要求，將逐步的、整體的做一個改善。你說我口頭上的凍結、撤除、減少多少飛彈，「說說而已」。

國民黨非常了解整個問題所在，我們是要解決而不是要製造（問題），我們主張建立軍事互信制度，胡總書記也對這項提議正面回應，所以我們返回台灣後，會積極促進政府來做準備，以早日向建立這樣機制工作推進。一旦兩岸有了軍事互信機制之後，我想台灣人民所關心的軍事安全問題，應該可以適當解決。

這一方面，以往是我們單方面提的意見而已，從來不是雙方的共識，也就是因為當前台灣一再強調所謂「反分裂法」「非和平手段」等等，在這樣一個大環境下，雙方能得到這樣的共識，我覺得應該特別加以注意。

四、有關經貿全面的交流，這個議題事實上也是中國國民黨「和平之旅」

訪問團最主要的目標，因為這是當前可以掌握的，最現實的問題。基本的出發點各位都能認同，就是中國大陸在今天毫無疑問已經成為世界工廠、世界市場，這點我們一定要正視、要面對，不必因為任何意識型態而忽視事實的發展。

另一方面，大陸對外雙邊、多邊的經貿關係，也是在積極發展中。它的經濟成長、對外貿易、對國際磁吸效用的大幅擴張，我們都非常了解。尤其台灣工商企業在大陸的投資，種種的情況在這裡就不必贅述。

但是，為了要持續提升台灣本身的競爭力，兩岸當然應該在經貿方面加強各方面的合作。今天已經不是二十年、三十年、四十年前，好像到大陸來是一種「輸血」的功能、一種協助的態度。

今天世界各主要國家早已經對準大陸、進軍大陸，搶市場、搶商機。在這樣的情形之下，我們要特別強調幾個面向：第一個面向，當然就是三、四週前，江副主席打頭陣和陳雲林主任達成「十二項共同看法」，這是非常重要的事。

其中包括交通事業的各種需要，直航、三通，因為這對台灣的意義，遠比在大陸的意義更大。農產品的登陸、台商權益的保障、金融、醫療、交通等服務就業機會的開拓，另外，對地方鄉鎮工作人員訪問大陸，對於台灣學生在大陸，怎麼樣給他們更多的鼓勵、獎勵，胡總書記跟我當面講，因為這些都是以台灣人民的福祉為出發點，所以大陸當局能做的，一定積極、片面的就做了。

有關的事情，在我們離開大陸之前，還有一些具體的做法，也請各位加以注意。

台灣方面，我曾經講過，我們民間可以做的，趕快做的，需要進一步協商的趕快協商，政府要擔負起責任，希望政府能夠積極推動。

另一個面向，在經貿方面，中國國民黨特別提出「共同市場」這個觀念，而我們也非常高興、非常重視，那就是胡錦濤總書記代表中國共產黨、中共中央也做了正面回應，它的意義相當重大。

假如沒有兩岸經濟合作架構的話，零零散散做法雖然有效果，但是不會太大，經濟合作假如能成立一個架構，真正可以藉由市場的機制做全面整合，這個餅會做得愈來愈大，力量也愈來愈強。

但是，經濟合作的架構，可以說是各種形式、各種名稱不一而足，每一種形式、每一種名稱都有特定與非特定的內涵，所以很多人怕，因為名稱不同「因詞而害意」，比如在台灣就有人說怎麼能和中國大陸簽CEPA（內地與香港關於建立更緊密經貿關係的安排），很多人就怕說那是什麼玩意、那是一國兩制！也有人有疑慮還說FTA（自由貿易協定，以下簡稱FTA）又是國與國！那到底怎麼辦？你的選擇在哪裡？是否因此就不談這個事了？

這就是為什麼我們在這個時候提出所謂「共同市場」，共同市場是一個名詞，但它的內涵可以因地、因時、因人、因事，基於雙方面的同意就可以調整。這是我們用心良久，但提出來之後，除了有些工商界領袖非常了解這個事情外，並沒有受到廣泛的注意。

經濟合作架構的建立，不是一步到位，歐洲從鋼鐵共同體到歐元，整整走了五十多年，半個世紀，沒有對峙、戰爭的環境裡都要走這麼多年，所以有一個開始就是重大的意義。

我特別在這提到我們思想的基礎，我們的目的就是希望台灣完成第一次經濟奇蹟之後，因為這些安排與做法，關鍵的時候我們又做了關鍵的決定，能夠導致台灣再走向第二個經濟奇蹟。

五、關於我們在國際的參與空間、對外的活動空間。我個人坦誠地跟各位報告，「連胡會」中我提到一系列功能性的組織活動，但是當前的重點應該是放在世界衛生組織。中共中央對這個問題，我的體會也非常的關切，因為畢竟這是人民健康幸福、福祉的問題，不是政治掛帥的工具，也非常需要雙方不要把人民福祉這個最優先的議題，拿來做政治議題的炒作。

基於這樣的看法，個人也好，國民黨也好，我們覺得在參與國際活動的問題上，這也不是頭一次，亞銀、奧運、APEC（亞太經合會議）、WTO（世界貿易組織，以下簡稱WTO）等等，都有若干的先例，當前WHO，國民黨的看法並不只是參加一次大會而已，參加一次大會雖然有意義，但意義不是那麼大。

我們需要長期維持一個有制度性的關係，讓我們能參與它的活動，收到實際的利益，同時能真正為台灣人民帶來幸福，並不是把這個內容當作年度炒作的議題，而是看長期的發展。

胡總書記也表示，在兩岸當前沒有復談之前，大陸方面將主動加緊和世界衛生組織祕書處緊密積極聯繫，以便找出讓台灣，尤其是醫療、衛生工作者或專家能參加世界衛生組織相關的活動，以及取得相關的資訊。這一方面是對當前，另一方面也是透過兩岸政治間的協商，來正式面對、解決這個問題。

我闡述完後，媒體記者也先後發問：

問：您到大陸來受到相當於英雄式歡迎，國內有黨內人士希望您能續任黨主席，台灣也傳出希望您參選二〇〇八年總統，您自己怎麼看？另外，總統陳水扁也公開肯定您登陸的表現，您如何回應？

答：陳水扁先生昨天的發言，我覺得是善意的，也可以看得出來非常重視我們在大陸的訪問。事實上我在跟他聯繫時，講得非常清楚，過程也非常友善。我們當然希望大家共同努力，都是為了台灣人民。

今天有報導說「牛肉都給了那一個黨」，我有不同看法，因為假如有牛肉的話，這些牛肉都是給兩千三百萬人民，任何政黨只不過是工具與橋梁，所以陳先生有這種看法我很同意。第二，我從來不想當英雄，也不是英雄，（而是）常人，對於黨職與公職問題，我過去都已經做出明確的講話，在這裡就不必做任何重複。

問：兩岸情勢在這次和平之旅後，您認為最大的變化及成就在哪裡？

答：這次訪問最重要的，對我個人來講，我們在這裡訪問，接觸的人、地、事、物、過程，可以明確清楚的看到，兩岸人民也好，負責任的人也好，都對和平有所期盼，而和平不只是空中樓閣「Pie in the sky」，遙不可及，和平是可以達到的，兩岸雙贏也是可達到的，這是大家的信心。

我覺得，這次訪問主要是給台灣人民提供一個選擇，我們到底要走向哪個方向？和平、互惠、雙贏，現實上是可以努力達到的，我想這是最重要的意義。

問：大陸主流民意除了和平發展外，還有「和平統一」；連胡會對此有何表示？另外您也有意願到香港訪問？

答：香港大概有三十幾年沒去，有機會當然也希望過去看看。我在「連胡會」談話的時候也提到，今天要從現實出發，歷史是過去，沒辦法改變，現實、未來是可以努力、掌握的，這是基本看法。

兩岸經過將近六十年的分隔，不可諱言彼此走了不同的道路、建立了不同的體制、達到了不同的成果，也得到了很多教訓。但是，兩岸有共同之處，我認為：一、提高人民生活水準，是兩岸大家共同認為政府存在的目的之一；二、如何維護提升國際競爭力，不進則退，這也是大家強烈的共識；三、如何走向民主、繁榮、均富的未來，這些是相同之處。

但另一方面，我們還是有若干差異，坦誠來說，政治改革的腳步與範圍、經濟成長的速度與均富等，雙方互有差異。但凡事都可以從不同觀點來觀察，例如一個杯子裝了半杯牛奶，從下面看是半滿的，是樂觀的；從上面看半杯是空的，是悲觀的，凡事大概都是如此。

因為有相同的地方，所以我們覺得，兩岸的未來在政治、經濟差距持續不斷縮小下，兩岸沒有人可以排除任何其他發展、說所有的選擇都沒有，我也不相信。

在當前，台灣的民意「既非急統也非急獨」，事實上大多數希望「維護現狀」，這不只是消極的排除爭議，也是積極爭取善意，存異求同，凝聚信任及合作的力量，可以開拓很多新的境界，這是我非常坦誠的說明。我們現在強調的是穩定，而不是改變這個現狀。

凸顯台灣人民期望和平的民意

和平之旅結束之後，根據《聯合報》報導，在五月三日公布的最新民調結果顯示，在和平之旅的短短九天內，民進黨的支持度跌了超過七個百分點，從四月二十九日的百分之四十下滑到百分之三十三，國民黨的支持率則一路攀升，從百分之三十升到百分之三十四，民進黨的支持度已落後於國民黨。

《中國時報》在五月四日的社論指出，和平之旅成功扭轉了兩岸的氛圍，凸顯了期望「兩岸和平」的台灣主流民意。該報的另一篇評論認為，和平之旅已經在某種程度上「解構了兩岸長期衝突的神話」，甚至衝擊了民進黨生存於台灣社會的基礎。

根據年代電視台民調中心在五月四日至五日所做的民調，有百分之五十四・七的受訪者認為連戰這次訪問大陸，對台灣社會和未來兩岸關係是有幫助的；有百分五十三・九的受訪者贊成政府可以接受中共送給台灣兩隻大熊貓；有百分之五十二・四的受訪者贊成政府可以接受中共開放大陸民眾到台灣旅遊；有百分之六十八・九的受訪者贊成政府可以接受中共擴大開放台灣水果銷售到大陸，而且有十幾種水果不用繳關稅；甚至有百分之七十一・四的受訪者希望陳總統可以在未來三年任期內，和中共國家主席胡錦濤見面會談，達成對於兩岸前途的協議。換言之，超過半數以上的受訪者支持和平之旅，也支持和平之旅所帶來的和平發展訊息。

返台後，五月四日適逢國民黨例行中常會，我特別指示由林豐正祕書長提出「和平之旅」的專案報告。而中視也展現了工作效率，剪輯出三十分鐘的「世紀領航 和平之旅」的影片進行播放。

林豐正祕書長除了簡略報告訪問行程與對談紀錄重點外，也詳述我在上海召開中外記者會的內容。他也轉述，五月三日，中共宣布三項具體決定，充分表達了對本人訪問大陸及對台灣人民的善意：

第一、大陸願意開放十八項台灣農產品銷售至大陸，並且給予其中十五項產品「免稅」的優惠。有關單位將負責立即落實此一工作，並會盡快對外宣布。

第二、大陸願意開放大陸人民前往台灣觀光旅遊。近年來由於大陸人民所得提高，每年有超過三千萬人次的出國人潮，香港、澳門就是因為大陸開放前往觀光，因而對經濟產生相當大的提振作用，如果開放大陸人民前往台灣觀光旅遊，相信對台灣的經濟必能產生相當大的助益。此項成果，國民黨會促請有關單位與大陸方面協商解決。

第三、大陸願意贈送一對大熊貓給台灣人民。熊貓是珍奇動物，大陸知道台灣同胞非常喜愛熊貓，大陸既然曾經贈送給其他國家，也樂意贈送一對給台灣人民。所以國民黨會與相關單位研究後續的處理方式，以便盡速迎接大熊貓來到台灣。

林豐正在報告中也根據媒體報導評論、及他的隨行觀察，扼要歸納此行至少清楚展現以下意義：

第一、連主席本人所到之處，不但受到當地民眾的熱烈歡迎，更占據了所有媒體重要版面。連主席的領袖氣質、民主風範、親民態度，也在大陸民眾心目中留下深刻印象，可以說是在大陸掀起一股「連戰旋風」。

第二、大陸方面沒有刻意強調「一國兩制」，國共兩黨都尊重現實，著眼未來，務實地處理及解決當前兩岸關係的問題，也就是以兩黨和解為基礎，以兩岸和平為目標，共同努力促進。

第三、此行獲國內外媒體和大陸媒體顯著報導，尤其大陸許多媒體每天以四、五個版面詳加報導，加上大陸民眾對連主席本人的熱情迎接，可見大陸人心對國民黨在兩岸關係上的角色寄望甚深，他們心中沉澱已久的國共關係，重新浮生，兩黨都應予積極回應，這也是設置兩黨溝通平台的用意。

第四、台灣各項民調顯示，明顯多數的民眾支持，肯定連主席這次的「和平之旅」，可見連主席在年初提出「給人民另一種選擇」，是完全正確的決策，此行突破了台灣社會因意識型態的躊躇不前，兩岸思維對朝野與國人都極具啟發性與實用性。

第五、兩岸關係並非只有近年所呈現的對抗一條路，而是有可以和諧相處的另一條路，關鍵在於政黨或政治人物是否有心讓人民擁有安居樂業的環境，如果只是為了凝聚激進選票，而一味刺激兩岸關係，終將被主流民意所唾棄。

第六、繼「九二共識」做為九十年代兩岸協商的基礎，並做為當前國共兩黨交流的基礎之後，連、胡兩位領導人確定的「共同願景」五大內容，福國利民，「五大願景」，是今後兩黨努力的方向，也就是兩黨以「九二共識」為基礎，以「五大願景」為方向，必可開創兩岸炎黃子孫和平幸福的未來。

之後王金平、馬英九、吳伯雄、林橙枝、江丙坤五位副主席及陳金讓、侯彩鳳、吳碧珠、洪玉欽、洪秀柱、李總集等常委都相繼發言肯定此行達到預期目標，認為是關鍵時刻做的關鍵決定，也是開創歷史的行動，不但開創兩岸和解的契機，更緩和了區域與兩岸的緊張局勢。

他們同時認為我此行有助提升國民黨的聲望，達成的成果，歸全民共享。但我沒想到陳金讓、侯彩鳳、李總集等在此場合竟然勸進我繼續擔任黨主席，領導國民黨，有的說地方擔心王馬相爭，一定有心結，甚至具體建議我到二〇〇八年再交棒。其實在上海的中外記者會上我已經委婉地表示拒絕，但沒想到我從大陸訪台後這個議題仍然發酵，甚至馬英九、王金平先後表態要參選之後，王金平仍表達先尊重我的態度，尤其後來黨主席改選登記的最後時刻還有不少黨內先進到辦公室要勸我登記參選，但我都不為所動（甚至最後連李登輝都判斷我從大陸歸來，就是要爭取連任黨主席，但他的判斷是錯了！）仍維持交棒的時機到了、不會因外界認為我大陸訪問的成功或風光而改變立場。因此這次中常會上常委們的這個建議，我在稍後的裁示時並未做任何回應，我也認為是離題了，不要失焦大陸行的訪問報告。

我在裁示講話時，首先感謝這次陪同我同行的副主席、祕書長、副祕書長、黨籍立法委員以及所有黨務工作人員的辛勞。同時我也特別感謝國民黨立法院黨團的幹部及黨籍立委或是堅守崗位、或是陪同前往大陸，不但接送本人，甚至保護本人。我同時也藉此機會，向全國的警政及相關公務人員，在面對如此的社會環境時，能夠不辭辛勞，維護人民基本安全，同時有很多的付出，特別表示感謝。至於很多民眾和朋友，給予我們許多的祝福及鼓勵，也一併表示最高的謝意和敬意。

給全台灣人民的「牛肉」

我回顧這次的訪問，超越過去思維，因為今天任何人，都已經不能夠再堅持過去僵化的思維，必須以新的看法面對未來；也就是本著善意和信任，前往大陸進行「和平之旅」的初衷。我們的目的從積極面來看，就是建立兩岸互惠、互利、雙贏的未來。從消極面來看，就是如何努力，使彼此不再成為對方的包袱。

在前述的林祕書長報告中已經提到，在訪問過程中，雙方獲得了相當接近的看法；如果稱之為「牛肉」，它並不是給任何政黨，而是給兩千三百萬人民的。其次，這些看法主要是提供給政府參考，政府能否有誠意的落實推動，端視執政當局的智慧、眼光和決定。在整體意見交換中，可以歸納為幾項重點：

一、鑑於當前大陸與台灣之間，沒有任何溝通管道的情況下，國民黨與中共中央決定成立「和平發展論壇」和「經貿與文化論壇」兩項

「溝通平台」，此點亦為當前兩岸人民最關心的議題。能夠以此為出發點，各位副主席和常務委員，都將肩負非常重要的責任；換言之，「溝通平台」必定會借重副主席、中常委，並邀請其他政黨以及學者、專家、實務人員等各界人士共同參與。

二、關於和平協議和軍事安全互信機制的建立方面，其中包含兩項重要意義：其一，這些議題雖然過去多次強調，但是都屬於我們單方面所為，如今中共中央領導人公開、正面地做出回應，也等於是承諾雙方共同努力，其意義完全不同。其二，過去一段期間，台灣有很多人走上街頭，反對「反分裂法」，他們為什麼要反對呢？因為條文中有「非和平」的手段。所以在此時此刻，中共當局能夠正式提出來，共同努力、走向和平的協議以及建立軍事安全互信的機制，針對此點，我們更應該加以重視和強調。天下的事情，並不是單方面的，很多都要從雙方的積極面、消極面，予以全面考量。

關於經貿合作方面，今天面對台灣身處的問題，應該要有自知之明。基本上，兩岸的發展是相對的；對方快、我們慢；對方大、我們小；對方動、我們靜；然而時不我予，整體情勢很快就見真章，的確必須加以重視。務實，是一個基本的出發點，如果大家都不能夠務實，只會在虛幻和口號的思維上玩弄自己，真正受到損害的，仍然是我全體國民。因此如何建立兩岸經濟合作的機制及架構，我們固然有很多的經驗，但是使用任何的名稱，必定要有其過程。所謂行百里路始於足下，行千里路也是始於足下，最重要的是如何跨出去第一步。其相關的步驟，舉凡：排除貿易障礙、關稅減低豁免、生產要素的自由往來，然後是進一步的技術資訊、證照、貨幣、財經政策等等。

現在大陸當局已經非常重視、也非常慎重，能夠在此時提出建立經濟合作的架構，務實是很重要的因素。大陸過去的政策，我們暫且不去探討，但是近年來它能夠改革、開放整個經濟體制，與其他社會主義國家有所不同，它抓到了發展經濟的關鍵方向。以俄羅斯和若干東歐國家為例，他們的「休克療法」（shock therapy），卻把自己震垮了。而中共從西元一九九〇年開始，十年之中採取各種改革的做法，結果大陸的GDP（國內生產毛額）從原本為俄羅斯的百分之六十，十年後竟然將比例翻轉過來，現在俄羅斯的GDP僅有大陸的百分之六十。本人認為關鍵時刻必須要採取務實的方法，因此明確的告訴大陸當局，開放就是要和國際接軌，同時「軌道」要一樣寬，如此才能夠產生優勢。放眼大陸開放之後，貿易、投資都名列前茅；同時在對方務實的情況下，我們也一定要務實才行。希望今後政府能夠積極的準備，倘使政府負責人無法符合人民期待解決問題，相信國民黨的平台和論壇，都能夠充分扮演居中協調的角色和功能。

三、至於參與國際組織，基本上是一個目標，但是在雙方未進行談判之前，他們會積極聯繫相關國際組織的祕書部門，提供我們一個參與活動的空間，其實質意義已經非常的明確。

其後，中共又宣布增加三項決定，其內容也深具意義。如開放大陸人民前來台灣觀光旅遊，就可立見成效。揆諸香港的觀光事業，過去有一段時間非常的低迷，開放大陸部分具有消費潛力的城市赴香港觀光後，現在香港一年有一千一百多萬人次的大陸觀光客，使得香港盛況空前。我們也希望，在如此善意良性的互動基礎上，能夠對台灣帶來很多的助益。農產品方面也即將開始，相信在農會、地方人士的推動下，尤其更需政府部門的努力，才能落實照顧人民福祉的美意。

至於大陸有意贈送台灣人民熊貓一節，我們也樂觀其成；希望這對熊貓能夠成為「遷台一世祖」，在台灣綿延不絕。

我最後指出，此次訪問大陸四個城市，使用八天時間，行程固然緊湊，但是十分順利，也是一個好的開始。很多事情仍然決定於後續的努力和發展。有關訪問的整個過程，包括演講、談話、結論、新聞等內涵，常會已經決定刊印成冊，分送全黨相關同志參考；也將在第十七次全國代表大會提報，做為本黨今後大陸政策之參據。在世紀伊始，願我們大家共同努力，讓中國國民黨能夠為人民、為國家、為兩岸，真正開啟一個光明亮麗的前途。

附帶一提的是，在這次常會上，姚江臨中常委還提出臨時動議，四月二十六日我率團出訪大陸，於中正機場遭到獨派人士抗議，桃園縣黨部主委傅忠雄同志率群眾抵制，維護國民黨尊嚴，遭不理性民眾圍毆受傷，建請黨中央慰問並獎勵。林豐正祕書長也隨即回應，他在抵達大陸後，隨即應我之要求，親自打電話慰勉，並請黃正雄副祕書長代表黨中央及本人，前往醫院探視傅主委傷勢。

和平之旅結束後，國共的溝通平台隨即啟動，兩岸經貿論壇為兩岸的經濟合作、文化交流做了很多具體建議並獲得落實，也有助於二〇〇八年國民黨東山再起，重新執政，開創了兩岸隔絕近六十年後，最和平穩定發展的一個新階段。兩黨五項願景除了和平協議與軍事互信機制沒有具體進展外，其他幾項願景都逐步落實，具體交出成績單，為兩岸人民實實在在的創造福祉。

但我感到遺憾的是，二〇一六年台灣再次政黨輪替後，兩岸雙方失去九二共識的政治互信，導致兩岸關係倒退。時至二〇二二年十二月，中華民國的邦交國只剩十四個，創下政府遷台以來最低的紀錄。而馬英九總統任內，我們相繼參與世界衛生大會（以下簡稱ＷＨＡ）年會與國際民航組織（以下簡稱ＩＣＡＯ）大會的開創性，也劃下休止符。這都是我曾經貢獻過心血溝通的進展，也是中共當局對我們要求的國際參與空間展現過的初步善意，而今卻是又走回完全不一樣的對抗局勢了。

至於大陸善意贈送熊貓一事，在民進黨執政期間百端阻攔，未能成行。但國民黨重新執政後，局勢改變，二〇〇八年十一月於海協會會長陳雲林來台參加兩會會談時，於台北圓山飯店舉行贈送熊貓儀式，邀我親自參加。後來經由台北市長郝龍斌以及台北市立動物園的協助下，二〇〇八年十二月二十三日來自四川臥龍自然保護區的熊貓「團團、圓圓」總算順利抵台入住，成為台北市立動物園最受小朋友歡迎的動物之一，而這對來台一世祖也於二〇一三年七月六日晚間八點五分產下寶寶，來台二世誕生，後來園方經過公開命名，取名為「圓仔」，而「團團圓圓」與「圓仔」也永遠留在台北[2]。台北市立動物園也於二〇一一年四月十六日回贈山羊與台灣梅花鹿，送往山東威海市森林公園，山羊與台灣梅花鹿也多次繁衍留下後代，兩岸透過贈送保育動物的舉動，也算是代表增進兩岸人民之間情誼的展現。

二度登陸代母探親

瀋陽是我母親的故鄉，在二〇〇五年和平之旅結束後五個月，我安排了私人行程，首度返回瀋陽省親。當年母親九十七、八歲，我特別告訴她老人家，她也很高興。母親他們趙氏家族的老家位在舊瀋陽的大西關，也就是瀋陽故宮附近，目前現址是當地土地交易所的辦公室，附近高樓一棟棟，發展得相當熱鬧。我曾聽母親說過，我們趙家高祖、曾祖父們是由河北昌黎縣移居到關外。但這次回瀋陽碰到我的親舅舅趙國藩及另一位小舅舅趙國樑，聽他們又有一說，說趙家是滿族落籍於大西關。這種說法，我是第一次聽到，我也聽得糊裡糊塗。換言之，我媽媽這支血統，至少有一半是滿族，或是百分之百的滿族。但我知道我的外婆姓董，是純滿州人。

趙氏祖先當年做生產馬具的生意，包括販售馬匹，也賣黃菸，同時也開戲院。用現在的說法，就是經營交通及娛樂事業。由於家庭環境還算不錯，母親從小就被送至教會學校就讀，也就是遼寧私立坤光女學校。這所學校是英國教會學校，屬於美以美教會。

我當年到瀋陽的行程，原本想只是規劃省親、到瀋陽附近參觀、頂多再拜會遼寧省委或瀋陽市委。沒想到大陸國台辦主任陳雲林瞞著我去辦了一件事，幫我尋找趙家的祖墳。我雖然沒有開口要找媽媽趙姓家的祖墳，但陳雲林知道我內心一定有此念頭，因此他交代下屬去查訪。

我是十月十四日抵達瀋陽，在前一天他們從趙家後裔得知，當年有一位瀋陽人民公社機械大隊的隊副，可能知道趙家的祖墳位置。早年瀋陽因為要發展重工業需要用地，因此很多墳地都被剷平。陳雲林在十三日下午於醫院找到這位當年的隊副姓張，已經八十多歲了。張老先生回憶說，他清楚記得趙家的祖墳在鐵西區，因為當時在整理時，趙家祖墳上有近百棵的松樹，松樹的根盤根錯結，非常難處理，除了要鋸樹還要挖樹根，相當費事，因此整理這塊地時，讓他印象深刻。

當天晚上，在張老的帶領下，陳雲林一行從高速公路邊上找到了這塊墳地舊址，張老確定就是這裡準沒錯。

隔天陳雲林展現了效率，在墓地區域立了墓碑，也擺了十幾個花籃。而旁邊還是荒煙蔓草，也有不少高壓電線。十五日一早，我們一行從高速公路邊上步下臨時搭建的台階、紅地毯，代替我母親向趙氏先祖祭拜。

遼寧省委書記李克強後來在宴會上說：「恭喜找到令堂的祖墳地」，接著他又問對這塊墓地有何想法。我當時就接口，可否由我來捐獻設置一個公園，加以綠美化，讓附近的居民或附近工廠上班的勞動人民可以有一曬曬太陽、透透氣、眼睛望望綠的地方休息。（我的想法是，這裡是工業區用地，我也不希望趙家有特權，這會讓人討厭的。）李克強緊接著說：「那太好了，連主席你幫我解決了非常困難的問題，這是非常好的解決方法」，「既有紀念性，又不干擾別人，而且也有助環境改善，那就這樣辦了」。

後來我委請建築師立了一個小地標，我的老部屬李德武協助找了一塊渾水上的紅色石頭，我題字「顯陽園」。一方面寓意彰顯瀋陽之美，另一方面顯陽也是我外祖父的名字。這塊公園綠地，我捐了六百坪左右。題字的背後說明題記緣起，全文可詳見本書上冊第一章〈追憶連氏先祖〉頁七十五。這段紀念文字我請台灣有名的國學家、書法家倪摶九初稿，我自己也親自修改完稿。

值得追憶的是，初回瀋陽，他們也幫我找到當年我母親十八、九歲在坤光女校擔任教員的一些珍貴記載。「視學報告」上記載「趙蘭昆（應該是坤），授初中一級體操步法，整齊活潑，糾正亦甚殷勤」。

坤光女校原名奉天基督教女子師範學校，始創於宣統三年（一九一一年），英國基督教會募款興建的私立學校。屬於美以美教會，或稱衛斯理教會系統。巧合的是，我的小女兒詠心二〇一八年九月就在英國的衛理斯教堂完婚。我母親當年任教的坤光女學校，高中二級，初中三級，舊制師範一級，新制師範一級。學生一百三十六人，正副校長各一人，教員十一人。

等到隔年公園落成啟用時，我親自趕往參加，沒想到當地政府又開闢了近六百坪的停車場，公園上除了植栽耐寒植物如松樹、花草外，還植有罕見的爬地松。由此，也可看出當地政府對此公園用地的用心。

等到我第三次來到顯陽園，公園用地已經擴建，陳雲林告訴我，「主席你看這塊公園大概一兩萬坪跑不掉。」由於瀋陽市區的重工業已經逐步往外遷移，因此這塊公園範圍也就不斷擴建，高壓電線也遷移只剩一座，成為名符其實的市民休閒公園。

我的祖母安葬在西安清涼山，母親在東北瀋陽的祖墳最後也順利找到，並開闢為公園，每次我回去，都可以感受到當地居民對我們的溫暖。這段故事回想起來既是感恩也令人安慰。我的兒子勝文、勝武有機會到西安或瀋陽，也都會回去行禮祭拜，做為連家子孫、中華兒女是要好好傳承中華傳統文化慎終追遠的孝道，我為此感到欣慰。

注釋

1 講稿全文詳見下冊五二二頁。

2 編注：二〇二二年十一月十九日團團因腦部病變，於麻醉後離世。

第四部

永平之路

第十三章

兩岸新模式——國共論壇

二〇〇五年的「和平之旅」，具有重要的歷史意義，不僅結束了國共兩黨六十年來的敵對狀態，建立國共兩黨對話的互信基礎，緩和台海緊張情勢，促進了東亞區域和平，並讓中國大陸了解到台灣內部希望兩岸和平共榮發展的主流民意，同時開創兩岸和解與交流的新方向、新契機，為兩岸合作找到實踐的途徑，也為兩岸未來發展提供了一個新的選項。

以下是我此次出訪，與中共中央委員會總書記胡錦濤會面所達成的「兩岸和平發展共同願景」：

一、在認同「九二共識」的基礎上促進恢復兩岸談判；

二、促進終止敵對狀態，達成和平協定；

三、促進兩岸在經貿交流和共同打擊犯罪等方面建立合作機制，推進雙向直航、三通和農業交流；

四、促進擴大台灣國際空間的談判；

五、建立國共兩黨定期溝通平台。

連胡五項願景這份文件是由我方先行草擬，然後與大陸方面經過多次的溝通修正才完成。在討論的過程中，有幾件事值得一提。

首先，是有關「願景」這個名詞。我們常常用「願景」（vision）這個名詞，代表我們對未來的希望與想像，但大陸很少用這個詞，本來還有點猶豫，但經過解釋說明後，他們也認為「願景」這個名詞具有特殊的意義。

其次，「和平發展」這個概念兩岸目前都在廣泛引用，實際上，國民黨草擬的原稿就稱為「兩岸和平發展共同聲明」，開頭第一句話就是：「兩岸隔海分治，是歷史的現實；兩岸和平發展，是人民的期望。」雖然雙方後來用「新聞公報」取代了「共同聲明」，但和平發展的基調始終沒有改變，是雙方最重要的共識。這其中還有一個重要的因素須考慮，由於當時是民進黨執政，根據兩岸人民關係條例的規定，人民與團體未得政府授權是無法與對岸簽署協議，因此採取發表新聞公報形式，也是較為保險的做法。

連胡新聞公報中，提到的五項願景，最初也是由本黨草擬，但雙方在文字上也做了一些調整，從這些調整中，大家也可以看出一些雙方在思維上的差異。例如第三項有關經濟交流方面，國民黨最初的提法是「經濟全面交流，建立兩岸共同市場」，後來經過協商，調整為「促進兩岸經濟全面交流，建立兩岸經濟合作機制」。

「兩岸和平發展共同願景」中提及，兩黨體認到兩岸關係和平發展符合兩岸同胞的共同利益，也符合亞太地區和世界的利益，因此雙方將共同「促進終止敵對狀態，達成和平協議」等明列其中，包括「建立軍事互信機制，避免兩岸軍事衝突」等。這是兩岸第一次把「和平協議」的字眼形諸正式文件中，雖然當時國民黨還是在野黨，但是這份文件卻具有重要意義。當時民進黨刻意挑釁中共，製造衝突，炒作兩岸關係，民間已有極大的反彈，國民黨注意到台灣民眾深盼兩岸關係能長期和平發展，為順應此一趨勢，便在關鍵的場合向中共方面提出，並獲得中共正面回應。

然而，當時的民進黨政府對於兩岸「和平協議」視為洪水猛獸，並冠以「賣台」之名，把國民黨追求兩岸和平的努力汙名化，忽視人民追求和平與繁榮發展的心願，也不顧國際社會的反對，一心爭逐政治利益，推動廢除國統會、國統綱領、終止國統會研究小組的運作（不再編列預算）、公投加入聯合國等活動，致使兩岸關係陷入摩擦與僵局，也使區域安全蒙上陰影。

隨後，在民國九十七年（二〇〇八年）總統大選中，選民把選票投給支持兩岸關係正面發展的中國國民黨，使和平協議有了付諸實現的可能。兩岸領導人認識到，即使目前不可能最終解決台灣地位的問題，但和平協議未來若能順利洽簽，不僅可以穩定兩岸關係，也可大幅減少危機爆發的機會。

破解兩岸政治難題主張紛陳

另一方面，大陸也加緊進行相關論述調整，包括是年（二〇〇八年）十二月三十一日胡錦濤針對大陸發表《告台灣同胞書》三十週年的機會，發表對台政策講話（即「胡六點」），對於達成和平協議，提出「兩岸可以就在國家尚未統一的特殊情況下的政治關係展開務實探討」，以及「兩岸可以適時就軍事問題進行接觸交流，探討建立軍事安全互信機制問題」兩項具體主張。其相關論述可歸結為「結束敵對狀態」、「達成和平協議」、「構建兩岸關係和平發展框架」的三部曲。這些觀點也是來自於連胡會五項願景的繼續發想。

甚至在美國方面，也有一些學者或智庫人士提出類似主張，例如美國前國安會亞洲部資深主任李侃如（Kenneth Lieberthal）、前國務院亞太助卿陸士達（Stanley Roth）、前國防部助理部長奈伊（Joseph S. Nye, Jr.）等曾倡議兩岸簽署「中程協議」（interim agreement or agreements）或「暫行協議」（modus vivendi）以凍結兩岸主權衝突之現狀。民國九十三年（二〇〇四年）中華民國第十一屆總統大選後，李侃如與約翰霍普金斯大學的藍普頓（David M. Lampton）再次呼籲推動海峽兩岸長期穩定的架構，該架構容許台灣繼續主張本身為「國家」，但須放棄採取進一步行動，北京亦可繼續主張只有「一個中國」，且台灣是中國的一部分，但必須放棄威脅動武改變台灣地位，在此前提下兩岸協議擴大台灣國際空間之條件，推動兩岸信心建立措施，增進政治互訪與交流，同時美國和其他國家必須參與扮演適當的支持性角色。但是，在小布希政府時期，這些意見並未獲得官方背書或肯定。同樣的，北京方面長久以來堅持，兩岸問題是中國人內部事務，是一家人的事，應由中國人自行解決，堅拒外國勢力干涉，大陸國家主席習近平在二〇一九年一月二日《告台灣同胞書》四十週年紀念會上發表習五點講話也一再重申，北京是無法接受外國力量介入兩岸議題。

在民國九十七年（二〇〇八年）國民黨再度執政後，美國國防大學戰略研究所資深研究員桑德斯（Phillip C. Saunders）及馬里蘭大學政府與政治學系助理教授凱斯納（Scott L. Kastner）也主張，若希望兩岸和平協議具可操作性且可持久有效，中共必須提出誘因，讓兩岸協商出一個較正式、廣泛的協議，使台灣未來即使出現偏獨的領導人，也難以放棄該協議。不過，鑑於美國角色敏感，不適合在兩岸和平協議之互動過程中扮演任何角色。然而，美國總統歐巴馬在民國九十八年（二〇〇九年）十一月訪問大陸時，雙方發表聯合聲明，指出美國歡迎兩岸關係的和平發展，期待雙方努力就經濟、政治和其他領域增加對話與互動，發展出更正面與穩定的兩岸關係，即使美國官方從未對兩岸簽署和平協議表達過意見，但此一觀點顯示美國政府對於任何有助於建構兩岸長期和平穩定關係的倡議，例如和平協議等，應該是持肯定與鼓勵的立場，而這也和美國學界支持兩岸問題和平解決的立場相一致。

值得注意的是，少數偏民進黨人士基於對兩岸和平的關切，也提出他們的看法，例如雲林縣民進黨籍縣長蘇治芬的夫婿黃武雄曾撰寫〈尋找太平歲月——五十年維和方案〉一文，主張將「五十年維持現狀，不統不獨，台灣非軍事化」入憲，之後再要求與中美雙方坐下來談判，簽署「五十年兩岸和平協定」，至於五十年後台灣主權歸屬的問題，完全交由那一代人視當時情況決定，他並在網路上尋求群眾支持連署。

此外，前民進黨立委簡錫堦成立的台灣促進和平基金會，也曾發表「台灣民間社會的呼籲——兩岸和平綱領草案」，提出對兩岸和平具體做法的建議，包括：（一）從現狀出發，中國大陸在國際上給台灣合理的生存空間；（二）停止交互刺激，增加民間交流；（三）共同研擬出相對獨立與相對統一的中程協議。

從這些觀點來看，台灣的民間社會對於兩岸長期和平，甚至是永久和平，具有高度的渴望。台灣人民對於中共不放棄武力犯台，並在台海對岸部署飛彈，感到憂慮和恐懼，另方面，民進黨政府推動偏向獨立的政策主張與相關挑釁政策，也使台灣民眾感到不安。在恐懼和不安的情形下，追求和平的心願特別強烈。所以，這些觀點都希望兩岸雙方能正視現狀、相互尊重、放棄武力解決，以「人民福祉」為念、堅守和平的手段與目的，而且，在這些理念下簽署兩岸和平協議，是達成兩岸和平的有效方法，當然，兩岸也必須有長期協商的心理準備，要用耐心與智慧，不厭其煩的對話與討論，才能真正擱置爭議，達成某種程度的妥協，獲致具體成果。

當時，關於兩岸簽署和平協議的雜音與歧異仍存在，台灣內部仍須努力凝聚關於兩岸關係發展的共識，同時開始研究如何進入兩岸討論洽簽的過程。其中包括談判兩造之地位（官方或非官方屬性）、協議之形式（聯合聲明、行政性協議或聯合公報）、協議之具體性與期程（duration）、如何有效運作（是否可規範未來政府遵守規定），以及如何排除洽簽之障礙等，都需要兩岸雙方，以及台灣內部各造投入心力，認真研究。

事實上，我們認為現在探討這些問題的時機與環境已經較為成熟，因為大陸在過去三十年的進步，已展現相當自信，亦應可在對等基礎上，對台灣展現同理心，以符合現實之道對待台灣，且國際社會應會支持有助於兩岸和平的任何措施，加上兩岸互動頻繁，已經導致結構性的關係改變，台灣大多數人民也都了解到，任何有助於和平的措施均值一試。根據台灣社會現狀，可接受的和平協議樣貌應是：（一）「九二共識」及「一中憲法」是維持現狀的基礎；（二）廢除動員戡亂時期臨時條款時，台灣不再把大陸視為叛亂團體，終止敵對狀態較易處理；（三）「信心建立措施」（CBMs，Confidence-building measures）雖非一蹴可幾，但可透過設立熱線、公海打擊犯罪、退休外交官、退役軍人互訪等措施逐步實現；（四）外交休兵有希望達成，台灣國際空間亦可依個案協商處理；（五）若有必要，經濟政策亦可增列其中。

總言之，兩岸要達成和平協議是「一項紛繁複雜的艱鉅工程」，可以有較寬廣的想像空間，毋須拘泥於形式，可以由較容易的「初級形式」，開始積累未來協商談判「兩岸和平協議」的互信基礎。兩岸可以透過雙方智庫的學者專家，利用二軌交流平台，先進行多次溝通，在雙方積累相當互信與共識後，再進一步由相關決策人員透過二軌平台充分交換意見。此外，在爭議性較少的事務性問題上，例如兩岸經濟協議等，雙方更應積極協商洽簽並落實之，為兩岸步入和平協議的協商營造基礎。

當年國共兩黨所共同發表的五項和平願景內容，長久以來在兩岸各界、乃至國際中國問題研究的學者們、政府官員中，都曾個別提出來過，也曾分別引起討論。因此這些內容，並非是從天上突然掉下來的。但是大陸方面對於各界破解兩岸政治難題的主張，從未做過正式的回應。因此二〇〇五年我率領中國國民黨訪問團訪問大陸，行前雙方的磋商，就中共的立場，是一大突破。這是北京當局第一次對於雙方重要的政治基本問題，做了公開、正式的回應，這也等同是對全世界做出一個重要承諾，在我看來是不容易的進展，也為改善兩岸關係邁出歷史性的一大步。

搭建互助與交流的國共平台

兩岸和平發展願景中的第五項是「建立黨對黨定期溝通平台」，這個構想是一開始就出現在國民黨草擬的文件中。國民黨之所以提出這個構想，是經過內部多次的討論，主要的考慮有四：

一、國民黨與共產黨突破了歷史恩怨以及意識型態的限制，展開了歷史性的對話，但只是一個起點而已。當初國民黨內部就已討論，兩岸的和平以及人民的福祉，不是只靠一次的和平之旅就能達成，它需要兩黨不斷地努力與溝通。

二、除此之外，我們也希望搭建一個平台，讓各界都能參與，都能在這裡發聲，因為兩岸和平以及人民福祉是屬於全民的事。從另一方面來看，在民進黨執政時期，在野地位的國民黨雖然沒有公權力，無法與共產黨就人民福祉事項簽署協議，但人民的聲音應該有一個整合匯聚的機制，讓民進黨政府可以更清楚地了解人民的心聲。

三、儘管民進黨掌握了公權力，但兩岸和平以及兩岸合作的事，面向廣，因素多，現在就可以開始進行溝通與準備的工作，不能等到國民黨再執政時才開始進行協商。換言之，兩黨之間可以就兩岸之間較迫切的問題進行溝通與準備，一方面讓民眾了解國民黨的立場與努力的方向，另一方面也為執政後的兩岸政策做準備，這也合乎「影子政府」的概念。

四、兩黨之間畢竟隔絕、對抗了近半世紀，如果要展開交流，就不能只限於高層次的平面式交流，應該還要向下延伸形成一種立體式的交流。換言之，就是在祕書長層級、各工作會及縣市層級都展開交流，增進彼此的了解。

至於國共兩黨搭建的平台，以兩岸經貿文化論壇的效益最大，政策影響也最深遠。

促進台海經貿文化往來

民國九十五年（二〇〇六年）第一屆「兩岸經貿文化論壇」是具體落實上年連胡五項和平願景中，有關建立兩黨溝通平台的承諾。這也是個人卸下國民黨主席後，第一次以榮譽主席的身分帶團參加這個論壇。由於是第一次舉辦，雙方在準備的過程中，達成了幾點共識：

一、這個論壇由國民黨的智庫以及中央台辦直屬單位「海峽兩岸關係研究中心」共同來舉辦；加強兩岸合作，實現兩岸農業互利雙贏；

二、這不只是國共兩黨的平台，應該擴大參與，邀請社會各界，包括學界、企業界、台商及黨政人士等等；

三、由於這是第一次舉辦，雙方同意以兩岸經貿議題為主軸，尤其是兩岸直航；

四、論壇由雙方代表就各項主題輪流報告，最後並提出共同建議。

兩岸第一屆國共論壇二○○六年四月在北京召開。

兩岸第一屆國共論壇稱為「國共經貿論壇」，主題為「兩岸經貿交流與直接通航」於民國九十五年（二○○六年）四月在北京召開，由中共「中央對台辦公室海峽兩岸關係研究中心」及中國國民黨的國家政策研究基金會主辦。

第二屆國共論壇稱為「兩岸農業合作論壇」，於民國九十五年（二○○六年）十月於海南島博鰲舉行，大會主題為「加強兩岸合作：實現兩岸農業互利雙贏」。

第三屆國共論壇定名為「兩岸經貿文化論壇」，於民國九十六年（二○○七年）四月在北京召開，主題是「兩岸直航、旅遊觀光、教育交流」。本屆將「國共論壇」改名為「兩岸論壇」的用意，一來是參與的成員更為擴大化、民間化、專業化，已有不少非國民黨的學者專家、民間與企業人士參加，同時也正是要表明國共論壇是屬於兩岸全體人民共同的平台，非國民黨與共產黨所獨占。

第四屆國共論壇仍取名為「兩岸經貿文化論壇」，主題為「擴大和深化兩岸經濟交流與合作」，於民國九十七年（二〇〇八年）十二月在上海浦東舉行。本次論壇是在中國國民黨贏得政權之後，也是在得到馬政府肯定的態度下進行。本次論壇首度有五位政府官員與會，但為求穩妥，我是應國民黨邀請以私人身分性質參加。事實上，誠如前面所言，海基會與海協會是兩岸兩會的「協商」與「談判」的正式管道，它的角色與功能不可能由國共平台所取代，而國共平台是兩岸間的「溝通」與「諮商」管道，具有輔助與多元的功能，這也是相輔相成並不相互矛盾排斥的。

第五屆國共論壇仍稱為「兩岸經貿文化論壇」，以「推進和深化兩岸文化教育交流合作」為主題，於民國九十八年（二〇〇九年）七月在大陸長沙舉行。本屆會議是歷屆會議中首度以文化教育為主題的會議，意義重大。兩岸的文化和教育主管部門都以特邀嘉賓與特邀專家出席，是另一種形式的溝通與對話，另外的特色是，大陸方面也邀請了包括民進黨與無黨籍的人士來參加，讓這個論壇真正成為兩岸多文化的管道。

第六屆兩岸經貿文化論壇，於民國九十九年（二〇一〇年）七月在廣東省廣州市舉行，主題為「加強新興產業合作，提升兩岸競爭力」。

第七屆兩岸經貿文化論壇，主題是「深化兩岸合作，共創雙贏前景」，民國一百年（二〇一一年）七月於四川成都舉行。

第八屆兩岸經貿文化論壇，於民國一〇一年（二〇一二年）七月在黑龍江省哈爾濱舉行，主題為「深化和平發展，造福兩岸民眾」。

第九屆兩岸經貿文化論壇，於民國一〇二年（二〇一三年）十月在廣西壯族自治區南寧舉行，主題為「擴大交流合作，共同振興中華」。二〇一四年由於三月爆發學生團體進入到立法院、行政院抗議服貿協議簽訂的學運衝擊以及一一二九地方選舉國民黨大敗，該年的兩岸論壇時間一延再延，年底原定要在河南鄭州舉行，最後也因國民黨主席馬英九請辭、榮譽主席吳伯雄婉拒帶隊而延期。

第十屆兩岸經貿文化論壇遲至二〇一五年五月三日於上海浦東香格里拉飯店舉行，當年沒定會議主題。二〇一六年十月，國共兩黨協商，將兩岸經貿文化論壇改名為「兩岸和平發展論壇」，並再次於北京舉行。二〇一七及二〇一八年因為國民黨黨主席吳敦義卸任副總統身分赴大陸受政府管制，以致兩岸論壇停辦，迄今已六年未再舉行。

回顧兩岸經貿文化論壇舉辦的背景，其實原本國共雙方協議，論壇由兩方輪流舉辦，預定在二〇〇五年十二月於台北舉辦首屆兩岸經貿論壇，並由國民黨方面代陳雲林等申請入境。當時為了符合政府法令規定，陳雲林等所提出申請的表格，除要有照片、所有曾任共產黨黨政的資歷都照實填寫、包括入境目的、行程安排等，厚厚一大落。但是陳水扁在第一時間就婉拒，後來甚至提出由立法院長王金平出席APEC會議及陸委會主委吳釗燮訪問大陸做為交換陳雲林入境，但大陸方面也都婉拒。後來陸委會又建議由兩會來協商，海基會兩次發函，要求大陸派人來談或是台灣派人過去談，大陸始終未接受。因此等到二〇〇五年十一月十八日，陸委會正式宣布陳雲林等六十一人申請入境案「不予許可」。國民黨向陸委會再提出申訴，希望扁政府能重新考慮。但十二月十九日內政部等聯審會議最終審議維持不予許可的決定。面對此情勢，因此國共雙方再協商，將會議地點改為北京，並定二〇〇六年四月上旬舉行。

等到隔年第二屆時，我們照原先約定要在台北舉行，仍由國民黨代為提出申請。當時我也預料得到民進黨政府仍不會放行，但是為何我們仍要代提出申請呢？主要是美國國務院一而再再而三的表態，雖然樂見兩岸和平接觸，但還是建議北京當局不應繞過與台灣民選的政府互動。但是民進黨政府最後仍是婉拒陳雲林入境台灣，但美國政府此時卻默不吭聲。

由於從李登輝執政末年到民進黨執政時期，大陸當局不滿李登輝的訪美行程，以及強烈反對台灣方面先後提出的「特殊兩國論」與「一邊一國」，違反一個中國原則，因此海基會與海協會的協商已經中斷多年，在此背景下，第一屆兩岸經貿論壇首度舉辦也受到中外媒體的高度關注。大會還鄭重安排胡錦濤總書記及我和全體與會人士四百多人於人民大會堂大合照，當時媒體報導不少聚焦台灣出席的企業界人士，甚至還有媒體以「企業界——這次以腳投票」下標題。

當時為了推動兩岸的經濟交流合作，國民黨方面在邀請出席名單費了很大心力。包括郭台銘、郭台強、辜濂松、邱正雄、蔡明忠、陳武雄、陸潤康、嚴凱泰、趙藤雄、戴勝通、辜成允、尹衍樑、焦廷標、焦佑倫、李棟樑、宋恭源、林蒼生、林伯實、林伯豐、張虔生、陳兩傳、彭蔭剛、嚴長壽、黃崇仁、王文淵、沈慶京、林省三、張國政、李瑞河、李傳洪、許顯榮、林基源等四、五十位，重量級企業界領袖出席十分踴躍。

由於事先已決定將討論兩岸直航、金融合作等問題，如果談得有進展，台灣的航空與海運業者、金融業者將獲利，我們一一與華航、長榮、陽明等航空、海運業者及各銀行界邀請，他們都表示感謝，樂意願意，但也碰到少數例外。例如中華航空公司方面，我特別請曾任華航基金會董事長的徐立德出面，但華航魏幸雄董事長則向徐表明「報告長官，現在時代不一樣了！朝代也不一樣了，我實在不方便出席。」華航最終沒派代表，顯示在民進黨執政期間，華航主事者有多一番的「顧忌」及「考慮」。但是長期虧損的華航，在兩岸直航後，所分配到的航點、航線，載客量、載貨量迄今利益可觀！而其他一些企業界有的跟政府公營行庫有借貸關係，想來又怕政府找麻煩，因而有的委派高級幹部出席，否則若無這方面顧慮，工商企業界想出席的意願一定更高。

由於事先議程已透露將觸及討論開放大陸觀光客赴台旅遊以及直航等議題，在我們出發前夕，民進黨政府特別宣布有關兩岸客貨包機和大陸觀光客議題，希望大陸方面在六個月內和台方達成協商，若六個月後協商未完成，但相關配套已完備，台方不排除「片面」宣布開放第一類大陸觀光客赴台。陸委會這樣的宣布，也等同對外承認受到國共論壇的壓力，政府要對人民表示立場「他們其實有在做事」。這也無異證明過去很長一段時間，民進黨政府對這些重要政策是採取阻攔的，是不為也，非不能也。但是民進黨與大陸方面畢竟始終無政治互信，海基會與海協會無法復談，這樣的單方喊話，或是一廂情願，最後也無法成事。甚至當時陳水扁的鷹派作風批評國共論壇用詞之重，與蘇貞昌代表的行政院想要局部推動兩岸開放政策格格不入，因此也給外界府院不和的印象，陸委會的開放措施令人高度懷疑。

而中國國民黨主席馬英九當時也表態，稱我的此行將會加速推動陸委會開放觀光、直航，國民黨樂於當兩岸事務的「第一棒」，而後讓政府接棒。

第一屆國共經貿論壇

二〇〇六年四月十三日上午，我率領一百七十多位台灣與會人士從台北出發，途經香港，下午抵達北京。在台北出發前我提到，中國國民黨非常關心台灣的經貿發展，尤其立法院黨團和專家學者，都全力開拓新的經貿關係，也獲得很多結論。但遺憾的是，政府沒有辦法，也不願意接棒，因此耽誤很多事情也造成若干傷害。例如這次的兩岸論壇原本應該在去年舉行，但因為大家所了解的原因，也可以說是大家不了解的原因，至今改往北京舉行，因此造成很多問題。兩岸未來要加強經濟貿易合作，在和平雙贏的架構下，才能達到互惠互利目的。在目前兩岸對話溝通協商有困難時，國民黨和國人要勇敢去面對突破現狀，為台灣的經貿困境找出新的活路，再創台灣經濟奇蹟。下午抵達北京機場，大陸國台辦主任陳雲林前來接機，他說：「又是一年春來早，花開時節又逢君。」我則向媒體發表談話說：「萬事起頭難，只怕有心人」，我們是有心人，是什麼心？與人民同心，與時代同步，今天兩岸同胞要互助互惠，讓我們共同抓住中華民族千載難逢的好機會，一起共同努力。

當晚中共胡錦濤總書記在中南海瀛台為我們洗塵設宴接風，這也是去年和平之旅後，我們之間再一次近距離的誠意、善意互動。

第一屆的論壇為期兩天，總共討論五項議題，分別為（一）全球化浪潮下，兩岸經貿交流對雙方經濟發展的影

大陸國台辦主任陳雲林前來接機。

響；（二）兩岸農業交流與合作；（三）兩岸直航對產業發展策略、企業全球布局的影響；（四）兩岸觀光交流對雙方經濟發展的影響；（五）兩岸金融交流與兩岸經貿發展。

在北京飯店所舉行的開幕式上，大陸政協主席賈慶林說，國共兩黨搭建的交流溝通平台所形成的共同建議，可以做為兩岸對話和談判一旦恢復之後的重要參考。他表示，既可以通過舉辦兩岸經貿合作論壇，討論加強兩岸經濟合作的議題、加強文化交流的議題；也可以通過舉辦兩岸和平發展論壇，討論台灣人民關心的其他議題。

他也具體提出主張，以直航為突破口，開創兩岸經濟關係正常發展的新局面，可以台灣農產品零關稅為直航先導，推動農產品從台灣直航大陸；同時繼續擴大福建沿海與金門、馬祖海運客貨直航功能與範圍；並推動福建沿海與澎湖的直航及兩岸貿易貨物金門、馬祖、澎湖中轉，加快直航、雙向、全面三通的進程。

賈慶林也對兩岸空中直航建議可在以往三次春節包機成功實施的基礎上，進一步推動兩岸客運包機節日化、常態化和貨運包機便捷化。大陸方面希望兩岸民間航空行業組織盡快按既有模式，就兩岸客貨運包機相關問題商談。

至於海上直航方面，他也建議兩岸民間航運組織按照二〇〇五年春節包機澳門協商模式，就海上直航相關事宜進行溝通，取得共識，儘早實施。

賈慶林也提出，可考慮在互相尊重與保障對方經濟利益的前提下「以區域對區域、民間對民間、行業對行業、企業對企業」，靈活處理有關事宜。

他這項政策宣布，等於是兩岸官方無法對話的前提下，大陸方面很清楚的政策方向與路徑圖。他甚至明白指出，只要在「九二共識」基礎上恢復兩會對話和談判後，雙方可以協商構建長期穩定的兩岸經濟合作機制。

而我在會中則明白談到兩岸未三通的不便。我的演講題目是「和平繁榮、兩岸期盼」，我刻意幽默說，我給這個題目取了一個副名、一個小名叫「截彎取直工程研討會」。我說昨天從台北繞了一個大圈子，花了八個半小時才到北京，前晚半夜十二點鐘左右，很多民意代表輾轉來到北京，大家都有同感，這個路繞得非常冤枉，因此三通直航的問題，我們還要面對，否則的話，繞了一個圈子，從台灣都可以跑到夏威夷去了。原本台北飛行北京的時間三、四小時就可抵達，但是因為未直航，導致要繞道飛八、九個小時，實在不便。現在談到開放協商，我覺得這是正確的方向，但是也給人一種不推不動，一推才動，大器晚成的感覺。

我在演講時也特別回顧一九九三年出任全面行政工作責任時，當時我就指出，要把台灣建立成為一個「亞太營運中心」，從這個方向努力，就會找到順序，以大陸為腹地，以經貿為主軸，大家都非常有信心。但是人算不如天算，一九九六年，忽然之間政策大轉彎，來了個「戒急用忍」，戒急用忍讓台灣失去先機，甚至造成經濟發展的空洞化。二〇〇〇年，政黨輪替，民進黨上台，由於民進黨賦予台灣的政治定位，和台灣經濟發展的需要，產生了最嚴重的矛盾、摩擦和距離，根本沒有辦法讓台灣繼續過去五十年所創造的經濟向前衝的動力。

我認為，我們不必去講什麼積極的管理、制度的問題，不要講什麼無視於WTO規範的問題，更不要去談無視於市場經濟法則的問題，台灣不管怎麼樣去拚經濟，它就是不動，躺在那裡，一蹶不振。因此政府把門關起來，但人民開了大門，過去的六年（二〇〇〇年起算），我們可以看到，台灣產生了一個非常明顯的變化，政府冷、民間熱，政治冷、經濟熱的現象。

我指出，二〇〇五年兩岸貿易額達到九百三十四億，因為教育、文化、社會方面的往來交流，來往的人數四百一十萬人次，和平之旅後，我們的水果登陸了，我們的春節包機擴大了，我們資訊產業的標準化推動了，這都是非常好的現象。

我特別舉ＩＣ半導體產業的上中下游結合為例，台灣的市場規模小，國際品牌始終無法建立起來，大陸在發展上游，如果政府與民間都能整合力量一起結合起來，這將是二十一世紀上半葉最大的商業機會。

目前台灣都只是抓著零星在做，沒有整體來做，我因此舉日本知名學者大前研一提出的警訊說明，假如你們（台灣）不能抓住這個機會「Taiwan Passing, Taiwan Nothing.」。失去了這個機會，機會永遠不再來。因此我進而演繹引申他的觀點，假如兩岸失去合作的機會，那將是「Passing Together, Nothing Together.」，這就是我們今天所處的大環境。我們有機會聚集在一起，它的重要性真的是不言而喻。

因此我重申去年所提出的共同市場概念，從歐盟整合的過程來看，第一階段要排除雙方的貿易障礙，第二步希望建立良好的合作架構，第三步就是讓所有的生產要素能夠自由流通。當然這是一個願景，非一蹴可幾，需要大家透過協商，形成共識，逐次來形成的，這是一個目標。

接下來，我認為雙方都有益、對人民有需要、阻礙爭議較小的、效益比較好的，雙方可從農業合作、金融合作、能源合作到包機直航、開放大陸觀光客赴台等層面來優先推動。

我強調，今天與會人士所代表的是人民最殷切的期盼，今天這個會議不是兩黨之間的會議，台灣的親民黨、新黨都在這裡，討論的是人民之間的大事情，經過我們的討論，把智慧結晶形成共識，我非常期盼主政的人，能夠以開闊的心態來傾聽這種聲音，而兩岸對未來發展所有關心的政黨，都能以積極的態度來落實這些寶貴建議。

遲來的和平紅利

但很遺憾的是，這個論壇熱烈務實在北京討論兩岸發展議題時，但在台北的陳水扁卻選擇接見美國外交政策全國委員會羅德大使（Ambassador

Winston Lord）的機會，抨擊國共論壇或連胡再會，只是「中國」政府包藏禍心的「遮羞布」。這是非常粗魯、魯莽的措辭。當時《中國時報》曾訪問親民黨立法院黨團總召呂學樟的意見，由於當時陳水扁已經深陷弊案，呂學樟嘲諷說：「若真要說遮羞，恐怕陳總統才需要，而且可能一塊還不夠用。」陳水扁還引用《新新聞》雜誌，批評和平之旅的五項提議都未獲進展。但是從事後發展見證，二〇〇八年後不承認九二共識的民進黨政府下台後，國民黨重新執政，兩會會談恢復了，直航開通了，一年數百萬大陸觀光客進入台灣，台灣農漁產品也陸續銷往大陸，廣大行業、民眾享受兩岸的和平紅利。而國共平台〇六年搭設的兩岸論壇提早討論了兩岸復談的架構與內容，等海基會與海協會接受雙方政府委託談判，一切就水到渠成，也增進決策的效率。

而我對推動兩岸直航的講法，也引起企業界許多的共鳴，台灣鴻海集團董事長郭台銘受訪說：「兩岸應多花點時間在經濟上，台灣就是太多政治，太少經濟。」中信集團總裁辜濂松則說：「兩岸經濟合作是絕對需要的，三通對兩岸是絕對好的影響，不能三通是台灣政府政治上的考量。」

而在論壇開幕當晚，我也特別以酒會方式邀約一百多位台商會長在北京飯店搏感情，聽他們的心聲。前一年在上海見了八十來位，這次見到更全面，我說這是空前，但不會是絕後。我記得特別詢問深圳台商名譽會長張漢文（第一屆大陸台商聯誼會總會長）說，你們有沒有被槍架在脖子上來的？張漢文笑著回答說，如果開放台商報名，保證人民大會堂都坐不下。我特別提到，台灣在前一年有百分之三點五的經濟成長，在大陸的台商就貢獻了兩個百分點，我對廣大台商對台灣經濟的貢獻，給予高度的肯定。最後我祝福他們事業家庭都順心如意發展，而台商們也熱烈高喊「國民黨加油」，這一幕讓我十分感動。

五大議題經過兩天熱烈的會議後，達成七項共同建議，包括：

一、兩岸經濟交流與合作，符合兩岸同胞的共同利益與期望；
二、積極推動兩岸直接通航；
三、促進兩岸農業交流與合作；
四、加強兩岸金融交流、促進兩岸經貿發展；
五、積極創造條件，鼓勵和支持台灣其他服務業進入大陸市場；
六、積極推動實現大陸居民赴台旅遊；
七、共同探討構建穩定的兩岸經濟合作機制。

我們由這些共同建議已可看出其對國民黨重返執政後的兩岸政策的影響，海基、海協兩會所陸續簽署的各項協議中，乃至於緊接著要簽的「海峽兩岸經濟合作架構協議」（以下簡稱ＥＣＦＡ），都可以從這些共同意見中看出端倪。例如兩岸直接通航是空運協議與海運協議，開放大陸客來台觀光協議、金融合作協議，而構建穩定的兩岸經濟合作機制，實際上指的就是ＥＣＦＡ。

時任國台辦主任的陳雲林先生，更在論壇閉幕式時，宣布十五項惠及台胞的政策措施，包括自五月一日起，台灣水果檢驗檢疫准入品種由十八種擴大到二十二種，新增柳橙、檸檬、火龍果和哈密瓜四種；開放甘藍、花椰菜、絲瓜、青江菜、小白菜、苦瓜、洋蔥、胡蘿蔔、萵苣、芋頭、山葵等十一種台灣主要品種蔬菜檢驗檢疫准入，並實施零關稅等措施；大陸供銷總社據台灣農民和農民組織反映情況與需求，適時組織台灣農產品採購團赴台採購；擴大台灣捕撈和養殖的水產品在大陸銷售，對台灣鮮、冷、凍水產品實行零關稅優惠措施和檢驗檢疫便利，適用產品為鯧魚、鯖魚、帶魚、比目魚、鯡魚、蝦和貽貝共八種；在現有五個海峽兩岸農業合作試驗區的基礎上，在廣東省佛山市、湛江市、廣西區玉林市設立兩個海峽兩岸農業合作試驗區，在福建省漳浦縣、山東省棲霞市設立兩個台灣農民創業區；福建省廈門市建立台灣水果銷售集散中心，對駐入集散中心的進口台灣水果經銷商給予免交保鮮冷凍儲存使用費以及經銷場地免一年租金的優惠；開放台灣農產品運輸「綠色通道」，台灣農產品在大陸運輸，享受部分地區過路、過橋費減免的優惠政策。

此外，福建省中國大陸教育部自即日起，正式認可台灣教育主管部門核准的台灣高等學校的學歷；大陸居民赴台灣地區旅遊管理辦法於今天公布，大陸旅遊團將以「團進團出」的方式來台，採配額管理，中共方面希望兩岸盡速以「澳門協商」的模式，敲定大陸觀光客來台的細節問題；在原有開放海口、三亞、廈門、福州、上海五個口岸簽注站（即落地簽注）基礎上，增設瀋陽、大連、成都三個台胞口岸簽注站，為未辦妥入境手續直抵大陸的台灣民眾辦理簽注手續；開放台灣民眾參加報關員考試；衛生部決定有條件地方，挑選一些資質好的醫院，如心血管、腦神經、口腔醫院，設立專門診部，接待台灣民眾，實行「一條龍服務」。接診醫師可以是大陸醫師，也可以是按規定經衛生行政部門批准，取得在大陸行醫許可的台灣醫師；為台灣民眾在大陸就醫後回台灣報銷醫療費用提供便利。大陸醫院在按大陸有關規定書寫，和保存醫療文書的同時，據實給就診的台灣民眾提供一份符合回台灣核退費用要求的醫療文書；歡迎和鼓勵台灣醫療機構與大陸合資興辦醫院等；允許符合規定條件的台灣民眾在大陸申請職業註冊和短期行醫。台灣民眾可在大陸申請醫師資格考試、註冊、執業或從事臨床研究等活動。在中國大陸取得醫學畢業學歷、考取醫師資格的台灣學生，如果需要在大陸執業，可在大陸各地衛生部門辦理註冊手續。台灣地區醫師申請來大陸短期行醫，在履行相關手續後，可在大陸從事為期一年的職業活動，期滿後可申請延長。

這十五項議題涵蓋面包括農漁民、旅行服務業、教育與醫療合作等，都是雙方絞盡腦汁協商，由於兩岸官方無法接觸，而可由大陸單方面、主動宣布的政策措施，不需兩岸協商，大陸單方面就可推動。其影響，也帶動後來兩岸雙方民間與各團體的大交流、大合作。我們也可以注意到，大陸在宣布這些政策多次使用「台灣地區」一名詞，或許也可說明兩岸當前分治的情況下，未來大陸地區與台灣地區是很中性讓雙方都可接受的稱謂。

在北京停留期間，我也曾抽空到北京近郊的香山敬謁國父孫中山先生的衣冠塚，並題下「青山有幸伴中山，同志無由忘高志」，表達對中山先生的景仰之意。我說當年他病逝前提出「和平、奮鬥、救中國」的時代訓示，這個基本理念，何嘗不是兩岸的相處之道——和平、奮鬥、振興中華。我也推崇中山先生是第一位關心環境的當代偉大人物，而兩岸都以三月十二日做為植樹節，這有很深的意義，因為這是一個共識，也是一個目標。

碧雲寺中山紀念堂管理單位，也特別播放民國十八年國父靈柩從碧雲寺移靈到南京中山陵所拍攝的奉安大典影片，供我們觀賞。雖然是黑白片，但是從影片的重回時光隧道，可以看到當年舉國上下對此事的慎重與隆重。臨行前，我與內人也應邀在寺前種植了一棵白皮松，這是大陸北方珍貴的樹種，北京植物園人員特別介紹這種樹可活上千年，取其綿延世代，精神長存。

香山碧雲寺位於北京西郊，民國十四年三月十二日，國父病逝於北京協和醫院，之後靈柩曾停放於碧雲寺內。民國十八年六月一日移葬於南京中山陵。移靈時由夫人宋慶齡親自更換暫厝時的衣物，被放回原殮的楠木棺中，放在第二層的石室內，封入金剛寶塔內，並取名為「總理衣冠塚」。大陸方面因為尊崇中山先生是革命先行者，因此碧雲寺的植被與維護都十分良好。做為國民黨員的一分子，我們到此除了一份敬意也心懷感恩。

會議閉幕後，我與胡錦濤總書記進行和平之旅後第二度會談。全體出席人士大合影，之後兩黨小範圍會談。胡先生一開始講「昨天才舉行，經貿論壇，圓滿成功」，我說：「對，非常豐沛的成果。」我希望兩岸論壇未來能再接再厲面對更嚴肅挑戰，如兩岸和平機制及台灣參與國際空間等議題。同時也希望通過兩岸共同市場的理念，排除貿易障礙，鼓勵生產要素自由流通。我希望兩岸共同努力，開創一個光明燦爛的經濟時代，中華經濟的時代。

對於政治的情勢，我則認為今天兩岸在一個形勢大好的環境下，仍然存著不同方向的拉扯與力量；換言之，今天我一方面有和平的力量，但也有衝突的力量，雙方都認為這是我們整個民族百年所罕見的機會。

而胡先生則提出四點看法：首先，他認為堅持九二共識，是實現兩岸關係和平發展的重要基礎。雖然兩岸尚未統一，但大陸和台灣同屬一個中國的事實，沒有改變本著求同存異的精神，達成九二共識。而兩岸關係波折不斷，根本原因也在於有些人罔顧民意，否定九二共識。其次，他認為為兩岸同胞謀福祉，是實現兩岸和平發展的根本歸宿。第三、深化互利雙贏的交流合作，是實現兩岸關係和平發展的有效途徑。第四、開展平等協商，是實現兩岸和平發展的必由之路。

他也重申，所有對台灣的承諾，都會認真履行。中共方面將推動早日實現兩岸三通，並在「九二共識」與「一個中國」的基礎上，開展兩岸平等協商，為兩岸和平發展開創新局。

這次的連胡會，是國共兩黨高層再一次面對面的會談，國共平台的頂層設計就是藉此機會溝通對話，增進了解，開啟合作。而首次的兩岸經貿論壇，也以前瞻的眼光，具體擘劃出合作發展的道路。首屆論壇劃下句點，也是具體開啟兩岸交流的新起點。

回福建漳州馬崎村祭祖

二〇〇六年四月十九日，我趁到北京出席兩岸經貿論壇的行程後，首度回福建漳州市龍海市馬崎村尋根祭祖，受到宗親鄉親們熱烈的歡迎，我甚為感動！

我這次的尋根祭祖行，也受到當時兩岸四地的媒體關注，超過兩百名的記者，隨行報導當時的景況，「迎賓門被大紅彩紙妝點得喜氣洋洋。從老遠的公路上就可以看見：「萬松關下彩旗飄揚喜迎台灣宗親，柳營江邊春潮涌動歡聚兩岸同胞」，門上的這幅對聯形象地概括了馬崎村迎宗親的盛況。一公里長的水泥路從村口一直延伸到連氏宗祠門口，愈靠近祠堂人更多，祠堂裡院外、屋上屋下，到處擠滿了鄉親，四鄰八鄉以及閩南其他地區的群眾也蜂擁而至，欲一睹連戰的祭祖之行[1]。

從抗戰到兩岸分離後，我是遷台連氏子孫第一位返回漳州祖籍地祭祖，九點多我的座車開到宗祠前，宗親們的歡迎隊伍熱情招呼我們，我與內人一路揮手，在宗族長老們的指引下，向著連氏宗祠「思成堂」步行過去。

思成堂建於明朝萬曆年間，供奉著我們連氏的開山鼻祖連南夫及第十代孫連佛保的牌位。我們連家遷台一世祖是連興位，於康熙年間一六二八年率族人跨海到台灣墾荒，當時定居於台南馬兵營，到我是遷台第九代。當時我告訴宗親，到我的小孩已經是第十代。（當時我還沒有孫子，而後勝文、勝武、惠心先後給我添孫，內外孫已達十個，算來到我的孫輩已經是遷台十一世了。）

在地的宗親為我所準備的祭祖儀式，完全是依古禮而行。先是奏樂，然後就位、盥洗、祭拜、迎祖駕、獻香、誦祭文、叩拜眾祖、焚祭文和紙錢等。隨後我與子女惠心、勝文、勝武等，恭敬地代表台灣的連氏祖輩和子孫，為馬崎的祖先獻上三叩大禮。原先宗親們要簡化儀式，建議我只要三鞠躬就可以了，但是行前我堅持要遵循古禮，因此在地宗親還特意去訂製了六個跪墊。祭祖結束後，我就在祠堂內與馬崎的宗親代表們暢敘親情，話家常，我也歡迎他們有空能到台灣走走看看。

每到大陸各地，他們都希望我能題字留念，我在宗祠留下「明心見性，垂教后嗣，積善福世，上繼祖德」十六字。而宗親們也為我送上了家鄉米、連氏族譜等珍貴禮物。

隨後我在宗祠前的小廣場，對父老鄉親發表感言，我特別以閩南語的鄉音向上千的鄉親們問好，「漳州是連家祖先居住、生活、奮鬥過的地方，也是連氏宗親生活、打拚和發展的美麗地方。第一次跟家人們回到馬崎，受到這麼熱烈的歡迎，鞭炮放了一路，彩旗插了一路，非常感動」。

我特別提到，人親不如土親，這是我第三次到大陸，三次來都受到民眾非常熱烈的歡迎，我感到非常的親切。這次回到漳州祭祖，我就想起第一次回西安時，孩子們對我說「爺爺您回來了」，我因此也借用「連家的列祖列宗，爺爺，我回來了，我終於回來了！」我的這段開場，引起了宗親們熱烈的掌聲。

我激動地說：我們根同宗，血同源，命運相同。整個民族有希望，我們就有希望，整個民族沒有希望，我們沒有一個人會有希望。我們在這裡緬懷列祖列宗堅韌不拔的精神，不僅是慎終追遠，更要發揚光大。這是我們這一代所有連家子弟應共同肩負的責任[2]。」

在「思成堂」祭完祖後，我們又驅車前往離村不遠的風來山腳下連佛保先祖的墳前上香祭拜。離開前，我也特別從這墳地取了一抔黃土，帶回台灣珍藏紀念，以示不忘故土。

我這場返鄉祭祖，當地媒體也報導不少：「有媒體形容這是一場遲到了三百多年的祭祖儀式，令整個馬崎社為之震動，一場聲情並茂的演講，令所有傾聽者為之動容。人親不如土親，一道海峽分隔了氣候相似的土地，卻隔不斷濃濃的骨肉親情[3]。」

完成祭祖掃墓後，我當天下午驅車前往廈門大學，接受名譽法學博士學位。我在演講中，特別引用黑格爾的話：「沒有昨天，就沒有今天和明天」，質疑台灣少數人的去中國化行徑不自量力。子貢不是有句話：「人雖欲自絕，其何傷於日月乎？多見其不知量也」。我也特別引述台灣著名劇作家、早年畢業於廈門大學的姚一葦教授的話做總結：「重新開始是一個和解，重新開始是一個起點，重新開始是一個希望的可能」。

值得一提的是到了廈門，廈門市委書記何立峰（現已是大陸全國政協副主席兼國家發改委主任）送給我一項非常珍貴的禮物，就是我祖父連橫，當年在廈門創辦的《福建日日新報》，以及所發表過的文章。他也特別提及，我的祖父一生到過大陸五次，前後在廈門居住了兩年多時間，兩度辦報，祖父的著作「臺灣通史」和一些國事評論至今仍是台灣同胞尋根認祖、文化傳承的重要書籍。

我隨後也致詞表示，此次來到廈門，除「家庭淵源」外，心裡也出滿對未來的期望。我說金門廈門曾經有相當長的時間，雖然近在咫尺，不但沒有交集，還有過非常不愉快的歷史。「門對門對開，水連水而不通」，這是歷史的悲劇。但經過大家的努力，兩岸經濟、貿易、文化等方面的交流，都有了幾十倍的成長，這是大家所樂見的，但我們希望可以百尺竿頭，更進一步。

我這時也不忘給台灣的水果打廣告，我說台南的柳橙滯銷，今年的五月一日將有相當數量的柳橙直銷廈門，這也是第一屆兩岸經貿論壇後第一批台灣水果銷往大陸。說到這，我半開玩笑對著何立峰書記說：「何書記應該會歡迎吧！」頓時引起滿座人士的笑聲。我為台南故鄉的水果打開首銷大陸廣大市場，這也是我擔任國民黨主席時念茲在茲的一項議題，為台灣農民謀福祉，也希望大陸廣大消費者能享用高品質的台灣水果，這也是我一向追求兩岸雙贏目標的實現，何樂而不為呢？因此剛落幕的兩岸經貿文化論壇結論，特別規畫要在漳浦設立台灣農民創業園，在廈門建立台灣水果銷售集散中心，福建的特殊地理位置是難以取代的。當晚何書記以廈門筵席接待我，因和台灣菜口味幾乎一樣，我留字「他鄉遇故食」，博得大家哄然大笑。

隔天我看到中新社一篇報導，將祖父任職《鷺江報》主筆及創辦《福建日日新聞》的往事，介紹得十分詳細。「正在進行福建祖地行的中國國民黨榮譽主席連戰先生將於十八日下午抵達廈門，其實早在一百多年前，其祖父連橫先生就曾兩赴廈門，前後居留兩年多時光。『他在廈門歷史上留下的是一個愛國、正派的形象，廈門文史專家龔潔感慨說。』」。報導稱當時我祖父應英國牧師山雅古所聘，出任其創辦的鷺江報主筆，這份報紙當年發行四萬多份，在全國各地和東南亞有三十二個辦事處，是當時國內頗有影響的報紙。「一九〇三年底，在鷺江報工作一年多後，連橫辭職返台。一九〇五年春，連橫攜家眷再度抵廈，和友人黃乃棠等共同創辦《福建日日新聞》，報紙新聞思想進步，為清政府所忌，不到一年即被迫關閉，連橫也隨之歸台。」所以祖父曾是報人，家父連震東先生也擔任過中華日報董事長，從淵源來說我們家也算是媒體人。

其實我是十七日抵達福建，應福建省委書記盧展工親自接待後，才回祖籍漳州。台灣最早的先民近百分之八十來自漳州、泉州。我首度回到福建，他們就蒐集不少祖父連橫在閩停留的事蹟。十八日上午在馬尾參觀

「中國船政博物館時」，了解到當年清廷興建海軍的歷史，以及當年採用新式教育的講堂，也看到歷來從清末到民國乃至遷台以後的海軍知名將領大名，都列在名人館。在這我也揮毫「中學為體西學為用，馬將巨艦馭狂濤」留念，福州市委書記袁榮祥也送了我一份當地名家的書法「馬江夜泛」，書寫的是一百零四年前祖父連橫在本地所留的詩句。受禮時我仔細讀了又讀，內心有無限的感動。

唐詩李頻「渡漢江」中的「近鄉情更怯，不敢問來人」，這足以代表我首次回福建祖地的真心情。我們連家幾代人想要返鄉祭祖的願望，終於在我這一代圓夢，台灣與福建一水之隔，我特別引用王昌齡的詩句「青山一道同雲雨，明月何曾是兩鄉」，述說了我從台灣到福建的兩岸情。

第二屆兩岸農業合作論壇

國民黨原本準備是年年底，在台北舉辦第二屆論壇，但經過依法定程序申請後，仍被當時執政的民進黨政府「決定不予許可」。雖然不出乎國民黨的預料，但由這一點可以知道，握有公權力的政府相關單位在兩會無法洽談情況下，在野黨參與的國共論壇不能代表簽協議，只能提供建議而已。不過這些論壇決議還是給民進黨政府壓力，雖然一時可能只是紙上談兵，另一方面也讓台灣選民及工商界清楚了解，唯有政黨輪替，好的兩岸政策才能推動實施。

是年十月十七日國共兩黨在海南舉行第二屆「兩岸農業合作論壇」，這一次以農業合做為主題，主要是考慮到中南部的農民，一方面協助他們開拓大陸的市場，另一方面也可以到大陸發展，擴大產業的規模。這次會議有四百多位兩岸農業企業界、學者專家及農民團體代表參加，規模盛大，大陸所有涉及農業方面的主管部門農業部、商務部、財政部、交通部、國土資源部、海關總署、工商管理總局、質檢總局、林業局、水利部和國家開發銀行、中國農業銀行都派出副部級官員出席，這樣的官員出席規模，顯示共產黨對台事務小組下，國台辦的統合力量，這也是對岸展示要推廣兩岸農業合作交流的誠意與決心，可以給台灣的農委會與陸委會參考。

這次會議陸方仍由賈慶林代表出席，他提到只要有助於深化兩岸經貿交流合作，有利於增進兩岸同胞交往，有利於兩岸關係和平發展，各種做法、途徑都可以嘗試。由於〇六年的二月陳水扁宣布終止國統會與國統綱領的運作，也就是所謂「終統」政策，加上陳水扁又提出「第二共和憲法」說詞，因此賈慶林也藉此機會強調，和平發展理應成為兩岸關係的主題，但是反對台獨活動的形勢仍然嚴峻、複雜，台獨分裂勢力圖謀通過所謂憲改，實現台灣法理獨立的危險依然存在，兩岸同胞對此要保持警惕。

我則針對農業合作主題提出看法，大陸具有土地、人力、市場的優勢條件，台灣則有資金、技術與管理的有利條件，可以結合雙方的優勢條件，進而擴大互惠雙贏的農業合作。

這一屆論壇也達成七項「共同建議」，包括：

一、促進兩岸農業交流與合作，實現雙贏；

二、歡迎台灣農民、農業企業到大陸投資興業；

三、採取措施保障台灣農產品輸入大陸快速通道順暢；

四、繼續幫助台灣農產品在大陸銷售；

五、維護農產品貿易的正常秩序；

六、推動構建兩岸農業技術交流和合作機制；

七、推動建立農業安全合作機制。

同樣的，國民黨重返執政後簽署的農產品檢疫檢驗協議以及食品安全協議，也由此可見一斑。大陸國台辦主任陳雲林也在會後宣布二十項惠及台灣同胞的新政策，包括歡迎台灣農民合作的經濟組織參與大陸海峽兩岸農業合作試驗區和台灣農民創業園發展等。

對於台灣農民所關切的仿冒問題，陳雲林在會中也特別指出「工商管理行政機關將再加強市場監督管理，嚴格區分台灣產地水果和台灣品種水果；凡是銷售非原產於台灣的台灣品種水果，均需在包裝物和價格標籤上註明產地，制止非原產於台灣的水果，假冒台灣產地水果銷售行為，按照有關規定處罰。」

最大規模農業交流盛會

會後，我們還特別從博鰲轉到廈門去參加「兩岸農業合作成果展覽會暨項目推介會」，大陸主管經濟事務的國務院副總理吳儀，還特別從北京前往廈門，參加開幕典禮。這是兩岸歷來規模最大、規格最高的農業交流盛會，七百多種台灣深加工產品，十三種台灣水果展。我同時也去參觀了解大陸方面簡化台灣農產品通關檢疫、縮短流程的設施。去年大陸宣布的十五項政策中有七項與農業有關，這個綠色通道的制度是第一屆論壇時大陸方面的開放政策之一，這是很重要的一步，我實際參觀了解，台灣農漁產品出關檢驗檢疫過程簡化，廈門入關能縮短流程，可以爭取水果、漁海鮮等農漁產品新鮮度，市場競爭力也可大幅提高。坦白說，二〇〇〇年總統大選時，像我台南故鄉等農業縣的選票幾乎流向陳水扁，但是此時為了台灣農民的權益，為他們爭取銷往大陸市場的機會，我雖然不會再參與選舉，但還是全力以赴，做我該做的。

記得我飛到廈門時，台灣南部的柳丁盛產滯銷，農民不敷成本，很多都倒入溪裡邊去。看到這則報導，實在令人心疼也心酸，他們的處境實在悽慘。因此我告訴陳雲林主任「你們有沒有辦法」。陳雲林告訴我他並不知道這個情況，但他會馬上來處理這個事。

記得我準備要回台北的當天中午不到，陳雲林親到機場送行說：「報告主席，可以了。」他已經協調大陸相關單位，可以緊急採購，解決台灣南部果農的燃眉之急。對於陳主任如此劍及屨及的工作態度，除敬佩外也讓我刮目相看。不久水果的價格也回穩，市場機制發揮作用，大陸原定承諾的採購數額，最後也不必全數交貨。

這種情況，後來包括香蕉、虱目魚等農漁產品拓銷問題，都循上述的管道進行，獲得價格的保證。

記得國民黨重新執政後，大陸負責對台採購的合作社社長（部長級）訪台拜訪我時，我在歡迎晚宴上曾特別向他敬酒，感謝他們對台灣農漁民的支持。

第三屆兩岸經貿文化論壇

第三屆「兩岸經貿文化論壇」於民國九十六年（二〇〇七年）四月二十八日在北京舉行，主要的主題集中在兩岸直航、旅遊觀光及教育交流等三大議題。

開幕前胡錦濤總書記與我循第一屆的往例，和全體出席人士在人民大會堂大合影。但合影結束後，我們分別站立對大家講話。胡先生提到，當前大陸經濟發展勢頭強勁為兩岸經濟交流合作提供更寬廣空間，以及更優越條件，而加強兩岸經濟文化交流合作，更是人心所向，大勢所趨。他也希望兩岸同胞更加緊密地攜起手來，促進兩岸的人民往來和經濟文化交流合作，制止台獨分裂活動，維護台海和平，把我們的共同家園，維護好，建設好。

我則指出，當前對於兩岸關係拉扯的力量仍然非常強大，要把兩岸關係勇敢不懈的向前推進，必須秉持既有的幾個理念和堅持，首先一定要加強彼此的交流，交流才是硬道理，才是主動力；其次在當前情勢下，必須重視協商的功能，有協商才談橋梁，由協商來代替對抗。國民黨樂見任何有助於兩岸協商的努力，並樂觀其成。

我還指出，兩岸必須堅持雙贏的目標，互惠互利是當前全球的主旋律，一定要在大家和解互助、和諧相處、和平共榮的雙贏理念下，快馬加鞭，全力以赴。

由於隔年台灣又要進行大選，有關海空運直航的協商循澳門模式已經進行五次的技術性磋商，但是對於通航性質卻卡住無法前行，大陸方面在開幕式上及討論會上，賈慶林及大陸國家旅遊局長邵琪偉都堅持兩岸大陸居民赴台旅遊，並非國與國之間的旅遊。當時民進黨政府則想要將兩岸航線定為國際航線，要求大陸觀光客持大陸的護照入境，這也陷入雙方互相指責為談判製造障礙的困境。因此這次談兩岸通航的問題，由於涉及公權力協商，也只能提出建議。兩岸真正實現，全面直航，也是隔年馬政府上台之際，當時雙方有智慧以「兩岸航線」避開了「國內航線」與「國際航線」的爭議，才解決問題。

第三屆論壇雙方最後達成六項共同建議，包括：

一、推動兩岸民間航空航業組織，就包機週末化、常態化儘早做出安排，包括包機地點、擴大乘客範圍、增加班次密度、相對固定時刻、完善營銷方式，以便捷兩岸人員往來。

二、呼籲台灣盡快允許大陸航空公司在台設立辦事機構或辦事處；推動兩岸民間航運組織儘早按照既有模式，就兩岸海上通航相關事宜進行溝通，達成共識，做出安排。台灣方面應該本著互惠雙贏、互利共享的原則，允許大陸海運企業在台灣設立經營性機構。

三、希望台灣方面充分考慮金門、馬祖民眾的需求，盡快同意金、馬與福建沿海建立直達水電供應管路。

四、全面開展兩岸幼兒教育、基礎教育、職業技術教育、高等教育、繼續教育等領域的交流，呼籲台灣方面盡速承認大陸學歷。

五、繼續推動實現大陸居民赴台旅遊。鑑於週末包機方式可節約遊客時間與費用，建議大陸居民赴台旅遊與包機週末化同步安排、同步實施。

六、在九二共識基礎上盡速恢復兩岸平等協商，建構兩岸關係和平發展的架構。

這次的共同建議，出現許多對台灣方面政府的呼籲，也提出要求對等互惠，這是兩岸要推動直航等措施須共同面對的議題。

共識成為最佳基礎

從第一屆到第三屆三次論壇中，總共得到二十項共同建議，大陸方面宣布了四十八項惠及台灣同胞的政策措施，只可惜這些有利於兩岸關係發展的寶貴建議，被當時執政的民進黨當成逆耳忠言，不僅束之高閣，完全不予採納，還冷嘲熱諷。此外，民進黨政府的策略依舊不變，對大陸繼續採取政治對抗及經貿封鎖的策略，使兩岸關係步步走向危險邊緣，台灣經濟也逐漸陷入邊緣化的危機。

但國民黨重新執政後，這些共識卻成為最好的基礎，讓今後的兩岸關係開展可以從容上路，貢獻極大。

第四屆兩岸經貿文化論壇

國民黨在民國九十七年（二〇〇八年）重返執政後，國共論壇是否要繼續舉行，曾有不同的意見。國民黨大陸事務部主任張榮恭及國民黨智庫執行長蔡政文先後跟我提過，馬英九總統似乎對國共論壇不熱中，甚至想把國共平台當作是二軌。但是馬英九搞不清楚的是，大陸的體制是以黨領政，黨說了算。過去國共平台的建立，可以說是做了許多期前溝通、政策鋪墊的工作，國民黨執政後，一時政府與政府間無法直接接通，此一平台仍可繼續為政府做期前的意見交換工作，這是政治的現實。當時我曾經私下表示，如果馬政府不願意國共論壇繼續，我個人的兩岸和平發展基金會願意來承擔共同舉辦兩岸論壇的角色。最後馬英九總算沒有堅持己見，兩黨決定還是會持續舉辦國共論壇，具體來說，這主要是考慮以下幾個層面：

一、兩岸交流所衍生出的各種事項繁多，政府的決策總是沒有民間快，很多事情可以由國共論壇先提意見；

二、國共平台可以廣納社會各界參與，這是政府協商沒有辦法達成的功能；

三、國共論壇舉辦三屆的成果已可看出其效果，對兩岸關係和平發展具有不可替代的貢獻。

促成兩會簽署ECFA

記得二〇〇八年十二月我與時任中國國民黨主席的吳伯雄、大陸賈慶林主席都親自出席在上海舉行的第四屆兩岸經貿論壇，但是那次讓我心情不太痛快。會前我先到杭州出席瑪瑙寺成立連橫紀念館的開館儀式，突然國民黨智庫執行長蔡政文趕來看我說，由於馬政府反對，「論壇原本的共同決議草案將推動建立兩岸經濟合作機制觸礁了」，我聽了大不以為然，要他們繼續努力溝通。所幸最後峰迴路轉，大陸國台辦主任王毅也鬆了口氣。後來此項決議，也促成兩會簽署ＥＣＦＡ，對兩岸的經濟合作貢獻甚巨。

由於是年（二〇〇八年）下半年發生百年難得一見的全球性金融風暴，因此在是年十二月十一日舉行的第四屆「兩岸經貿文化論壇」，特別有意義。尤其論壇前的十二月份兩岸開放海空運直航，這是民眾及企業界引領期待的發展，算是兩岸隔閡半世紀後歷史的新里程碑，也是兩岸大交流的新起步，因此如何掌握新契機，聚焦開創兩岸經濟合作新紀元，也成這屆論壇的重點任務。

由於國共已成兩岸執政黨，形式上已經跟前三屆大不相同，因此雙方合意邀請政務官及事務官代表以特邀嘉賓及特邀專家方式與會。這是兩岸互不承認情況下，首度有十位左右、分屬不同部會的主管官員上桌一起開會，成為本次論壇的亮點之一。台灣方面經建會副主委單驥也以「特邀嘉賓」身分，特別在會上報告「台灣經濟形勢與兩岸經濟合作之展望與政策」，大陸方面也由發改委副主任張曉強以「特邀嘉賓」身分報告「大陸經濟形勢和產業政策」。而台灣方面出席的事務官還有金管會銀行局長張明道、交通部民航局長李龍文、觀光局長賴瑟珍與經濟部投資業務處長邱柏青五位。大陸方面則有商務部副部長姜增偉、中國銀行副行長馬德倫、國家旅遊局副局長張希欽等。這幾位兩岸官員除出席論壇，私下也有機會面對面舉行會外商談，有助於未來兩岸兩會的正式協商。

除了經貿議題，這屆上海論壇也於晚間舉行文化沙龍，大陸方由王蒙、余秋雨主講，台灣方則有黃光男、南方朔，由高希均及曹可凡教授主持，會談熱烈，欲罷不能，是兩岸文化界一次難得的交流。

第四屆「兩岸經貿文化論壇」達成的九項共同建議

一、積極合作應對國際金融危機的衝擊

（一）加強兩岸互惠互利的經濟合作，共同探討應對國際金融危機的方法和途徑。採取適當方式，在金融、經濟方面加強相互支持，以促進兩岸經濟金融穩定發展。

（二）促進兩岸加強合作，解決廣大中小台資企業的融資問題，支持和幫助台資企業轉型升級、持續發展。

二、促進兩岸金融合作

（一）兩岸雙方應盡快商談建立銀行業、證券業、保險業監管合作機制和貨幣清算機制，開展兩岸證券交易所交流合作，為擴大兩岸金融合作創造更好

條件。

（二）加強兩岸金融監管機構之間的資訊交流與監管合作，維護兩岸金融機構穩定健康運行，增強防範金融風險的能力。

（三）鼓勵和推動兩岸金融業者採取多種形式、通過多種渠道開展人才培訓和學術交流。

三、相互參與擴大內需及基礎建設

為因應全球經濟衰退，兩岸皆在積極推動擴大內需及加強基礎建設相關計畫，雙方應採取具體作為，支持兩岸企業相互參與擴大內需及基礎建設，創造新的商機，強化共同應對經濟變局的能力。

四、深化兩岸產業合作，拓展領域，提高層次

（一）加強兩岸產業界交流和溝通，建立兩岸產業優勢互補的合作機制，逐漸形成合理的兩岸產業分工合作布局。

（二）加大在資訊、通訊、環保、新能源、生物科技、中草藥、航空工業、紡織及纖維、LED照明、工業設計等領域的合作。

（三）推動兩岸在高科技、基礎科學等方面的深入合作，加強兩岸共同制定電子資訊等產業技術標準的合作，加快科技研發成果產業化進程。

（四）及早協商建立兩岸農產品快速便捷的檢驗檢疫程序，加強兩岸檢驗檢疫的技術交流與合作。

（五）鼓勵兩岸企業合作開發油氣資源。

五、加強兩岸服務業合作

（一）積極創造條件，鼓勵和支持台灣服務業進入大陸市場，推動服務業

成為兩岸經濟合作的新熱點。

（二）加強資訊服務業、運輸物流、商業零售、醫療、會計、管理諮詢、職業技術教育、文化創意、電信等多個服務業領域的合作。

（三）兩岸進一步強化健康有序的旅遊交流合作機制，共同簡化赴台旅遊申請流程，循序漸進積極擴大大陸居民赴台旅遊。

六、完善兩岸海空直航

（一）兩岸應根據市場需求增長情況，積極考慮增加班次，並盡速就常態包機轉為定期航班做出安排，同時就建立更便捷直達航路及航空器安全技術事宜進行溝通和落實。

（二）盡速推動實現兩岸航空公司在對方設立營利機構及辦事機構，以擴大業者互利互惠的交流合作。

（三）兩岸海運界加強聯繫，根據市場需求，合理安排運力，確保兩岸海運市場規範有序。雙方業務主管部門應採取切實有效措施，充分保障航運公司從事兩岸海上直航的各項權益。

七、加強兩岸漁業合作

（一）兩岸儘早協商建立漁業勞務合作機制及漁事糾紛處理機制，落實各項管理，保障大陸船員及漁船船主的權益。

（二）加強兩岸漁業資源相關議題的合作交流，共同保護作業漁場的漁業資源，讓兩岸漁業可以永續發展。

八、加強投資權益保障

（一）兩岸盡快就投資權益保障問題進行商談並簽署協議，建立和完善兩岸投資權益保障協調機制。

（二）兩岸盡快就智慧財產權保護、避免雙重課稅、通關便利、標準檢測及認證合作等攸關兩岸企業利益的議題進行協商。

（三）大陸方面進一步落實台商投資權益保護的相關法律法規，完善相關工作機制。

九、實現兩岸經濟關係正常化，推動建立兩岸經濟合作機制

（一）加快推動兩岸資金、資訊、技術正常流動，實現雙向投資。

（二）台灣方面盡快就大陸企業參與台灣經濟建設的方式和領域做出安排，盡快公布大陸企業資金進出、人員往來等配套措施，為大陸企業赴台投資創造必要的條件。

（三）兩岸就市場開放和弱勢產業保護問題進行協商，達成共識並做出安排。

（四）為維護兩岸交流秩序，保障兩岸同胞權益，推動盡快就共同打擊犯

罪進行協商。

（五）為解決兩岸經濟交流中的問題，擴大兩岸經濟互利合作，按照先易後難、逐步推進的步驟，推動建立兩岸經濟合作機制。

隔年四月第三次江陳會談，兩岸就簽署了金融合作協議，也達成了陸資來台的共識，政府也就這些建議事項來改善現有協議的執行情況，由此可知，國共論壇確有其價值存在。為了協助台商度過金融海嘯，大陸方面也釋出十項具體政策措施，包括：

一、支持台資企業發展

大陸扶持中小企業的財稅、信貸政策，同樣適用於台資中小企業。支援台資企業參與大陸擴大內需的建設工程和專案。

二、擴大台商融資

中國工商銀行、中國銀行近日分別決定，在今後二至三年內，各自為大陸台資企業包括中小企業安排五百億元人民幣的融資。國家開發銀行在原有專項融資支援台資企業三百億元人民幣的基礎上，三年內再追加融資支援台資企業包括中小企業三百億元人民幣。

三、支持台商轉型

成立由兩岸專業人士共同組成的台資企業轉型升級服務團隊，本月（〇九年四月）二十二日正式啟動，面向台資企業開展有關法規政策、產業資訊、技術創新、專利轉讓、人才培訓等方面的輔導服務，促進台資企業在大陸可持續發展。

四、鼓勵台資自主創新

鼓勵台資企業參與國家和地方相關科技計畫。支援台資企業參與國家和區域創新體系建設，並享受有關加強、鼓勵和扶持企業自主創新能力的政策。

五、推動兩岸雙向投資

發展改革委員會和國務院台辦近日出台〈關於大陸企業赴台灣地區投資專案管理有關規定的通知〉，支援有實力、信譽好的大陸企業，遵循市場經濟規律，根據台灣方面的需要，參與台灣經濟建設專案。

六、加強兩岸產業合作

重點推動兩岸在開發利用新能源、促進傳統中藥現代化、電子資訊產業以及其他優勢互補的產業合作，共同提高兩岸產業在國際市場上的競爭力。

七、促進面板業發展

大陸電子視像行業協會組織兩岸相關企業，為此成立了工作組，大陸企業決定擴大採購台灣企業的面板，先期達成二十億美元的採購意向。

八、拓展兩岸農業合作

經有關部門批准，新增設立江蘇南京江寧、廣東汕頭潮南、雲南昆明石林台灣農民創業園。中國進出口銀行將台灣農民創業園基礎設施建設，納入國家出口基地建設貸款支援範圍。

九、擴大台灣生鮮農產品在大陸銷售

推動兩岸儘早就台灣鮮活農產品在大陸銷售的通關和檢驗檢疫合作進行協商，盡快做出安排。加快建立兩岸檢驗檢疫聯繫和通報機制，促進兩岸農產品貿易健康發展。

十、允許台灣人民從事律師行業

有關部門將於近日發布〈取得國家法律職業資格的台灣居民在大陸從事律師職業管理辦法〉，允許符合條件的台灣居民在大陸按管理辦法從事律師職業。

民國九十四年（二〇〇五年）是兩岸關係及國共關係的一個分水嶺。國民黨在九十七年（二〇〇八年）的再度執政以及兩岸關係在國民黨執政後的迅速改善，包括在七年的時間內舉行了十一次的兩會領導人會談並簽署了二十三項協議，都是九十四年（二〇〇五年）和平之旅所鋪下的道路。甚至於民進黨都因為這樣一個全新的局面，而必須重新檢視其兩岸論述及主張。

我本人因為已經正式離開黨職，並接受總統指派連續五年充當參加亞太經合會議的領袖代表，因此在第四次兩岸經貿論壇會後，我便正式離開這項工作。

經過了民國一〇一年（二〇一二年）的大選之後，我們更可以確定，當初連胡五項願景所建立的基礎：「九二共識」及反台獨，以及在這個基礎上所架構的兩岸對等雙贏、合作互惠關係，已經得到台灣人民的支持與認可。

過去二十多年來，兩岸的經貿交流，對台灣的利益包括：

（一）為勞力密集型的中小企業找到了新的出路。

（二）緩和出口市場過分依賴美國所帶來的壓力。

（三）有利於推動產業升級，加速技術密集產業的發展。

另一方面，交流對大陸而言，帶來的利益則包括：

（一）促進大陸投資當地的經濟發展，縮短大陸城鄉差距。

（二）創造大量的就業機會，緩和大陸失業壓力。

（三）帶動大陸出口，增加大陸外匯。

（四）提供先進的管理經驗與行銷技術，加速大陸企業的發展。

這些雙方所獲得的利益，就是我所謂的互利、融合、創造雙贏的目的！而大陸近年來的快速發展，事實上，已成為世界的經濟大國，在亞洲早已超越日本，在歐洲各國甚至美國的經濟積弱不振之餘，中國大陸的經濟成長，與創造的投資機會，都已成為世界最大的經貿市場，其實力已遠非民國九十四年（二〇〇五年）之前的情況了。

在二〇〇八年底的上海論壇期間，由於雙方已經達成向前推動兩岸經濟合作的方案，除了剩下的貨物貿易與服務貿易要再談外，前瞻未來就是要去碰觸政治層面的制度性問題。記得大陸政協主席賈慶林在上海跟我交心說：「連主席，剩下的沒啥大問題，我們好好再繼續努力，沒有什麼解決不了的。」他的誠意與魄力，讓我印象深刻。回台灣後，我特別去向馬英九總統報告，我說胡錦濤總書記與賈慶林主席的任期還有三年，剛好跟你的未來三年任期重疊，據我的接觸觀察，胡、賈兩位先生是可以推誠與共的人，我們是否可以好好規劃，兩岸可以就政治架構這一難題來商討未來制度性的安排。但馬馬上回說政治層面的議題非一蹴可幾，我們還是應該秉持先易後難、先經後政、先急後緩的原則，兩會所討論的像堆積木方式來進行。

其實二〇一二年馬英九要競選連任的前夕，他過境美國還拋出過未來可推動兩岸簽署和平協議的主張，一度引起廣泛討論與熱議，但是後來又不了了之，不知是否受到美國的壓力。及至二〇一六年五月卸任，馬英九始終未再談起和平協議的議題。但是等到二〇一四及二〇一六國民黨連續兩次選舉大敗，我們在兩岸問題所採取保守的做法，也未能為國民黨守住政權。今天再交出政權後，現在已有很多人在檢討、反省，但是歷史的進程，真是當斷未斷，反受其亂。

回顧國共論壇、兩岸經貿文化論壇這個平台，原本我們心胸就是對外開放的，歡迎其他黨派都參加，集思廣益。像歷屆的會議，親民黨副主席張昭雄、祕書長秦金生、新黨主席郁慕明、台灣無黨團結聯盟主席林炳坤等多出席，但是民進黨及台聯則婉拒。甚至二〇〇九年民進黨中央還明確禁止黨員出席第五屆論壇，甚至對出席的范振宗及許榮淑處以開除黨籍的處分。民進黨為了一黨之私之利，不能以健康的心態面對兩岸情勢的發展與挑戰，甚至兩度執政期間升高兩岸的對立、擴大敵我矛盾，有悖人民期待的和平發展趨勢，實在令人遺憾與痛心。

推動兩岸和平發展，猶如在一片原本看似無路的荊棘中，開闢一條道路。如今看到小徑變成大道，大道雖然也有曲折，但這條路還是陽關大道，也是正道。國共平台搭建，雖遭台灣的民進黨及台獨分子一再抨擊抹黑，但是這個平台包括兩岸論壇為兩岸關係引導上和平發展的正向路上，卻是功不可沒。當初參與其事者，不管是幕前或幕後，都在歷史上留下了不可磨滅的貢獻。

注釋

1 劉衛兵（2007年9月）。隨訪連戰的日子。北京：九州出版社。

2 陳斌華、王凡凡（2006年4月19日）新華社。漳州報導。

3 劉衛兵（2007年9月）。隨訪連戰的日子。北京：九州出版社。

第十四章——關鍵性兩岸對談

二〇一三年第一次連習會

二〇一三年二月二十四日也正值農曆元宵之時，我應新上任中共中央總書記習近平之邀，率團到北京訪問，這是習近平接任總書記後第一次高規格接待台灣高層訪問團，這次訪問還有一個特色是，北京方面也特別安排我與即將在三月交卸國家主席、軍委主席的老朋友胡錦濤晤面。這樣的安排有其特殊意義，在習胡即將完成政府權力改組的前夕，分別與我的晤面，也有對推動兩岸關係承先啟後的用意在裡邊，這是他們的好意。我將近有兩年的時間未再到北京，這次挑選在農曆春節期間訪問，用中國人或台灣人的年俗，就是「走春」，也可以說是「訪舊」。

由於我已經交卸黨主席多年，也無政府公職在身，身分相對自由些，因此我特別邀請友黨的新黨主席郁慕明、親民黨籍前立法院副院長鍾榮吉、無黨聯盟主席林炳坤以及佛教界星雲大師、教育界前部長吳清基、以及企業界的郭台銘、尹衍樑、何壽川、焦佑倫、林明成、林伯實等同行。

國民黨方面則有副主席蔣孝嚴、林豐正以及徐立德、江丙坤、高育仁、張昌邦、蔡政文、張榮恭、廖國棟等一同前往。

當我們抵達北京，在進城的路上，鞭炮聲不斷，因為還在過年期間。當晚海協會長陳雲林及國台辦主任王毅，在釣魚台賓館舉行了歡迎宴，我除了肯定兩位老朋友對推動兩岸關係所付出的努力與貢獻外，也特別提到去年中共十八大會議，將「九二共識」寫入十八大的政治報告中，不僅象徵「九二共識」在兩岸交流的重要性，也代表兩岸深化合作的堅實根基。

我也提到，二〇〇五年踏上大陸進行「和平之旅」後，兩岸關係就有突破性進展。尤其國民黨重新執政後，兩岸在堅持九二共識的互信基礎上，重新展開協商，使兩岸形勢從過去的「衝突、對抗、爭戰」，轉向「和解、合作、和平」的關係，這是我對兩岸關係改善的深層感受。我也強調，兩岸和平發展的路線必須堅持，兩岸交流互動也應堅持求同存異、互不否認、擱置爭議、對等尊嚴等原則。

王毅在席中則指出，這是中共十八大後，首次見到台灣最重要的貴賓，也是習近平擔任總書記後，見到最重要的台灣政治人物，他期待今後的兩岸關係在新形勢下持續和平發展。

正月期間的釣魚台賓館，天候雖然寒冷，但是處處布置得喜氣洋洋，年味十足，晚宴上也嘗到了綠豆仁餡與紅豆沙兩種口味的元宵，及他們的招牌菜烏魚蛋湯。王毅在致詞時提到：「今天是正月十五元宵節，是傳統中國人和家人過的節日，這麼多台灣朋友來，兩岸本是一家人，也算是和家人一起團聚，過一個難忘的元宵節。明天正月十六，剛好是連先生祖父連橫先生一百三十歲冥誕，對連橫先生為台灣的貢獻表示敬佩。」從王毅口中道出先祖父的冥誕日期，可見他的用心，我當下是受到感動。

到北京的第二天，我們受邀參訪了中共國家博物館與北京航天城兩個單位。航天城位於北京的西北郊，他們安排的用意是讓我們台灣客人了解大陸目前在航天科技的發展成就。

隨後，我們全團就到人民大會堂會見習總書記等大陸領導。當我逐一介紹團員與習近平認識時，當介紹到「這是我兒子連勝文、台北市經發會副總召集人」，習總書記脫口而出「你很高啊！」，我立即補充「身高一九五」。沒想到這一段，卻成為媒體捕捉的焦點。勝文長得高壯像籃球選手，無論到哪個場合，他都因為身高顯得搶眼。

二〇一三年我在人民大會堂會見習近平總書記。

我與習總書記在二〇〇六年他擔任浙江省委書記時，分別於四月與十月就見過兩次面。現在於西湖畔的連横紀念館，當時主導此事就是習先生，具體操辦的是杭州市委書記王國平。習先生當時很關注此事，在工程施工期間還曾專程前往了解工程進度。我內人的原籍就是浙江，因此四月初訪浙江，當然也到名聞遐邇的西湖風景區走走、乘船，西湖之美，果然是名不虛傳。記得與習書記晤談時，他還提起常自己開車，到處走走，了解第一手的民情、民隱。第二次到杭州，則是到浙江大學為光華法學院創辦剪綵，那次習書記也很客氣請吃晚飯。飯後我到了浙大，還為師生們講話。後來他升任上海市委書記、國家副主席後，有段時間未碰面。因此這次北京重逢，他一開口就稱「老朋友」，這也是我心裡的感受。以下是我們雙方會談的重點內容。

習總書記：

連戰榮譽主席，各位朋友，大家好，按照中國舊曆年的習俗，在上年的臘月初八到當年的正月十五都算在過年，今天是正月十六，這個年剛剛過完，剛剛過完蛇年春節，連主席就率台灣各界人士參訪團來到大陸，我們表示熱烈歡迎。在這裡，我也向連主席和各位朋友拜個晚年，祝大家新春好。

這一次是我擔任新的職務之後，第一次會見台灣朋友，在我們黨召開十八大之際，連主席給我發了賀電，在這裡我要再次向連主席感謝。

連主席是具有深厚民族情懷和遠見著實的政治家，為改善和發展兩岸關係，付出了大量心血，尤其是在二〇〇五年四月連主席率首個中國國民黨訪問團來大陸，中國共產黨和中國國民黨的兩黨領導人共同發布了「兩岸和平發展共同願景」，這對兩岸關係產生了重大的變化，我們高度評價連主席對兩岸關係發展做出的傑出貢獻。

我本人在福建工作多年，現在想起那個時期，我幾乎每天都要接觸有關台灣的事情，也結交不少台灣朋友，到浙江、上海差不多也是這樣。我在這裡要特別提到的是，我和連主席相識於浙江杭州，在二〇〇六年四月、十月兩度會面，當時的會見情形，談話情況，我現在記憶猶新，可以說是當時的情景歷歷在目，言猶在耳，我和連主席是老朋友。

從我離開福建到現在，可以說是始終關注著台海的事務，期待兩岸關係持續改善，我們黨新一屆的中央領導階層，繼續推動兩岸關係和平發展，促進兩岸和平統一，我們將再接再厲，不時進取，進一步推動兩岸關係發展，取得新的成就，造福兩岸同胞，今天連主席已經來了，有不少人我們過去也都認識或會過面，你們在各自領域為兩岸關係的改善和發展中，都做出了貢獻，見到你們很高興，在此恭賀大家，向所有關心、支持、致力於推進兩岸關係發展的台灣朋友，在此致予由衷的敬意。

連戰：

習總書記、俞常委（正聲）、各位先生、各位媒體的朋友，大家早安，「新春伊始，萬象更新」，首先代表台灣的朋友，向總書記和所有朋友拜個晚年，祝福各位新的一年身體健康，吉祥如意；今天我和各位朋友到北京來拜訪，這是中國共產黨十八大之後，台灣各界組團來訪的第一次，承蒙總書記和各位親自的接待，我們感到非常的榮幸，我們在這裡特別的謝謝各位，尤其總書記剛剛的鼓勵和美言，實在是不敢當。這次的訪問受到各方面的關注，其所以會如此，那就是代表我們兩岸各界，對兩岸關係的發展高度關心和期許。

我了解第十八大會議之後，中共中央在總書記的領導之下，採取了系列新的政策、措施和做法，在各個階層，可以說深獲人心，也得到全面、正面、熱烈的迴響，所以我們也希望，在這個歷史的關鍵時刻，在一個新的起點開始的時候，希望能夠在兩岸關係上面繼續深化、廣化，開拓新的契機，來共同努力做符合我們民族未來發展的一些工作。記得〇五年我應邀到北京來和胡錦濤前總書記達成了和平發展五項的願景，我們今天回顧，還有若干的地方我們有待繼續努力，不過總體來講，經過八年的努力，開了八次會議，完成了十八項的決議，讓兩岸的關係做了大幅度的改進，我想這個事情不但受到兩岸同胞的支持，也受到國際各方面的肯定，這也代表著我們所選擇的這條道路，是一條正確的、有效的，不會也不應逆轉的一條正確道路。

我最近接觸的總書記所講的一番話，大意是：「道路決定命運，找到正確的路是很不容易的，而如今正確的道路就在我們眼前，因此我們應該堅定不移的走下去。」對於這段話，我不但深受感動，同時也是高度的認同，我知道最近大陸各地同胞也紛紛表達了對此理念的擁護，所以今天能夠有機會，我們願意和各界努力，一同表達這個意願，讓我們兩岸共同攜手，把握實際、務實的現況，勇往邁進，以上請總書記來指教，謝謝各位先生，謝謝各位朋友，謝謝。

在媒體記者退席後，我接續講：

再次謝謝總書記，簡單的講就是，實務方面，第一個就是關於一個中國的原則，我認為我們應該在「九二共識」，以及「反對台獨」兩個基本的原則之上，來求「一中架構之同，存一中涵義之異」，兩岸今天各自相關的法令規定以及運作，可以說都是在實施一個中國的原則，台灣固然是中國的一部分，大陸也是中國的一部分，由此形成的一中架構之下的兩岸關係，換句話來講，它不是國與國的關係，九二共識是由這裡產生的，這是雙方政治互信的一個機制，我們必須共同來維護，我們也不能夠否認，在當前特殊的情況之下，兩岸對一個中國涵義是各有不同的表述，正如我剛才所講，我們卻可以完全的來求「一中架構之同，存一中涵義之異」，因為我們可以先求同存異，擱置爭議，以待未來發展更有意義，更有建設性的兩岸關係，歷史造成了一九四九年來兩岸當局的互不隸屬，這是客觀的現實，不是我們這一代的人所造成的，現階段的兩岸關係得來不易，必須認真的穩固，因此在雙方的分歧仍然存在之際，我們一方面相互尊重，一方面加強合作、謀求雙贏，這是我們當前基本的看法。

其次我想談談「兩岸和平」這個問題，簡單的來講，我們應該持續不斷的來努力結束敵對的狀態，逐步的來化解我們的爭議，過去四年多來，兩岸簽署了十八項協議，這是台海局勢脫離動盪不安，走向和平穩定，重要的標誌，可是若干問題仍然有待解決。

最近十八大政治報告及相關的文件中都提到了，來探討尚未統一情況下的兩岸政治關係，從兩岸現行的規定出發，尋找一個中國的連接點，做出合情合理的安排等等的觀念，我個人認為這都是既現實又高瞻遠矚的見解，我深有同感，從這些觀念出發，來展開、探討、累積共識，建立一種平衡的、對等的、有效的政治架構，對於兩岸未來的穩定發展和和平關係，相信將極有助益。

由於兩岸過去長期的對立，造成台灣在國際活動的空間上面遭受到相當的限制，如何一方面增強我們的互信、鞏固大局，另一方面回應台灣民眾的需求，關心台灣的國際活動空間，尤其是參與區域性的經濟整合、組織，或是有關人民生活的安定、福祉相關的這些問題，都是我們應該進一步，審慎考慮的一些問題。

第三是互利融合，簡單的來講就是我們應該如何來加強交流協商和共同強化我們同胞的情誼，兩岸的人民都是炎黃的子孫，我們同屬於中華民族，都是受中華文化薰陶的中國人，理所當然的要積極的發揮民胞物與的精神，增進我們的情誼，互助互諒，拒絕分裂，走向融合。兩岸推動制度化協商的經驗告訴我們，分裂只會造成衝突、空轉、自耗，唯有持續不斷在各個領域深化廣化，那麼彼此互助融合，才能夠促進共同的利益，加速民族復興的進程。

第四是振興中華，我們應該提升民眾福祉，發揚民族尊嚴。在這裡讓我們想到，我們共同敬重的孫中山先生，他是近代第一位號召振興中華的先行者，他心繫中華民族的獨立，民權的發展，民生的幸福，兩岸可以說都以他為我們的典範，今後我們發展兩岸關係，提升整體民族的福祉，可以說這是整個民族的事業，不是為了一黨一己之私，也不是為了一地一時之利，相信這是兩岸人民共同的心願，當前和未來，不但要強化兩岸雙方和解和對話，兩岸人民和諧相處，兩岸科技和平發展，更要發揮中華民族整體的思維，擺脫歷史留給我們坎坷的際遇，我們要以積極、耐心、勇敢、堅定的精神，來為整個民族覓勝利，為萬世開太平，來開創整個民族璀璨、輝煌的新世代。

習總書記隨後也回應說，繼續推動兩岸和平發展，促進兩岸和平統一，是新一屆中共中央領導集體的責任。維護好台灣同胞權益，發展好台灣同胞福祉，也是中共領導集體的鄭重承諾。

他強調，兩岸還存在著歷史遺留的問題，還會遇到新問題，解決問題需要時間，需要耐心，需要努力。只要反對台獨，堅持九二共識，兩岸各領域合作前景就是寬廣和光明的。

習近平認為，兩岸終能打破隔閡，開啟交流合作，因兩岸同屬中華民族，這種血緣紐帶任何力量都切割不斷；兩岸同屬一個中國，這事實任何力量都無法改變；兩岸交流合作得天獨厚，這種雙向利益需求任何力量都壓制不住。

他也說，大陸從全民族發展的高度來把握兩岸發展方向，大陸和台灣是休戚與共的命運共同體，兄弟齊心，其利斷金。實現民族復興，需要兩岸同胞共同努力。希望台灣與大陸一道發展，兩岸同胞共同來圓「中國夢」。

會後我應媒體要求也開了記者會，他們要我評價對習總書記的接觸印象，我說習是親切、誠懇、有誠意的，對兩岸事務充分掌握，而且出身基層，很容易凝聚對事務看法。

媒體也關注連胡五項和平願景中有關台灣參與國際空間速度似乎進展有限，我答覆說，兩岸從二〇〇五年之後，在這領域做了許多努力，但仍需時間落實。

我舉例說，近年來我五度奉馬總統指派，以領袖代表身分參加APEC經濟領袖會議，這是一個很重要的區域經濟場合，對於台灣參與國際活動就是很大的突破。

我也說明，在參與世界衛生組織大會方面，台灣也逐步地以觀察員身分參與，對於台灣取得世衛組織的資料，或強化區域衛生保健合作等，都取得具體的助益。去年九月出席俄羅斯海參崴亞太經合會，也曾倡議台灣參與ICAO的問題。我認為，兩岸必須面對相關共識，但我也理解參與過程，並非一蹴可幾，但相信這些共識，會獲得大陸更多理解，期待兩岸共同努力，逐步落實。

這次我與習總書記的首次會晤，出發前的二月二十二日我曾到總統府向總統禮貌性拜會，告知我的行程安排，而他也特別要我向習近平、胡錦濤轉達問候之意。這次我所提出的「一個中國，兩岸和平，互利融合，振興中華」十六字，民進黨總是雞蛋裡挑骨頭，稱我的說法，只剩一中，沒有各表，是否代表馬英九政府立場。這種懷疑也逼著總統府出面說明，稱我此行未被託付任何特定任務。其實我此行本就是私人行程，我所提出從兩岸現行規定出發、做出合情合理安排，建立一個平衡、對等、有效的政治架構，這是關心兩岸未來發展的一條前瞻探索之路，我心坦蕩。

《聯合報》曾為此於二月二十六日發表社論稱：「連戰此行若是馬英九的代表，即不可能說得如此直白；而連戰是兩岸公認的可以信服的人物，亦為台灣泛藍的重要標誌，如今連戰坦率了他的兩岸觀點，應可視為台灣民意的共識與底線，這是兩岸皆必須嚴肅正視者。連戰此行不代表政府，但其實有更大與更高的代表性。」

其社論還稱：「客觀而言，北京當局可能並未預見也不樂見連戰表達這樣的觀點；但連戰既表達贊同習近平所說的『道路決定命運』，則兩岸的道路，應當即是『不為一黨一己之私，不為一時一地之利的道路』。」

二〇一三年連胡會

二〇一三年二月二十六日，我與大陸國家主席胡錦濤於人民大會堂福建廳晤面，這是我們之間第十二次見面，也是他在退職前的最後一次見面。老友相聚，既是親切，也甚熱絡。

以下就是我們對兩岸關係交換的看法：

胡主席：

我和連主席已經相識多年，自從二〇〇五年，連主席率國民黨團來華進行和平之旅，到現在我們已經先後見面達十二次之多，八年來連主席不辭辛勞，多次奔波於兩岸之間，為兩岸關係的改善和發展

二〇一三年第一次連胡會。

付出了極大心力，連主席是我的老朋友、好朋友，我們高度評價您對兩岸同胞，為中華民族所做出的重要貢獻，這些年來兩岸關係一系列的進展，開創了兩岸關係和平發展的新層面，我們感到非常欣慰，事實證明兩岸關係和平發展，符合兩岸同胞的共同願望，也符合中華民族的整體利益，包括了在座的台灣各界人士，對於兩岸關係的和平發展，做了最有成效的合作，我謹向各位，關心支持兩岸關係和平發展各界台灣同胞，致予衷心的感謝。

連戰：

胡主席、各位先生、媒體朋友，在半年前，我有幸在俄國海參崴見到胡主席，也做了很好的意見交換，轉眼間半年過去，今天正好是新春剛過，向胡主席拜個晚年，祝您在新的一年身體健康，吉祥如意，同時在此表達我們對您的敬意，我說敬意是有意義的，在二〇〇五年兩岸的局勢是相當嚴峻，胡先生以歷史的高度，宏觀的眼光，民族的情懷，關心和照顧台灣同胞的精神，可以說在大智慧、大決心、大魄力的思考之下、原則之下，毅然決然邀請國民黨組團到大陸來訪問，同時共同來研擬，重新設定兩岸和平發展方向與方針，我很感到敬佩。過去將近八年以來，在總的和平發展方向之下，我們達成五項和平發展的共同願景，雙方面都盡一己之力，在各個方面努力，而我們看到中國共產黨和中國國民黨，都把五項願景，分別放在各自黨的基本文件之中，如國民黨就把五項願景放在我們的黨綱之內，成為大家共同努力的方向，它的意義不但是在許多的方面進行實質的工作合作，同時也逐漸有效的開啟兩岸同胞隔絕多年的互動，我們根據這些方針，開始了兩黨經貿和文化的交流，這八年來已有八次之多，兩黨這期間所達成的決議事項，也多達一百三十四項之多。在〇八年國民黨重新執政之後，這些決議也導引我們施政的政策，雖然沒有全部在同一個階層推動，但是基本上這幾年所有兩岸的政策，都是經過兩黨的協議所產生的。

我覺得今天我們回顧過去展望未來，一方面有令人振奮的發展，另外一方面，我們也自我坦誠檢討，有些方面需要加強努力，但是總的來講，除了這些以外，還有一種高層的意義，因為我們兩岸推動和平發展，所走的是一條正確有效的道路，在國際上，長久以來認為台灣是麻煩的製造者，事實上也是如此，但是今天在國際上，大家都知道兩岸和台海地區開始走在一條和平發展的道路上，它將形成一個資產，而不是造成大家的災害。而對台灣同胞來講，中華民族的認同血濃於水的感情，不容輕易的割捨、破壞。

兩岸開始和平發展政策之後，我們〇八年在民眾支持之下，國民黨重新執政，我們在八年之內開了八次會議，達成十八項協議，今天的兩岸在各個領域，交流都是令人振奮的，無論是旅遊，無論是投資，大陸今年到台灣念書的同學愈來愈多，大陸資本逐漸來投資非常多領域，挹注了多項投資、建設，司法共同打擊犯罪等等，大陸王主任做了很大的努力，今天的兩岸已經超越當時我們所想像發展。在文化教育領域裡面，今天在台灣念書的已經超過一萬七千多人，這是當年所想像不到的，今天台灣有三十多萬大陸配偶，再多一萬人就超過我們原住民的數字了。今天的旅遊每一天至少幾千人，至去年十一月止大陸到台灣去的訪問人次已經高達兩百三十七萬人，和前一年比成長百分之四十七。我記得頭一次見到胡主席的時候，您說過，沿海地區有能力、有意願把台灣當作旅遊首選的同胞起碼超過五千萬人，大陸對台灣的採購，我們都牢記於心，這些都是很正面的支持，除了對經濟、文化、教育、貿易這些之外，兩岸政治議題仍然是核心的問題。在過去這幾年當然非常感謝胡主席領導的關懷，當年SARS疫情鬧得整個區域不安，胡先生在我於二〇〇五年四月進行首次和平之旅時，當機立斷和個人答應在日內瓦開啟了備忘錄，從那時候開始台灣醫療團隊可以去參加技術性的會議，可以取得相關資料，我想這事情老百姓都知道。

其次，我主張有助於有關我們兩岸同胞，乃至於其他地區個人的安全是最重要的，台北飛航情報區，一年大概有四千五百萬人要飛過這裡，包括兩岸一年有兩百多萬人，將來到三百多萬人，到底安全上是應該怎麼樣來符合國際的要求，台灣不知道，要輾轉來取得，等到取得資料，按照這些資料來做，也沒有人去檢查它是不是合格，所以說這些事情我覺得雖然我們沒有正式的舉行談判，透過主席的善意，台灣的民眾老百姓心存感激。

最後我也談到終止敵對這個問題，我認為這是一個不能迴避的領域，但要面對這些議題，以今天台灣的情況，和接二連三馬上來臨的重要選舉，我們希望能夠有組織，有安排，有步驟的透過民間先進、智庫來做後盾，或者是相關的機構、私人等等，來做有目標的探討，我希望能夠點點滴滴累積互信，累積工作成效，胡主席在十八大提到，要探討在特殊情況之下，來根據兩岸各自規定，尋找兩岸連接線，做合情合理的安排，我們高度的認同，當然這都是既定的工作，但是走的方向是大家願意致力這一方面的工作，我們了解這是困難的，但是我們應把它當作一個很重要的目標來實現。

胡主席：

您的許多意見和想法，和我們有許多共通之點，如何鞏固深化兩岸關係和平發展，這是我們雙方都面臨的一個重大課題，我想以下幾點看法供大家來研究。

首先，我們把推動兩岸關係和平發展，促進祖國完全統一的大方向確定，朋友們都知道去年十一月我們召開了十八大，選舉產生了以習近平為總書記的新領導階層，實現了新舊交替，十八大的報告關於兩岸關係的政治主張，站在中華民族整體和長遠利益的考量，起先我們談到對台工作八個方針的連續性和持續性，昨天習近平總書記和連主席會晤的時候，也已經明確的表示我們多年來行之有效的一些政治措施，將會繼續的來執行，兩岸關係將會不斷的向前邁進，也更好的造福兩岸同胞。

其次，兩岸同胞定當堅定走兩岸關係和平發展的道路，事實證明兩岸關係和平發展的道路是正確的，是符合兩岸同胞的共同利益，也是禁受考驗的，今天兩岸關係和平發展已經得到愈來愈多兩岸同胞的認同與支持，也得到了國際社會的理解和歡迎，儘管在前進的道路上會受到困難和遭遇問題，但是我相信只要我們始終保持堅定不移的信念，和克服困難的決心，充分發揮兩岸中國人的聰明和智慧，就一定能夠妥善應對大環境，處理和解決兩岸固有的分歧，不斷排除各種干擾，我們完全有信心，也有理由相信兩岸關係和平發展的前景是十分好的。

第三點我要強調的是，國共兩黨應當繼續加強合作，兩岸和平發展的共同願景，是按〇五年兩黨領導人共同宣示的，這一年的時間也證明，共同願景所包含的各項主張都是正確的，其中大多數都已經被實現，但是簽署和平協議的主張尚未落實。當年我們要務實推動經濟合作、文化交流、人民往來做為優先和重點，這一點我們兩岸的認知也是共通的，但是我們同時也要看，兩岸之間的政治關係遲早要面對，去年在海參崴時連主席提到由民間智庫共同舉辦和平論壇，這次又再提出，我們覺得這個建議很好，我們贊成，我們也希望雙方在共同努力下，這件事情能夠早日辦成。

第四點是希望兩岸同胞持續擴大合作，促進交流融合，兩岸同胞共同參與，團結奮鬥，是推動兩岸關係和平發展動力，現在兩岸交流的條件日益便捷，形式非常重要，範圍愈來愈廣，兩岸雙方都應當採取積極措施，為兩岸交流合作提供更完善的制度性保障，我由衷希望兩岸加深合作，增進共同利益，協助推動兩岸關係，共謀中華民族的偉大復興，我也衷心的希望連主席和在座的各位朋友們，繼續支持和關心兩岸關係的發展，祝各位在大陸期間圓滿順利。

連戰：

謝謝主席一番話，我高度認同，這次訪問倉促，只有七十二小時，但這時台灣櫻花、桃花滿山遍野盛開，希望主席有適當的時間，我們大家都希望您到台灣來走訪，我們都陪您走透透。我的家人會精心準備台灣各式小點心，讓我們嘗遍台灣小吃，抵足暢談天下事。

胡主席：

我也希望有這樣的機會，能把大陸同胞、台灣同胞的盛情厚意帶去。

胡總書記在二〇〇五年四月二十九日與我首度見面時，曾特別提及我以莫大勇氣、排除萬難到訪。一轉眼八年的時間就這麼過去了。如果回顧兩岸關係的開展，他八年的任期中，做了許多的貢獻，兩岸三通直航、大陸觀光客訪台、台灣逐步恢復參與若干國際組織活動等等，都是他在中共黨政領導人任內拍板推動的重大決策。

我之所以邀請胡主席有機會到台灣走走，這是發自內心的誠意邀請。從二〇〇五年以來，我們在大陸與海外先後見面十二次，但是基於台灣內部的政治情勢，他卻始終無法到台灣來訪問，自是遺憾。甚至兩岸經貿文化論壇舉行十次，台灣連一次當東道主的機會都沒有。我希望有朝一日，兩岸情勢更緩和些，像胡錦濤、賈慶林、俞正聲、吳儀等大陸退休的元老們，能安全無虞的到台灣寶島旅遊、走走看看，這是我心中的一種盼望，也相信是他們的共同願望，兩岸各階層人士都能常來常往，和樂相處。真正結束敵對，走向和解道路，這是兩岸人民共同的願望。

二〇一四年第二次連習會

二〇一四年二月十七日，我再次應中共總書記習近平的邀請，率團到北京訪問。這次的訪問團成員涵蓋政黨、文化界、宗教界、青年、婦女、

二〇一四年第二次連習會後合影。

基層公務人員、原住民及工商企業界等八十餘人，也受到矚目。此行主要是希望北京方面能直接聽取台灣各行各領域的心聲與意見。

這次的訪問，由於剛好在陸委會主委王郁琦與大陸國台辦主任張志軍會談之後，習總書記還主動問起習馬會的可能性，我是樂觀其成。這也是國共兩黨領導人晤面後，陸委會與國台辦兩岸事務主管官員碰面後，是否升級到未來兩岸領導人晤面安排的第一次公開曝光討論，因而引起媒體的廣泛關注。

習近平直接問我對習馬會的看法，我舉國際上的例子，當面對重大事情時，國際領袖見面解決問題，事前會做一些鋪陳，這些工作是一步步累積而成。這個準備工作很重要，如果準備不扎實，雙方就無法碰撞出火花。

這次的訪問和去年一樣，我事先也先拜會了馬總統，說明此行的安排。我既不代表任何政黨、機構或團體，純粹是與關心兩岸交流合作的各團體人士代表同行，沒有特殊政治使命。

這次訪問我們選擇搭乘長榮航空，已過世的張榮發總裁的公子張國煒還親自駕駛，傳為美談。

在張志軍主任的歡迎宴上，我特別肯定他與王郁琦主委晤談的成果，對推動兩岸溝通，進而深化合作，具有深遠影響。尤其他上任時間未久，但對兩岸關係的建樹卻是立竿見影。包括兩岸洽簽服務貿易協議，及舉辦各種論壇。

我認為，兩岸的交流已經逐步進入深化階段，各領域的合作交流，都必須以實事求是的態度務實以對，而民間相互探訪並直接進行溝通意見，更有助於增進兩岸的互信和理解，也更能夠達到「求同存異，互利融合」的目標。

張志軍則表示，兩岸關係有今日成果，我當年訪陸破冰具關鍵作用。

二月十八日上午我應北京市委、市政府的邀請，特別到北京近郊平谷區掛甲峪村參觀，平谷區以生產小提琴聞名，有北京音樂之鄉的美稱。他們是讓我考察北京新農村的建設，這個小村落因為生產小提琴，居民的平均收入還不少，方瑀為助興還特別拉起小提琴，一時成為攝影記者捕捉的焦點。中午老朋友北京市委書記郭金龍特別設宴，其實我們是老朋友，他在安徽省擔任書記時，我們曾在黃山腳下晤面。後來他擔任北京市長首度到台灣訪問，一下機場就到辦公室拜訪我。這次晤面，他於席間特別贈我兩支小米機，背面特別書寫我在北大的講稿內容「兩岸聯手，賺世界的錢」。他特別解釋，小米手機十年來與台灣三十四家企業合作，是兩岸企業一起聯手打造，在兩岸有很好的銷售量，希望小米機成為兩岸合作的一粒種子，並期待開花結果。

我則提到這次走訪北京基層，了解北京民眾的生活，增進兩岸民眾間的了解與交流，以累積兩岸同胞感情，和深化兩岸互信。

十八日下午，習近平總書記於釣魚台賓館會見訪問團全體，由於當年生肖是馬年，他一開始就用「馬年吉祥、龍馬精神、一馬當先、馬到成功」祝福我們訪問團全體，大家也倍感親切。以下是我們對談要點：

連戰：

習總書記、…（略）大家好！

新春伊始，我和在座的台灣各界人士受到邀請，前來北京，和總書記見面，感到非常高興與榮幸。藉這個機會共同展望兩岸的未來願景，感覺很有深意。

二〇〇五年國共兩黨開展和解對話，進而走向和平發展，給兩岸同胞帶來了前所未有的和諧相處、安居樂業的可喜局面，歷史已證明，這是一條不應也不可逆轉的正確道路，我們都要共同珍惜、齊心鞏固、合力深化。

過去的一年裡，我們都關注到無論是國共兩黨或兩岸各界，在政治互信上都向前邁進了一步，包括主張各依法規用一個中國架構定位兩岸關係，重申九二共識，強調「兩岸關係不是國際關係」等等。同時，雙方的經濟合作也持續提升。民間的交流更是蓬勃興盛，這些正面的發展，都激勵了我們的信心，也激發了我們的期許。

對於未來兩岸關係的發展方向，為了確保和平政治前景，及豐富的和平紅利，我很認同總書記登高望遠的呼籲，讓兩岸關係在穩固前進的同時，能一級一級向上攀登，愈走愈遠、愈走愈高。

剛剛提及政治前景與和平紅利，以下我就再作進一步闡釋：

首先，關於一中問題。

兩岸雖已有「九二共識」的互信基礎，但雙方對於「一個中國」的內涵仍有歧異。因此，在存異求同的前提下，兩岸應該再就「一個中國架構」的意涵建立和累積更多的互信，以期逐步化解兩岸政治關係的分歧。我個人認為，兩岸對於「一中架構」可以有更進一步深入的構思；兩岸有識之士應思考如何提升其層次，充實其內涵，以務實態度，正視現實，在交流中鞏固和平，在合作中促進發展。

其次，我想談談「兩岸同心」、「世代和平」與「永續合作」：

近年來，由於兩岸關係的改善，以及國際社會對當前台海局勢的肯定，台灣的國際參與得以明顯擴大，包括在連續五年出席WHA後，於去年出席睽違了四十二年的ICAO大會；也相繼和其他經濟體簽署或協商經濟合作協定。這些都有助於進一步促進兩岸關係。國際輿論也高度評價現階段的台海局勢。這些發展都有助進一步促進兩岸關係，同時也合乎我們原先預期的方向，今後這種良性循環，不但不能停下腳步，更應在互信互諒中，堅定向前跨越，讓民族情懷形成浩浩蕩蕩之勢。

「世代和平」：

兩岸分隔多年，彼此政治有分歧是事實，但是面對兩岸政治對話，我深感不能也不宜迴避。而兩岸政治對話的目的，是在實現兩岸的永久和平。

由於台灣已經在一九九一年宣布終止動員戡亂時期，也就是終止了與大陸的敵對狀態；目前我們已營造了六十多年來最美好的和平合作時刻，現在關鍵在於雙方，如何更加積極營造兩岸和平氛圍，事實上，維護兩岸和平，讓兩岸不再有衝突對峙的情形，不僅是兩岸民眾共同的心願，更是振興中華必經之由。固然有些事情需等水到渠成，但是有些事情則應開渠引水，才能從求同存異走向增同化異。為解開政治難題探索途徑，這誠然是中華兒女都應勇於承擔之事，而有識之士，尤應勇於承擔，視為己任。

「永續合作」：

兩岸在經貿、文教、科技、能源及海洋開發等方面都有許多合作空間。大陸「十八大」明確的宣示，以使市場在資源配置中起決定性作用的部署，而台灣正在推動「黃金十年」的經濟建設，並以建立自由經濟示範區為開始。因此，我們相信兩岸更可在尋求共同利基的前提下，落實雙方齊力開發新領域的目標。此外，兩岸在東亞區域安全和經濟合作方面，也有加強合作的空間。兩岸共同參與區域經濟整合攸關台灣經濟發展前景，有助於增進兩岸人民利益與福祉，並提升大中華在東亞乃至全球的經濟影響力。

最後，我想就「圓夢中華」來做為我今天談話的總結：

兩岸文化同屬中華文化，兩岸人民同屬中華民族，兩岸同文同源同種，如同習總書記所說，原本兩岸就是一家人、一家親。因此，兩岸更應以務實的心態，來重視彼此現行法律和中山先生精神，使台灣在兩岸和平發展、中華民族再興的過程中，發揮積極且正面的作用。

當我看到，習總書記上任之後，就提出中國夢的遠見時，我心有所感，更想到，台灣的同胞在奮發中追夢的甘苦歷程，事實上，台灣曾為棄地遺民，受過異族的凌辱欺壓，這段過往可謂泣血椎心，惟台灣人民的民族意識從未因此間斷，百年來台灣人堅持百忍、保種愛國、奮發圖強、雪恥去辱，在廢墟中創造了台灣奇蹟；台灣人吃苦耐勞、樸實勤奮、永不放棄的精神，和總書記的中國夢，是可相互扶持、相互充實、相得益彰，這更是兩岸落實共同理想，凝聚「中華共識」，實現炎黃子孫、中華民族文明與復興的力量泉源。

結語

過去幾年來，海峽兩岸領導人以兩岸同胞福祉為依據、以民族長遠利益為目標，而共同努力化解歷史所遺留下來的問題，使得兩岸關係從對抗走向和平，從封閉走向開放；目前雙方負責兩岸事務的主管，在南京見了面，這些創舉值得正視與肯定，未來更希望能為兩岸建構永久和平、永續發展的環境和基礎。

我相信，兩岸未來充滿和平發展的機會是可預期的，期待兩岸同胞共同努力，打造一個開放、穩定、互信、合作的環境，帶給人民安和樂利，子孫長遠幸福。

習總書記：

台灣同胞崇敬祖先、愛土愛鄉、純樸率真、勤奮打拚，給我留下深刻印象。回顧台灣走過的歷史，回顧兩岸同胞一路走來的歷程，我有一個深切體會，那就是不管台灣遭遇什麼風雨，不管兩岸關係歷經什麼滄桑，兩岸同胞始終心心相印、守望相助。這告訴世人一個樸素的道理，那就是兩岸同胞血濃於水。由於歷史和現實的原因，兩岸關係存在的很多問題一時不易解決，但兩岸同胞一家親，誰也不能割斷我們的血脈。

今年是甲午年。一百二十年前的甲午，中華民族國力孱弱，導致台灣被外族侵占，這是中華民族歷史上，極為慘痛的一頁，給兩岸同胞留下刻心之痛，台灣同胞因自己的歷史遭遇和社會環境，有自己特定的心態，包括特殊的歷史悲情心結，有著強烈的當家作主「出頭天」的意識，珍視台灣現行的社會制度和生活方式，希望過上幸福安寧的生活，將心比心，推己及人，我們完全理解台灣同胞的心情。兩岸同胞命運與共，彼此沒有解不開的心結。大陸方面完全理解台灣民眾的心情，熨平心理創傷需要親情，解決現實問題需要真情，大陸方面有耐心，但更有信心。兩岸雖然尚未統一，但我們同屬一個國家，同屬一個民族從來沒有改變，也不可能改變。我們尊重台灣同胞自己選擇的社會制度和生活方式，也願意首先同台灣同胞分享大陸發展的機遇。歷史不能選擇，但現在可以把握，未來可以開創。

兩岸之間有什麼想法都可以交流。世界上很多的問題，解決起來都不可能畢其功於一役，但只要談著就有希望，精誠所至，金石為開。兩岸同胞要齊心協力，持續推動兩岸關係和平發展。兩岸雙方要鞏固堅持「九二共識」、「反對台獨」的共同基礎，深化維護一個中國框架的共同認知，這個基礎是兩岸關係之錨。兩岸之間長期存在的政治分歧問題，大陸方面願在一個中國框架內，同台灣方面進行平等協商，做出合情合理安排，我相信，兩岸中國人有智慧找出解決問題的鑰匙來。

中國夢與台灣的前途息息相關，中國夢是兩岸共同的事，需要大家一起團結。「兄弟同心，其利斷金」。兩岸同胞要攜手同心，共圓中華民族偉大復興的中國夢。

大陸方面對台灣同胞一視同仁，無論是誰，不管他以前有過什麼主張，只要現在願意參與推動兩岸關係和平發展，我們都歡迎。我們也歡迎更多台灣民眾參與推動兩岸關係和平發展，大家一起努力，出主意，想辦法，凝聚更多智慧和力量。

這次與習近平會面，在私下會晤中，我還特別提到「中華民國是資產，不是負債」，為了這句話，我思考很久，簡單說，九二共識主要的內容是一中各表，雖然李登輝、民進黨都不認同九二共識，甚至說無所謂九二共識，但是我們回顧二〇〇五年連胡會提出的五項願景，就是以九二共識做為兩岸推動交流的基礎。中華民國的存在是歷史的事實，中華民國在國際上一直存在，並沒有被消滅，我也強調一中的重要，以現實、務實的心態來看，一中在台灣是中華民國，在大陸是中華人民共和國，中華民國成立於一九一二年，是亞洲第一個民主共和國，一九四九年因為國共內鬥，中華民國播遷台灣。我必須強調「中華民國是資產不是負債」的多重意義，第一：中華民國存在的事實。第二：有關一中的國家立場，雖然一中在台灣指的是中華民國，但我也能體會大陸領導的立場，兩岸應該就此一中原則做協商。我必須說，台灣是多元化的社會，任何人的意見、觀點都應該被尊重，支持台獨的，主張統一的，以多元的角度，彼此互相尊重，但站在民族的立場，大家都是中華民族，炎黃子孫。站在憲法的立場下，大家都是中華民國國民，受中華民國憲法的保障。

對於中華民國是資產的觀點，總的來說，習總書記的回應給我的印象是，兩岸是一家人，兩岸政治分歧不應持續下去，任何問題只要對兩岸有幫助，都可提出來，坐下好好談，做意見交流。這不是為了個人或任何政黨，而是為了兩岸人民的福祉。

晚間習近平總書記、彭麗媛夫婦於釣魚台養源齋設家宴款待我們夫婦及少數一行。我事後了解，操辦連繫此事的王明鑒，特別飛到陝西西安找來一家特色陝西館子主廚，專程為我們下廚。由於習總書記是在陝西出生，我也出生於西安，因此這場家宴的安排，也說明了主人的用心。菜單特別以我們兩人老家陝西羊肉泡饃、肉夾饃，以及biang biang麵為主，光是涼菜則有蒜片黃瓜、嗆拌蓮菜、老陝拆骨肉、冷凍肉，此後還有釀皮子鍋將牛羊入菜，菜色非常可口，也撩起我兒時的回憶。biang（𰻞）那個字特別難寫，將近六十筆畫，在辭典中還查不到這個字，習總書記特別要中央辦公廳主任栗戰書，一筆一畫寫給我們看，在場作陪的陸方人士還有中央辦公廳副主任丁薛祥及國台辦主任張志軍等。

習總書記這套家宴菜單經媒體報導後，廣受外界注意，陝西的兩家餐館也隨即推出「連習套餐」，一時風行。

釣魚台及園內養源齋，都是金代舊跡，元代稱玉淵潭。清乾隆三十八年，一七七三年浚治成湖，重修台座，御書釣魚台三字，台側建有行宮。養源齋是一歷史名建築，中共領導人宴請特殊外賓，常於此地舉行。

在我這次訪問結束前，我再次造訪北京大學，這次我是接受北大頒授的名譽教授證書，由北大校長王恩哥親授。在與北大師生有場小型座談時，我特別期許北大學子為中華文化未來的精采和輝煌再造，負起重責。

我與北大書記朱善璐是老朋友，他於南京市委書記時多次見面，由於他也是北大校友返校服務，這次於北大校園重逢，自是有緣。我們在北大臨湖軒會面，朱書記並以午宴接待我們。

二〇一五年第三次連習會

二〇一五年本人應中共習總書記之邀參加「紀念中國人民抗日戰爭暨世界反法西斯戰爭勝利七十週年大會」，這場活動大陸方面還邀請了俄國總統普丁、南韓總統朴槿惠、聯合國祕書長潘基文等四十九國外國元首參加。紀念反法西斯戰爭勝利七十週年活動，在歐洲戰場包括俄羅斯、波蘭等國已率先舉辦過，而大陸方面舉辦這樣盛大的活動早在二月份就提出邀請，我考慮再三，基於抗戰勝利是蔣介石委員長所領導的功績，因此有參與就有話語權，而且我也認同兩岸對於抗戰歷史應該基於「共享史料，共寫歷史」的精神，讓後代子子孫孫正確認識對日抗戰史，記取歷史教訓，珍惜和平的可貴，在深思熟慮下，我才下定決心，忍辱負重，如期成行。

我注意到潘基文決定參加此項活動，日本政府感到不滿。但潘基文行前在紐約聯合國總部受訪提到「中國在二戰中的貢獻和犧牲為舉世公認，中國人民在戰爭中遭受的苦難，也得到世界人民的正確評價和廣泛同情」。他的這段評論，是有歷史的高度與真實性，應予讚揚。

但是出發前，馬總統就對我此行表示反對態度，反對黨的汗衊自不在話下，他們透過不同管道勸服我不要出席，或是至少做到只與習近平晤面，但不出席閱兵的立場，可以說我行前面臨不小的壓力，贊成與反對的都有，但我考慮再三，以及台灣方面也該在此重要場合出聲，我最後還是一一婉謝上述的勸說。而與我同行受邀的還有新黨主席郁慕明、親民黨祕書長秦金生、無黨團結聯盟主席林炳坤及原住民立委高金素梅、統盟主席紀欣等人。

與我同行的前國民黨副祕書長兼大陸事務部主任張榮恭，行前代表我對新聞界說明，我此行是訴求兩岸和平與區域穩定，我也會在適當時機適當陳述讓對岸正視史實，對於馬政府的立場，我理解尊重，但我並未改變原先的訪問計畫。當然我此行完全也是個人身分，不代表任何其他人及團體前往。

我於八月三十日晚間抵達北京，下榻北京飯店。大陸國台辦主任張志軍在歡迎晚宴上公開說，我於十年前實現兩岸握手，是頂著極大的壓力，而現在持續推動兩岸關係和平發展，也需要勇氣和毅力。張志軍這席話應該是意有所指，就是我出發前面對著台北方面各種排山倒海的壓力。我聽他這樣講，的確讓我覺得好像是頂著鋼盔上飛機，神經算是大條，事實上我也是抱著如履薄冰的心情來到北京參加此項活動。

張志軍在席間提到，中國對日抗戰期間，由中國國民黨主導正面抗戰以及共產黨主導敵後戰場，都對抗戰做出貢獻。

我則表示，紀念抗戰和紀念世界反法西斯的勝利，是很嚴肅的主題，對兩岸都很重要，所以我在台北參加完國民黨舉辦的活動後，也樂於到大陸參加這次活動。

隔日上午，我等一行到中國人民抗日戰爭紀念館參觀，這個紀念館就是當年抗戰第一聲槍響的河北省宛平縣盧溝橋邊上，現隸屬於北京市豐台區。這個展館呈現了不少當年抗戰史跡，中華民國國旗、中國國民黨黨旗、國民革命軍的軍旗等，大陸方面都未忌諱陳列著，當我看到開羅宣言中美英蘇同盟國領袖的照片，我還特別要求大家一起合影留念。在這個紀念館上，也陳列了兩百多位於抗日戰爭中英勇犧牲殉國的國軍少將以上的名單，這是讓後人肅然起敬的展區，英烈千秋，永垂不朽。在參觀聯合國大憲章制定的展區，也陳列了當年中華民國代表團的照片，我一一的辨認了當時第一排的參與代表，其中有中國代表團首席代表宋子文，其他成員有駐美大使魏道明、駐英大使顧維鈞、前駐美大使胡適、中共代表董必武、國民參政會主席王寵惠、中國青年黨代表李璜、南京金陵女子大學校長吳貽芳、國民參政會參議員張君勱、大公報總經理胡霖等十人。而在台灣戰區受降典禮的照片裡，我也看到家父震東先生的身影，他當時就站在台灣行政長官陳儀的身後。當年父親在大陸參與抗戰，他與謝東閔、郭紹宗、劉存忠、韓聯和等台籍青年受指派回台，參與接收復員的重任，他當時擔任台北州接管委員會主任委員。而這張照片的牆上，還刻有陳儀的一段話「台灣、澎湖至此歸於中華民國主權之下」。

結束參觀前，我也特別贈送館方一套由國史館剛出版的「中國抗日戰爭史新編」六大冊，以及中正基金會編纂、東森電視台拍攝執行的抗日戰爭紀念片，供他們留藏運用。而我也受邀題寫了「一十四年血淚史 贏得醒獅萬世名」。

午間，老朋友、海協會前會長陳雲林在麗晶酒店設宴款待。我向陳雲林說，一八九五年日軍占領台灣，當時台灣組織三萬多名義勇軍阻擋日軍。日軍占領期間，台灣同胞從北到南抗日行動不斷，日本還曾判處八百多名台灣人死刑，這也提醒大家，台灣同胞為了自己的尊嚴，不願被殖民，也付出很大的代價。

晚間大陸政協主席俞正聲於釣魚台賓館與本團見面，我提到，這次到北京的目的只有一個，參加中華民族抗日戰爭勝利的紀念活動。大家都是誠心誠意緬懷過去歷史，策勵未來發展。侵略的錯誤，容或原諒，但歷史的真相，殘忍的作為，永遠不能忘記。

我說，中國近代歷史，從鴉片戰爭以來，就是個被凌辱的國家，一八九五年後，失去了台灣，一九三一年失去東北等國土，但這些都沒有停止侵略者貪心的腳步，一直到一九三七年全體中華民族走到忍無可忍的地步。

我指出，當時人民都知道，中國的軍備武器都遠不及日本，但仍挺身而出，不計一切代價，不惜一切犧牲，勇敢站起來，保衛國家的生存與尊嚴，保衛子孫的未來。當年大敵當前，國共兩黨擱置分歧，合作一致抵抗強權凌辱，抵抗異族侵略。經過統計，當時中國官兵死傷三百八十萬，這個數據是大陸近十年調查出來的資料，數千萬民眾流離失所，失去親人，付出的代價慘重，才獲得勝利，台灣也才得以光復。

我也呼籲兩岸應同時善待尚存人世間的抗戰老兵外，值此兩岸同時紀念抗戰勝利七十年，而兩岸又同屬中華民族，更應該努力追求兩岸關係和平發展。

我強調，兩岸關係和平發展，不但能夠造福兩岸，更可穩定區域局勢，兩岸應該一如既往，維護政治互信，持續邁向兩岸和平永續穩定，共同發展。

俞正聲提到，抗日戰爭是兩岸中國人的事，國共兩黨分別肩負正面戰場與敵後作戰任務，並非單方面所為。他強調，正面戰場雖由國民黨領導，但共產黨做很多民間工作。

他也向我提及，最近看了兩本大陸出版有關國軍抗日正面戰場的書，對於國軍重大會戰都有詳細介紹，包括當時殉國的張自忠、佟麟閣等國軍將領史料，希望將來有機會送給台灣友人，相信大家對陸方抗日史觀會有改變。

他也說，抗戰期間，台灣有五萬多人來到大陸參加民族抗戰，尤其日據時代原住民抗日犧牲最為慘烈，希望兩岸關係繼續和平發展。

九月一日上午習近平總書記在人民大會堂首先會見我等，這是二〇一二年他接任總書記後，我們第三次晤面。他強調，中華民族在抗日戰爭中，付出了巨大的犧牲，打敗了窮凶極惡的日本軍國主義侵略者，這是近代以來中國抵抗外族入侵第一次完全的勝利。他強調，這是包括台灣同胞在內的全民團結奮戰的結果，在這個永遠銘記的歷史時刻，兩岸同胞應銘記歷史、緬懷先烈、珍愛和平，攜手推進兩岸關係和平發展，維護世界和平。

他說大陸和台灣是不可分割的命運共同體，兩岸同胞的命運都是緊緊連接在一起的。二〇〇八年以來，國共兩黨、兩岸雙方同兩岸同胞一道，在「九二共識 反對台獨」的基礎上，開闢了兩岸關係和平發展的道路，只要兩岸同胞沿著這條道路堅定走下去，就一定可以撫平歷史造成的心理創傷，為民族復興凝聚起強大力量，開創出美好未來。

我則闡釋說，八年全面抗戰是炎黃子孫中華兒女用生命捍衛了尊嚴、抵禦外侮，包括台灣民眾在日本殖民統治的五十年裡，先後不斷以武裝、非武裝方式抵抗侵略、反對壓迫，最終得以和大陸同胞一起迎接勝利，並且根據「開羅宣言」，台灣獲得光復。由於對日抗戰是同盟國戰勝軸心國不可或缺的重要力量，所以列強廢除了所有對華不平等條約，並成為世界五強之一，炎黃子孫終於告別近代以來飽受的恥辱和欺凌。因此，兩岸相關的紀念活動，都有其意義，我也出席了中國國民黨在台北舉辦的紀念活動，目的在共同回顧過去、策勵未來、摒棄戰爭、確保和平。

我說，八年全面抗戰是兩岸都非常重視的歷史。如果我們不能感念當時犧牲和受傷的三千五百萬軍民同胞，就不足以激發「振興中華」的意志；如果我們忘卻戰爭的殘酷，就會喪失保衛和平的決心。擺在兩岸人民面前的是，如何藉著抗戰勝利七十週年，為雙方的和平、發展、繁榮而合作、努力，也為區域的安全與穩定而盡責任、做貢獻。

我回憶起，二〇〇五年，國共兩黨進行了歷史性的會談，實現了兩黨和解，為兩岸關係打開新路，給台灣民眾提供在兩岸僵持緊張之外的另一種選擇，那就是和平發展。二〇〇八年，台灣的再次政黨輪替，使國共兩黨「堅持九二共識、反對台獨」的共同認知，重新成為兩岸政治互信的基礎。實際上，「九二共識」是兩岸當局於一九九二年通過授權管道所達成的，不是在國共之間貿然而出。信守這一立場，兩岸的制度性協商才能向前推進，為人民謀幸福、為台海開太平。

我強調，對日抗戰是所有炎黃子孫、中華民族人民為自己的生存與自由、為國家的存續與主權，不畏艱苦、不計生死，奮勇抗擊強敵。誠然是「地無分南北、人無分老幼，皆有守土抗戰之責，皆抱定犧牲一切之決心」。

抗戰期間，中國國民黨軍隊在蔣介石領導下正面戰場，部署了一系列會戰和大仗，深深重挫了日軍，中國共產黨軍隊在毛澤東領導下敵後戰場，有力牽制、殲擊了日軍和偽軍。中華民族在付出慘痛代價後，獲得了最後勝利。緬懷這一段歷史，給我們後人的啟示是，民族衰弱，就難以保障人民生命財產，就難以自我生存，立足於國際，當做為前車之鑑。愈多抗戰史實的發掘，就愈能促進整個民族追求富強、民主、幸福的共同理念，自己不再受外侮，對外也不強凌弱。因此，我非常贊同習總書記最近提出，兩岸「共用史料、共寫史書」，相信這不僅將為兩岸史學界開闢新的、廣大的合作領域，也有助於兩岸人民相互了解、增進融合，開啟心靈契合，更將促使國際社會提高評價抗戰在世界反法西斯戰爭中的地位。

四百多年前，台灣先民「唐山過台灣」，冒險渡過險惡的「黑水溝」，赴台開墾謀生，其艱苦可想而知，又遭荷蘭、西班牙及日本進犯，在異族殖民統治之下，孕育出了「台灣意識」，但「台灣意識」絕不是「台獨意識」，「台灣意識」是積極開創、刻苦耐勞、團結扶持、自食其力、不仰人鼻息，當家作主的堂堂意志，進而打造、打拚出了今日的寶島，更是台灣同胞非常珍惜的奮鬥精神與生活方式。因此，我們不忍也不容純樸的「台灣意識」，被誤導為分裂意識，致使兩岸失去時代機遇，走回對抗互斥的老路。

我指出，台灣應該自信地藉著大陸深化改革開放，來開拓市場、轉型升級；民眾對參與區域經濟整合和擴大國際活動空間，也有強烈需求。這都有待兩岸加強溝通、持續磨合，為解答政治難題探索途徑。同時，源遠流長、璀璨浩瀚的中華文化，是兩岸的共同資產，雙方在此基礎上還有廣闊的交流空間。經貿合作可實現利益共享，形成兩岸關係的重要動力；更多的文化交流，將促進雙方心靈相通，提升共同的認同。七年多來的發展，都是和平發展不斷推進的重要指標，也證明有些事情需要水到渠成，有些事情需要開渠引水。我們讓經貿、文化的雙輪，運行在政治互信的道路上，一方面以民族復興、民權發達、民生樂利來維護和優化完整中華，另方面經由兩岸人民心手相連，來達成整個民族於國際上昂首屹立，受到世人尊重。

在談話的最後，我也強調，在兩岸關係持續取得成果的同時，我們也不能輕忽這個過程不會一帆風順，不是一片坦途，始終會面臨大大小小的阻力，這就更需要我們堅定推動互助合作、互利雙贏，讓台灣各界愈來愈多地體認和平發展、浩浩湯湯，順之者榮、逆之者枯，從而認知必須鞏固雙方政治互信的基礎。習總書記最近的一席話，提到「和平而不是戰爭，合作而不是對抗，共贏而不是零和，才是人類社會和平、進步、發展的永恆主題」，令我深感。客觀而言，兩岸各自的體制、法律，都以「九二共識」定位彼此的政治關係，縱使經過台灣兩次政黨輪替，也沒有改變這個法理狀態，其對開創台海局勢穩定和諧，具有不可替代的價值，必須加以高度重視。最近期間，各國都在紀念二戰結束七十週年，共同的主旨就是要和平、要發展、要繁榮。兩岸人民同文同祖，同屬中華民族，本即一家，是手足關係，更應該攜手共創和平、共謀發展、共享繁榮！

在席間，我也當面向習近平提到馬總統所提出的「東海和平倡議」與「南海和平倡議」，我說：「針對東亞的區域和平，台灣提出的和平倡議，非常值得各方關注和重視。」

習近平在會中也多次提及台灣同胞抗日的事蹟，他說這次有機會與各國領袖見面，他曾向外國人介紹中國抗日歷史，多數外國人對台灣部分不甚了解。

針對國共聯手抗日，習近平說國共兩黨合作建立抗日民族統一戰線，並在正面戰場和敵後戰場協同作戰，做出重要貢獻。

會後我也贈送一套國史館出版的抗戰史料給習總書記，我說這些資料都很珍貴，請他指教。

九月三日北京在天安門廣場舉行閱兵，四十九國元首也受邀。閱兵過程，讓我印象最深刻的就是，當年抗戰老兵的方隊。雖然抗戰勝利已經歷七十年之久，但這些耄耋老兵，重新站上歷史舞台，提醒世人戰爭的殘酷，以及和平的得來不易。

這次的北京行，我及團員所承受的壓力是前所未有，回到台北後續的干擾與指責也沒少過。包括一度有黨員建議要對我黨紀處分，甚至呂秀蓮還告我觸犯刑法外患罪，當然最後是不起訴結案，黨也沒有進一步動作。這些雖已如過眼雲煙，但是兩岸的敵對意識一日不解除，連一起紀念抗戰勝利的國際活動，都會掀起波浪，這也是預料中的事。

不過在汗巇指責聲中，我也看到一些輿論為我抱不平，例如政治大學國際關係研究中心美國與歐洲研究所所長湯紹成於九月二日就投書《中國時報》稱：「連戰此行可謂任重道遠，雖千萬人吾往矣，並為兩岸與東亞植下更多和平種子，何錯之有？」

資深媒體人孫揚明也曾撰文說：「獨獨最不夠資格跳出來罵連戰的，正是民進黨和李登輝。連戰能夠賣台嗎？沒有權力在手的人，如何賣台？」「民進黨最好想清楚、講清楚，不要只會捂著自己身上的楊梅大瘡，卻還要跑到連戰的臉上去找雀斑，先醫好自己的病重要[1]。」

二〇一八年第四次連習會

二〇一八年七月十三日我第四度受邀與中共總書記習近平會談，由於民進黨蔡英文政府上台後，不接受九二共識，兩岸的政治互信受到破壞，導致兩岸關係倒退，海基會與海協會的互動成為冰點，海協會對海基會的函電「只讀不回」。而在國民黨方面，黨主席吳敦義由於卸任副總統未滿三年，受到管制，已經行之多年的國共兩黨領導人一年一會已經中斷兩年，而兩岸經貿論壇也拖延兩年未舉辦，因此我此次率團到北京訪問的時間點也受到台灣各界的關注。

其實，這年年初，北京方面就提出邀請，希望我能再次前往訪問，與習總書記就當前兩岸關係交換意見。據我所知，中國國民黨方面也積極安排「吳習會」，而且黨中央透露成行的機會甚高，預計在四、五月間舉行。基於這樣的發展，與對吳敦義主席的尊重，我因此向北京表達，我的訪問行程可在吳主席之後。但孰料，安排中的「吳習會」卻無實質進展，甚至吳敦義可能也判斷蔡英文不會准他出訪，最後他也沒向總統府提出訪問大陸的計畫。在確定「吳習會」無法進展之後，北京方面再次啟動對我的邀訪計畫，希望我能率領台灣各界代表團再次訪問北京，這個邀訪計畫甚至比我預期的早，在七月就成行。

其實這兩年的兩岸關係，比起過去的八年，實在是糟透了。北京方面不再維持與馬政府時期的外交休兵政策，連續拿下五個邦交國，我們的邦交只剩十七國，甚至台灣恢復參與的世界衛生組織年會、與ICAO年會，在民進黨政府再次上台後，也未再獲邀請。尤其在行政院長賴清德於立法院公開說自己是務實的台獨工作者後，大陸的軍機、軍艦繞台頻率升高，以軍事的作為表示遏獨的決心。而大陸方面也不滿台灣方面倒向美國，成為美國可運用的棋子。儘管兩岸關係惡化，危機四伏、但兩岸民間的交流卻不能中斷。台灣農漁產品輸往大陸的情況不若以前順暢興旺，大陸觀光客赴台也大為減少，嚴重衝擊台灣的觀光產業。因此藉此行，我也把握機會向習總書記及政協主席汪洋等建言，為台灣的基層農漁民及觀光業者發聲。

在我組團時，我也特別指派林豐正前副主席拜會吳敦義主席，向其說明我此行的行程，既然「吳習會」無法成行，本團也希望國民黨大陸事務部主任周繼祥能同行，吳敦義也很爽快的答應。

出發前，為回應新聞界的關切，我要辦公室特別發表聲明，本人二〇〇五年的和平之旅，曾達成國共兩黨正式和解，發布兩岸和平發展五項願景。化解了當時一觸即發的台海危險局勢，其後開創了前所未有的兩岸關係和平發展局面。當前，兩岸關係再度陷入不確定、不穩定甚至緊張狀態，我期盼五項願景精神能夠獲得延續及重振，以維護兩岸和平、共同發展、確保台灣民眾的安全、尊嚴與福祉。

我於七月十二日啟程，飛赴北京。當晚大陸國台辦主任劉結一在我下榻的北京飯店設歡迎宴，我向劉結一表達，盼望兩岸已簽署的既有機制能繼續發揮作用，實質幫助台灣農漁民。同時我也看到大陸今年發布對台三十一項措施後，各地接連加碼，對台灣民眾在大陸創業、就業、就學都有幫助。

我也提到，台灣經歷兩次殖民統治，但中華文化的傳承從未中斷，正因為兩岸有共同的歷史與文化，兩岸都應該致力推動兩岸關係的和平發展，這才有利於兩岸和平，特別是台灣人民。我也希望這次訪問，能為兩岸關係帶來正能量。

劉結一則提到，二〇〇五年的破冰之旅，揭開兩岸和平發展序幕，大陸非常重視連戰這次訪問，「連老天爺都幫忙，瑪莉亞颱風都為連主席訪問讓步。」

劉結一說，陸方對兩岸互利互惠互融誠意善意不會改變。在九二共識原則下，盼兩千三百五十萬台灣鄉親能常來常往，他也意有所指說，不願見「少數人」有破壞兩岸關係發展的作為跟言詞。

對於我所提出的農漁民關切的議題，劉結一說：「大陸有注意到，既然連主席提到，會更加重視研究。」他也強調，兩岸關係好，台灣同胞才有前途。

這次與我同行的還有國民黨前副主席林豐正、蔣孝嚴、中常委蕭景田、林文瑞、新黨主席郁慕明、無黨團結聯盟主席林炳坤、前教育部長吳清基、企業界人士蔡明忠、林伯豐、新北市議長蔣根煌、宗教界淨耀法師、明光法師以及全國村里長聯誼總會長楊鑫坤、國民黨前副祕書長張榮恭、中央政策會執行長江啟臣、黨主席特助兼大陸事務部主任周繼祥、中央委員連勝文、前職棒選手郭泰源、黃平洋等。

十三日上午十點，中共總書記習近平在人民大會堂東大廳會見本人率領的台灣各界訪問團。

習總書記在會見時以「好久不見的老朋友」稱呼我，對於兩岸的情勢，他也開門見山提出，大道之行、人心所向，勢不可擋。他強調，有充分的信心和足夠的能力，牢牢把握正確方向，堅定不移推動兩岸關係和平發展、推進祖國和平統一進程。希望兩岸同胞共同努力，堅持體現一個中國原則的九二共識，堅決反對和遏制台獨，擴大深化兩岸各領域的交流合作，增進同胞親情福祉，在新時代攜手同心書寫中華民族偉大復興新篇章。

以下是新華網報導了習近平總書記當時談話的要點：

「不畏浮雲遮望眼，自緣身在最高層。」只要大家登高望遠，就能看清主流、把握大勢，共同推動兩岸關係克難前行。我們對兩岸關係未來充滿信心，因為推動兩岸關係和平發展、攜手致力民族復興是符合民族整體利益，順應時代潮流、造福兩岸同胞、得到兩岸同胞擁護的正確道路；因為經歷不管多少風雨，兩岸同胞在民族、文化認同和感情上從未分離，因為儘管數十年來兩岸關係跌宕起伏，但總體趨勢是向前發展的；因為兩岸是密不可分、休戚與共的命運共同體。兩岸同胞對更加美好生活的共同追求，對兩岸關係走近走好的一致嚮往，是任何人都阻擋不了的。

不忘初心，方得始終。正確道路要堅持走下去。特別是在當前台海情勢下，兩岸同胞更要堅定信心，團結前行。

一、堅定不移堅持九二共識，反對台獨。台獨損害國家主權和領土完整，破壞台海和平穩定，只會給兩岸同胞帶來禍害。我們絕不容忍台獨勢力興風作浪，絕不容許任何台獨圖謀得逞，一切分裂祖國的行徑都是注定要失敗的。兩岸同胞要堅決反對和遏制台獨分裂圖謀和行徑，以實際行動展現正義的力量和聲音。

二、堅定不移擴大深化兩岸交流合作。擴大交流，深化合作，符合兩岸同胞共同利益，對兩岸都有利。兩岸同胞對一些問題的看法分歧，不應影響兩岸正常交流合作，更不應成為阻撓限制兩岸交流合作的藉口。我們完全理解台灣同胞的特殊心態，充分尊重台灣同胞現有的社會制度和生活方式。同樣，大陸同胞歷經長期努力、不懈奮鬥，走上了中國特色社會主義道路，取得了舉世矚目的巨大成就，也值得台灣同胞尊重。兩岸同胞要推己及人、將心比心，增進理解認同，實現心靈契合。

三、堅定不移為兩岸同胞謀福祉。兩岸一家親，都是中國人，台灣同胞是我們的骨肉天親。改革開放四十年間，兩岸同胞始終同舟共濟、砥礪前行。中華民族偉大復興展現更加光明前景，我們為同胞謀福祉的能力更強、條件更多。逐步為台企台胞提供與大陸企業、大陸同胞同等的待遇是我們莊嚴的承諾。今年二月，我們發布實施了促進兩岸經濟文化交流合作的三十一條措施，兩岸各界反應良好。我們還會深入研究，適時推出更多新的政策措施，把同等待遇逐一落實到實處。

四、堅定不移團結兩岸同胞共同致力民族復興。民族強盛是同胞共同之福，民族弱亂是同胞共同之禍。實現中華民族偉大復興是近代以來中華民族最偉大的夢想，是一代又一代中國人為之不懈奮鬥的共同事業。民族復興道路上，台灣同胞不應該缺席，也一定不會缺席。兩岸同胞要順應歷史大勢、共擔民族大義、共同推動兩岸關係和平發展、推進祖國和平統一進程，共圓中華民族偉大復興的中國夢。

為改善兩岸關係，促進區域和平穩定，我則提出四點意見：一個中國，兩岸「求一中原則之同，存一中涵義之異」；兩岸和平，雙方「為人民謀幸福，為萬世開太平」；互利融合，共策「交流合作互利，增進兩岸融合」；振興中華，協力「促進民權民生，振興中華民族」。

以下是我的談話全文：

今天很高興有這個機會，我們來自台灣的一行人，能和總書記及在座的各位見面。我們這一行，包括了各界人士，個個都熱心兩岸交流，人人都熱愛中華文化，大家受邀前來，為的是表達不希望兩岸關係倒退，以及關心如何進一步發展兩岸關係。畢竟我們確知，要和平、要交流、要互利、要雙贏，絕對是台灣主流民意對兩岸關係的期望。

台灣三度政黨輪替後的兩年多來，兩岸當局之間的互動發生逆轉，可以說是兩年多前的原狀，已經不復存在。僅僅以制度化協商中斷來說，就嚴重影響了兩岸人民、尤其台灣民眾的權益，何況台海危機日漸浮現。這是兩岸各界、區域各方都不樂見的，確實令人憂心。

長期以來，台灣海峽和朝鮮半島，曾經是東亞兩個可能引發戰事的熱點，海峽兩岸一度以炎黃子孫的智慧，開創兩岸關係和平發展，超越了朝鮮半島劍拔弩張的狀態。眾所周知，二〇〇八至二〇一六的八年間，兩岸在九二共識的基礎上，務實協商、密切溝通，朝鮮半島雙方則互不往來。如今，卻是兩岸當局陷入僵持對立，朝鮮半島反而展現和平契機，這就讓所有面對東亞局勢的炎黃子孫，不能不嚴正關切，既有權利要求享有台海和平穩定，也有責任為追求兩岸和平共榮而獻策獻力。

二〇〇五年中國國民黨在野時，曾經達成國共兩黨正式和解，共同發布兩岸和平發展五項願景，給當時處於戰爭邊緣的兩岸關係，揭開和平曙光，為台灣民眾提供了不同於兩岸衝突對撞的另一種選擇，那就是和解對話、合作互利，這是基於國共兩黨「堅持九二共識、反對台獨」的共同認知而開創的，成為二〇〇八年中國國民黨重新執政的重要因素之一，使得兩岸關係能夠走上和平發展的正軌，包括制度化協商成果豐碩、雙方兩岸事務主管部門建立聯繫和互訪機制，更實現了兩岸領導人會面對話，都受到兩岸主流民意支持和國際社會肯定，絕對禁得起歷史檢驗。

但是我們也要務實的看到，兩岸政治分歧的化解、軍事互信機制的構建，在那八年間，都遲遲未能啟動，以致達成和平協議或台海和平穩定的機制化、制度化，現在看來都顯得更加遙遠。而且某些歪曲汙蔑或誤解，也未能被有效辨明，使得連兩岸經濟合作的深化，都遭到不小挫折。這說明了政黨如何把握時機引領潮流，對歷史進程的關鍵作用，我們必須深刻加以記取，做為未來的惕勵。兩年多前起，國民黨又在野，兩岸關係也再度陷入不確定不穩定甚至危機潛伏激盪，對台灣民眾的安全與福祉，正在造成危害，而且還看不到盡頭。有識之士都不應沉默無為以對。

放眼華夏大地，中共十九大擘劃了全面達成小康，進而完成現代化、再實現民族復興的路線圖；「兩會」又為了這些目標，發布有規模的黨政機構改革。全球紛紛預測大陸躍升為最大經濟體的時間點，這給世界各地的經貿有志者，尤其給同文同種的台灣工、商、農、漁、學、青各界，提供了廣大且重要的機遇。如果兩岸當局長期無法協商溝通，勢必不利於台灣的經濟發展與整體利益。

面對當前形勢，我在此申述曾經提出過的四點主張，供各界參考，盼能有助於集思廣益，改善兩岸關係、維護區域穩定。

一、一個中國。兩岸「求一中原則之同，存一中涵義之異」。雙方的法律及體制，都實施著一個中國架構，所以兩岸關係不是國與國關係，不應該存在台獨的空間。根據過去的經驗，兩岸完全可以先透過求同存異的九二共識來鞏固政治互信，重啟對話，並且化解台灣國際參與的障礙，未來再開展全方位對等協商，循序漸進處理歷史所遺留的政治分歧。

二、兩岸和平。雙方「為人民謀幸福，為萬世開太平」。兩岸人民同為炎黃子孫，同屬中華民族，都受中華文化薰陶，都是龍的傳人，曾經走過休戚與共的歷史，本即一家，沒有理由不能共創和平、共謀發展、共享繁榮。我們的期許是，中華民族不能再內戰，炎黃子孫不應再內耗，必須相偕以行，謀求正式結束敵對狀態，才能行穩致遠，共建和平的海峽及繁榮的兩岸。

三、互利融合。共策「交流合作互利，增進兩岸融合」。客觀理性而言，誰都不能否定兩岸共同的血緣、文化、歷史。台灣歷經三次外國殖民，都沒有改變堅守中華文化和民族立場，因此，做一個頂天立地的台灣人和做一個堂堂正正的中國人，是完全相容而不互斥的，這也是兩岸關係和平發展最根本的感情基礎。同時，透過經濟合作、文化交流、民間往來，不斷擴大互利，厚植兩岸人民的同胞情誼、兄弟情懷，持續增進融合。

四、振興中華。協力「促進民權民生，振興中華民族」。孫中山先生是第一位提出「振興中華」的革命家政治家，畢生追求國家富強民主統一。他所號召的民族復興、民權發達、民生樂利，是近代以來中華民族奮鬥不懈的遠大目標，是炎黃子孫夢寐以求的共同願望。國共兩黨、海峽兩岸也為此取得不同的發展經驗，應該互為啟發、互相尊重，共同促成美好未來。在此過程中，台灣民眾的尊嚴與權益，更應獲得提升，以彰顯振興中華的弘偉格局和意義。

做為中國國民黨的一分子，我也有信心國民黨能在混沌不安的台海局勢中，堅持理想信念，發揚光榮傳統，給台灣民眾提供一個光明的選擇。

對於我與習總書記的晤談，中國國民黨也發布新聞稿，欣見本人前往大陸展開和平會面，其中我所提及的兩岸應互相啟發、互相尊重，共同促成美好未來，相信更是台灣兩千三百萬人共同的期待。

有關連習會提及「當前的兩岸關係形勢複雜嚴峻」，國民黨也認為，現今執政黨需要對於冷凍停滯的兩岸關係負起最大責任，「和平、交流、互助、雙贏」才會是一條真正帶領台灣走向繁榮大道，也更會是兩千三百萬人共同的台灣價值。

當天下午我以兩岸和平發展基金會董事長的身分，出席本基金會與大陸海峽兩岸關係研究中心於釣魚台賓館合辦的「共擔民族大義，共謀民族復興」座談會，並發表演講。

我提出，歷史上，國共兩黨歷經合作、衝突、再合作、再衝突，乃至爆發內戰，兩岸分離。但是，兩黨都未曾脫離民族主義。儘管兩岸分離已經六十九年，但是愛護中華文化、堅持民族認同，仍然是台灣的多數民意，這是可以證諸台灣各項民意調查的。

我進一步指出，有了這個基礎，再經過一定程度的政治互信，雙方推動交流合作，互惠互利，持續深化兩岸關係和平發展，其實也就是攜手走在「振興中華」的大道上。

我認為，做為兩岸關係和平發展標誌性成果的二十三項協議，之所以能啟動協商，不可能沒有九二共識做為政治基礎。而在協商過程中，雙方又以同屬中華民族做為考量。基此經驗，可能以政黨輪替為常態的台灣，執政者就不能不從兩岸的政治互信與民族認同來思考兩岸關係，才能獲致良性互動、和平發展；反之就會陷入兩岸對立對撞，不利民眾的安全與福祉。

與會的大陸前國務委員、全國台灣研究會會長戴秉國則表示，在維護兩岸關係和平發展的大局，推動民族復興進程中，中國的發展需要和平穩定環境，台灣地區是其中關鍵一環。

他也提出對於近期外國勢力打台灣牌，示警說，民進黨重新執政後，大搞去中國化，拒不承認體認一個中國原則的九二共識，讓島內各種分裂主義不斷興風作浪，致使兩岸關係複雜嚴峻，外國勢力圍繞，「已經走到踩紅線的邊緣」。

而大陸國台辦主任劉結一也提出四點看法：一、攜手同心擔大義，捍衛中華民族的整體利益與根本利益，是民族大義在歷史長河中永恆的核心意涵。二、把握大勢看主流。兩岸關係向前推進、向上提升、走近走好，始終是兩岸同胞的主流民意。是兩岸命運共同體的集中體現，是不可阻擋的大勢。三、齊心協力反台獨。兩岸關係好，台灣才有前途，廣大台灣同胞才有光明未來。兩岸同胞要團結一致，以實際行動堅決反對、制止任何台獨分裂活動。四、以民為本謀福祉。將進一步深化兩岸經濟文化交流合作，提升兩岸同胞特別是台灣同胞的受益面和獲得感，尤其要為台灣基層民眾、青年朋友提供更多發展機會和平台。凡是對台灣同胞有利的事情，我們都會把實事實辦、好事辦好。

這是我所創辦的基金會首度與大陸智庫聯合舉辦座談會，目的是希望能化解當前兩岸的緊張局勢，為重塑和平盡點心力。這次的訪問過程，可以看到大陸方面對民進黨政府的用詞日趨嚴厲，但是對於兩岸同胞的交流合作與兩岸和平發展的主流民意則有充分的自信與辦實事的誠意。

而大陸台研會常務理事周志懷在這次研討會中也提議，雙方可以共同舉辦兩岸和平論壇，並建立兩岸民間共同智庫，受到與會者的重視。

晚間同樣在釣魚台賓館，我與兼任大陸對台小組副組長的大陸政協主席汪洋（他的前兩任是賈慶林、俞正聲）晤面，我於十年前就結識他。他是從重慶省委書記、廣東省委書記升任中共中央政治局常委、全國政協主席，這是他職務調整高升後我們之間的首次晤面。由於地緣與工作關係，他對台灣事務並不陌生，也跟很多台商熟稔。

以下是我與汪洋主席會見時提出的論點：

首先要謝謝汪主席安排這個場合和我們一行人見面。特別是現在兩岸對話的管道不如以往順暢，反映出這兩年來兩岸關係的氛圍與環境有所退步，所以此刻我們能好好坐下來談談，誠屬不易。

兩岸關係在二〇〇八至二〇一六年的八年裡，曾經基於「九二共識」的政治基礎而和平發展，雙方同獲其利。如今形勢丕變，兩岸協商及聯繫管道全面中斷，連帶影響兩岸的合作互利與台灣的民生經濟，例如陸客來台人數的大幅減少，已對台灣的觀光與餐飲等內需服務業，產生相當大的衝擊。我們看到全世界的國家都在歡迎陸客，卻只有台灣不斷流失陸客，十分令人遺憾。

近幾個月，台灣水果盛產，卻因產銷機制失靈，讓農民辛辛苦苦種植的香蕉、鳳梨、芒果、火龍果等等，只能賤價銷售，甚至整批作廢棄置，實在令人心痛，事實上台灣擁有最好的農業技術，生產品質最優秀的農產品，而大陸擁有最廣大的消費市場；在過去國民黨執政時期，曾經促成台灣農產品銷售大陸管道的暢通，造福無數果農，現在卻因兩岸制度化協商停擺，嚴重影響了台灣水果對大陸的銷售。我認為我們不應該只是為台灣果農抱屈感嘆，應該起而行，共同協助處理台灣果農的燃眉之急，把推動兩岸關係和平發展所產生的實惠，分享給基層民眾。

台灣輿論有個說法，就是讓國民黨、民進黨和中共進行一場比賽，看看誰能提供台灣民眾更多的選擇與福祉。這就讓我聯想到「北風與太陽」這則古老的寓言故事，北風把行人吹得渾身發抖，反而要多穿衣服，加強防備，太陽的溫暖則讓行人脫下厚重的衣服，可以輕裝上路。因此，每個政黨都應扮演太陽的角色，多把民眾的福祉放在心上，多帶一些溫暖給民眾。

二〇一五年九月我和習近平總書記會面時就提到，歷史告訴我們，兩岸關係的進展，不會都是一帆風順，不會總是一片坦途，這過程總會遇到一些大大小小的阻力，尤其台灣隨時會因選舉而出現政黨輪替。

回顧過往的兩岸關係，二〇〇五年我和當時的胡錦濤總書記共同發表了「五項共同願景」。二〇〇八年國民黨重返執政後，兩岸依據「擱置爭議，共創雙贏」的原則，針對兩岸共同關切的議題，務實推動兩岸協商、交流與合作。

從二〇〇八年到二〇一六年，兩岸不僅創下了分隔六十餘年來的交流高峰，各領域的合作項目，更創下歷史的新高紀錄，海基會和海協會在這段期間，簽署了二十三項協議，包括服貿協議、ECFA、兩岸直航、陸客來台觀光、金融合作、共同打擊犯罪等。促進了兩岸交通便利、強化了人民權益保障，增進了兩岸民眾福祉，開創了前所未有的兩岸關係和平發展境界。

當前，由於兩岸當局失去政治互信基礎，使得海基會與海協會的協商機制中斷，衍生出許多問題。舉例而言，現在來往兩岸求學、旅遊、工作的人愈來愈多，目前台商在大陸的人數估計就有上百萬人，在大陸求學的台生就有上萬人，兩岸每年觀光來往的人數高達數百萬人，這些人日常生活所遇到的問題和急難救助等，都需要有兩岸行政部門的溝通機制來協助解決，但是現在不如人願，受到不利影響的就是普羅大眾。

可見台灣的政黨輪替對兩岸關係和民眾權益，是一項重大考驗。我們希望政黨的競爭能產生正能量，更加提升兩岸關係和平發展，而不是導致兩岸對立對撞，以致危及民眾權益。而且台灣一直是個以中華文化為傳統的社會，這是值得兩岸共同珍惜的地方，如果用政治力量去加以扭曲，意圖切割兩岸的血緣、文化、歷史連結，只會導致兩岸衝突，受害最重的還是台灣民眾。因此，中國國民黨以在野之身，必須如孫中山先生所言，「喚起民眾」，才能壯大維護兩岸和平、共同發展的民意，否則兩岸恐怕又會走回戰爭邊緣，絕對不是兩岸各界、區域各方所願意看到的。這就是為什麼我在和習總書記會見時提出，做一個頂天立地的台灣人和做一個堂堂正正的中國人，是相容而不互斥的。

兩岸的和平成果得來不易，兩岸的交流合作不能走回頭路，相信台灣民眾會歡迎各個政黨在推動兩岸關係和平發展上，進行良性競爭，而事實已經證明，「堅持九二共識，反對台獨」是維護兩岸和平、促進共同發展的有效途徑，值得大家認同支持。

汪洋主席在會中也表示，兩岸同胞是命運與共的骨肉兄弟，是血濃於水的一家人。民進黨當局處心積慮設置障礙，阻擋不住兩岸同胞交往交流的腳步。大陸方面願意秉持兩岸一家親理念，願意率先同台灣同胞分享大陸發展機遇和各項措施，為台灣同胞前來大陸學習、創業、就業、生活提供更多便利，並逐步享有同等待遇，促進兩岸同胞心靈契合。

他也表示，大陸有信心辦好自己的事，對兩岸統一做實事；大陸堅持兩岸和平統一立場沒有改變，只是時間和方式要因應時勢而調整；對大陸來說，統一是堆砌而成，要一點一點地做，歷史到了點上，就自然水到渠成。

他也說明，大陸對台政策是穩定、有連續性，當前台海局勢，不是大陸改變，而是台灣改變；民進黨搞台獨，大陸方面是堅決反對的。他強調，大陸經濟弱時，也沒放棄統一，何況是現在？大陸有堅定信心、充足的能力遏止台獨，對民進黨搞台獨，大陸領導人都要遏止。

對於我為台灣農漁業與觀光產業面臨困境的建言，汪洋也交代了國台辦與各部會加以協助解決。這也是我此行，認為最重要的一件要事，希望能解決基層行業的燃眉之急。

杭州連橫紀念館

二〇〇六年，我初訪杭州期間，喜悉祖父雅堂先生曾於一九二六至一九二七年間暫居杭州市西湖瑪瑙寺，從事相關文史工作，留下諸多感懷時事之詩文，給子孫無限緬懷。

我在二〇〇七年四月會見浙江省委書記趙洪祝時，當時特別提到，自己和浙江的關係是「奇異的姻緣」，在二〇年代，我的祖父連橫先生曾在瑪瑙寺著書立說，並留下「他日移家湖上住，青山青史各千年」的詩句[2]。

瑪瑙寺始建於五代後晉的開運三年（九四六年），因為它的舊址，是在孤山的瑪瑙坡而得名。瑪瑙寺背山面水，現位在杭州沿西湖的北山街中段的葛嶺路上，環境清幽，占地面積九千一百三十九平方米，建築面積兩千六百平方米，現有的舊建築為清同治年間（一八六二至一八七四年）遺存，主要有山門、廂房及園林等。因為瑪瑙寺在兩岸歷史文化的深厚淵源，因此各方提議可將其規劃為兩岸文化藝術交流平台，後來並定名為「連橫紀念館」。

位於杭州西湖風景區瑪瑙寺的連橫紀念館。（fotoe／達志影像提供）

根據史料，民國十五年（一九二六）我的祖父偕祖母沈少雲女士從台灣內渡杭州定居於此，家父震東先生亦曾來寺內探親居住。不過隔年因北伐軍興且逼近浙江，憂遭戰禍影響，遂再度攜眷返回台灣[3]。

二〇〇六年杭州市政府與我主持的國家政策研究基金會，簽訂兩岸文化藝術交流備忘錄，我特別邀請建築學家漢寶德教授與杭州西湖風景區名勝區管委會共同規劃連橫紀念館。現館內設有台灣自然環境廳、台灣歷史文化廳、台灣原住民文化廳、連橫先生事蹟廳、台灣人物誌廳、台灣傳統工藝廳及台灣現代工藝廳、劍花廳、特展室、雅言圖書室（收藏集納有關台灣自然、歷史和人文等方面一一一二冊文獻）、泉清居等，以充實陳展之台灣文史內容。連橫紀念館正式於二〇〇八年十二月隆重開幕，我與大陸國台辦主任王毅親自出席，並正式對外開放參觀，現已成西湖邊上一個文化景點及海峽兩岸文化交流平台，受到好評。

二〇一八年杭州市委、市政府，更宣布連橫紀念館為杭州青少年學生

第二課堂場館，此舉使該館不但成為兩岸文化交流重要平台，更為後代子孫了解台灣歷史與中華文化奠下長遠之基礎。

在連橫先生事蹟館也陳列了不少當年先祖父與先嚴在大陸停留的事蹟，例如先嚴震東先生曾於民國二十年端午節前兩天，帶著祖父給民國初年的參議院院長張繼（溥泉先生）介紹信拜望溥泉先生。當時祖父的信件內容全文可詳見本書上冊第一章〈追憶連氏先祖〉頁三十五。

也就是這段紀實，先嚴後來就追隨溥泉先生到北平、西安工作，甚至溥泉先生還鼓勵先嚴辦理回復國籍的手續。先嚴辦理回復國籍的原本，現

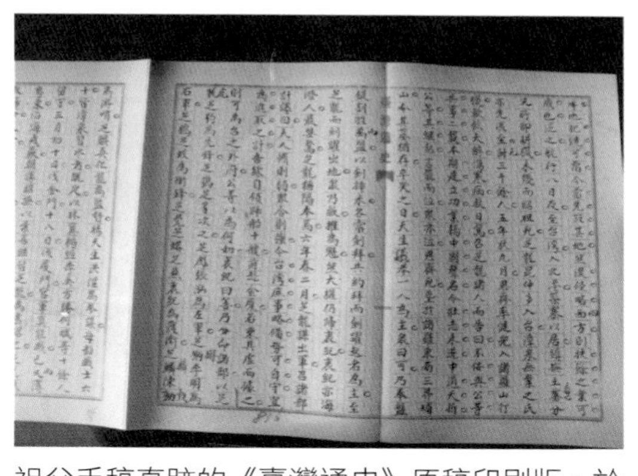

祖父手稿真跡的《臺灣通史》原稿印刷版，於連橫紀念館展出。（fotoe／達志影像提供）

收藏於南京第二檔案館。我於二〇〇五年初次與胡錦濤總書記晤面時，胡總書記還特別把這原件影印贈送予我留存。這段歷史也足以說明，在日據台灣的年代，先祖父不願先嚴留在台灣為殖民地工作，在溥泉先生的提攜下，改變了先嚴的一生命運，而這也是我何以於民國二十五年，在西安出生的時代背景的一個考證。

二〇一八年七月，我與大陸習近平總書記晤面後，特別轉往浙江出席連橫紀念館成立十周年紀念活動，此時館內正展覽兩岸杭州十三個區縣、台灣南投縣十三所學校學生的近三百件作品，從書法、繪畫、剪紙、陶藝等創作，對中華文化向下紮根傳承，十分有意義，我參觀後甚為安慰，認為這也符合紀念館創館的初衷。

注釋

1 言論廣場（2015年9月1日）。《中國時報》。A14版。

2 2007年4月23日。中國評論新聞。

3 李靖棠（2017年9月9日）。中時電子報。檢自https://www.chinatimes.com/realtimenews/20170908006580-260409?chdtv（Dec. 19, 2022）

第十五章——APEC五次會議

從二〇〇五年四月二十六日和平之旅到二〇一六年五月的十一年期間，我和胡錦濤前總書記及習近平總書記幾乎每年都會晤、深談；其中二〇〇八至二〇一二年五年間，我代表馬英九總統，參加亞太經濟合作領袖會議（APEC），分別在祕魯、新加坡、日本、美國、俄羅斯和胡錦濤在會議期間，舉行會談。這五次會議，我和胡錦濤除了針對APEC會議討論重點之外，最重要的交談，就是兩岸關係的進展，兩岸共同面對、關切的問題，並就兩岸關係、國共兩黨的交流、兩岸同胞的發展等廣泛交換意見。

APEC經濟合作會議是一九八九年由澳洲發起成立，台灣以「中華台北」（Chinese Taipei）名稱和中國大陸及香港同在一九九一年加入。APEC領袖非正式會議由前美國總統柯林頓於一九九二年倡議召開，這也是當前中華民國參加國際組織中最具指標意義的國際場合。由於國際的現實情況，我們雖然平等參與，但唯一的差別則是中華民國的總統無法親

我與祕魯總統加西亞。

自出席領袖會議，因此自一九九三年來，均由總統指派領袖代表與會，而且過去特使代表包括前經建會主委蕭萬長、總統府資政辜振甫、前經濟部長江丙坤、前中央銀行總裁彭淮南、總統府資政林信義、中央研究院院長李遠哲、台積電董事長張忠謀、宏碁電腦創辦人施振榮等，都是以財經官員或大企業家為主。我國一直希望能提高政治性層次代表都未能如願。例如二〇〇一年在上海舉行的那次，民進黨政府希望由李元簇前副總統出席，未能如願，甚至最後選擇了缺席，也是唯一缺席的一次。

但是二〇〇八年五月中國國民黨重新上台執政後，領袖代表提高層次的問題，受到期待，也出現轉機。當年的APEC會議主辦方為南美洲的祕魯，八、九月時祕魯總統加西亞（Alan García Pérez）特使按往年慣例來台向馬總統遞出邀請函。到十月左右，馬總統就向祕方提出特使預定人選，由主辦方攜回處理。按過去不成文的慣例，祕方也會向北京通報。

為了此事，行政院長劉兆玄曾來看過我，轉達馬總統希望今年由我來擔任特使的工作。坦白說，我自己事先倒不意外。一方面從二〇〇五年和平之旅之後，我與對岸領導人胡錦濤總書記已經見面多次，算是老朋友了。其次，我國一直期待能提高特使的代表層次，以我過去的職務歷練，是符合期待，相信大陸方面也不至於反對。這情勢果然如我預期發展。劉兆玄約我在台北賓館碰面的兩週後左右，大陸方面在得知馬總統的意向後，特別透過我熟識的朋友來了解我的意願。大陸方面也很慎重，擔心以我這種層級開了先例後，是否會有後遺症。但是情勢朝正面的方向發展，當北京方面也不表反對的情況下，我政府也在二〇〇八年十月三十日正式宣布由我以「財團法人國家政策研究基金會董事長」名義代表馬總統出席

行前我方已告知主辦國祕魯及與我關係密切的美、日、星三國我將代表出席一事。圖為我和新加坡總理李顯龍。

年度APEC領袖會議。當時總統府發言人王郁琦對外表示：我方已告知主辦國祕魯及與我關係密切的美國、日本及新加坡。而不透露姓名的政府高層官員也指出，對岸已接受連戰擔任APEC特使，同時也為海協會會長陳雲林來訪，鋪陳出良好氣氛[1]。記者會正式對外後，各方媒體的報導也極正面，多認為是兩岸關係好轉後的一個正向循環。

而大陸國台辦方面也罕見發表聲明，此項決定符合以往台灣參加APEC代表人選慣例，且亦體現兩岸關係當前的改善與積極發展，對於我擔任台灣APEC代表一事，深表樂觀其成。

為了出席這項會議，事先有許多的準備工作，聽取外交部及相關部會的簡報，同時也要研讀大量的會議資料。十一月十三日下午一點三十分，我率團到總統府晤見馬總統。

馬總統表示，感謝我代表他及國家出席本屆APEC非正式經濟領袖會議，也感謝所有代表團成員的辛勞，希望此行順利成功，為台灣贏得更多的尊嚴。

他也表示，我能代表中華民國與會，一方面借重我過去擔任多項重要公職的豐富經驗，另一方面我在擔任行政院長時所提出「亞太營運中心計畫」，也與APEC的基本理念完全一致。此外，我亦曾擔任我國駐薩爾瓦多共和國大使，具有西班牙文基礎，這也是此行前往祕魯參加會議的一項重要優勢。

他也指出，台灣中小企業發展蓬勃，對APEC會員國也深具吸引力，希望國內廠商能前往投資，凡此都是代表團此行可著力的方向。

馬總統也提到以我的經驗與聲望，此行對台灣的國際參與及兩岸關係均有加分作用，也讓台灣對國際事務的參與有更多、更好、更具實質性的意義，能在國際上受到尊重並有參與的機會。他說昨天下午出席「第六十一屆醫師節慶祝大會暨台灣醫療典範獎頒獎典禮」，與會者普遍表示希望能參加WHA，這是台灣醫界多年來的目標，也是台灣追求國際尊重的重要指標之一，而我此次能夠參加APEC，必能為台灣獲得更多的國際尊重，並維護台灣應有的尊嚴。

他也指出，我在非正式領袖會議時有機會與各國領袖晤面，讓大家了解台灣的努力對世界經濟與和平可能帶來的貢獻。台灣是一個積極的和平締造者，不論在亞太區域或全球均能扮演這樣的角色，相信與會領袖也都非常期待進一步獲得台灣如何為海峽兩岸帶來和平，而三年前完成破冰之旅的連董事長，是最有資格將此訊息傳遞給各國領袖的人選。

馬總統也期待，隨著兩岸關係的改善，也使台灣與各國關係隨之改變，尤其是增強彼此的互信，美、日、東南亞及歐盟各國對此均給予高度評價，這是過去少見的現象，值此重要歷史機遇，代表團一定要將台灣的內涵與努力有效地傳播到全世界。

我特別表示，此次奉總統指派，偕同內人率同財、經等相關部會首長，及民間企業人士前往祕魯參加APEC領袖會議，深感責任重大，且意義深遠。本人自當勉力以赴，不負總統的付託及全民的期望。我指出，近年，我們認知全球面臨金融危機、原物料價格也波動劇烈，對亞太地區而言，天然災害似乎也變成揮之不去的夢魘。台灣身為地球村一分子，和衷共濟是責無旁貸的，而APEC為亞太地區各會員體，可積極溝通，是為共商解決之道的最佳場所。

我也強調，這次APEC的主旨非常明確，也是一個強調開放與協商價值的國際論壇；各會員體為增進人民福祉，透過積極交換意見、分享經驗的模式，來達成互助、共利與雙贏的目標。今年APEC領袖會議的主題是：「對亞太發展之新承諾」，本人深表認同。

我說，我們樂見APEC朝此積極進取及更緊密合作的方向發展，也盼在各會員體領袖集體智慧下，透過交流互動，協助發展中會員體持續成長。本人本次與會，除期盼與各會員體領袖，透過對話就國際與區域重大議題交換意見外，也將努力向國際傳達支持APEC應扮演更重要區域協調者角色的看法，與各領袖共商如何打造一個更繁榮、和平及永續發展的APEC。

我也提到，除了多邊的議題外，總統剛剛也明確提到，我所採行「正視現實、相互合作、為民興利」，是一個開放、和解與鬆綁的兩岸政策，對於兩岸的和平發展與合作雙贏甚至亞太地區的穩定，都已獲得重大的成功。在參與國際活動方面，台灣始終是一個重要資產，是一個和平締造、財富締造與知識締造者。剛剛聽了總統對我們大家明確的指示，我們至當全力以赴。最後，感謝總統對我們全體參與APEC領袖會議的關懷與建議，本人和全體團員將戮力以完成使命。

聽了我對兩岸關係的見解，馬總統也回應，我此次能順利成行，是兩岸關係善意的釋放，值得珍惜。兩岸透過各種合作產生互信，進而在相關議題上形成共識。從陳雲林會長來訪，到我出席APEC的過程，政府均秉持「以台灣為主，對人民有利」的原則推動。陳會長的來訪達成了「正視現實，互不否認，為民興利，兩岸和平」的目標，令人欣慰。而我的出席APEC會議，將使兩岸的和平發展有更進一步的成果。他也預祝我及代表團一路順風，順利完成任務光榮回國[2]。

二〇〇八年祕魯會議

我率代表團於十一月十七日出發，當天立法院王金平院長、國安會蘇起祕書長、立法院曾永權副院長、外交部侯清山次長等專程到機場送行。

我搭乘飛往美國紐約的班機，在當地稍作停留後。於二十日才啟程飛往祕魯，途中在薩爾瓦多過境加油。我三十二年前曾經擔任駐薩爾瓦多特命全權大使，在行政院長與副總統任內也以特使身分訪問過薩國，並祝賀薩國新總統就職。我對薩國除有情感，也不陌生。我在機場貴賓室，出乎意料的是，與前總統羅梅洛伉儷見面晤談。他們知道我會路過，羅梅洛前總統伉儷雖然年歲已高，但是仍興高采烈的歡迎我，令我和內人非常感動。

二十日晚間八點三十五分，代表團抵達利馬機場。抵達祕魯後，我也在機場發表談話。

我說，本人今天代表總統來到利馬，出席明後兩天舉行的APEC領袖會議，屆時將與各會員體領袖就國際局勢交換意見，共謀亞太發展良策。

今年祕魯將APEC主題訂為「對亞太發展之新承諾」，我非常贊同，也將向祕魯加西亞總統表達高度支持之意。在國際局勢變動如此快速的今日，我相信所有的領袖都一樣，深感國家及人民交付的責任重大，也期待APEC在區域各重大發展議題上，應扮演積極領導者的角色。

一九九一年，我跟中國大陸等會員體一起加入APEC，切實反映當時區域間高度關注經貿議題的需求。我方自加入後，積極結合本身優勢領域並對APEC做出貢獻，以及時回應協助會員發展的目標。

我方支持APEC對世界面臨的重大議題做出立即有效之政策回應，包括在金融危機及糧食能源安全兩議題上，我方亦支持APEC在既有基礎上繼續深化及廣化各項合作議題，包括在WTO杜哈回合談判議程、促進亞太區域整合、氣候變遷、企業社會責任、反恐與緊急應變等議題上相互交流。

為協助APEC在上述議題持續發展，我今年主要成果包括有：縮短會員體間的數位落差，促進中小企業成長、發展潔淨能源、具體回應APEC緊應變能力建構的需求等。

明年是APEC成立二十週年紀念，今年APEC領袖會議的決議及做為對未來APEC的發展將具重要意義。今年也將是APEC回顧過去及展望未來的最佳時機。本人本次參與APEC領袖會議也企盼與各會員體領袖就各區域重大議題有效溝通與互動，為維繫亞太地區的繁榮共盡心力。最後，感謝各界對我參與APEC領袖會議的關懷。本人將全力以赴，努力達成各項使命，爭取最大的權益。

當我們抵達飯店時，受到提早抵達的財政部長李述德、經濟部長尹啟銘及當地台商代表一百多人的熱烈歡迎。當時自由時報特派記者田世昊還報導，場面熱烈，盛大的陣仗擠滿飯店大廳，連同住飯店的南韓總統李明博進入大廳時，也必須繞道而行[3]。

二十二日晚間，我也邀請了祕魯的國會議員及祕魯台灣商會理監事出席晚宴，除了捎來馬總統的問候外，也轉達了我們身為APEC會員國所扮演的角色。

我說，「此次本人獲派擔任馬總統代表前來祕魯出席二〇〇八年APEC（亞太經濟合作）第十六屆經濟領袖會議，與亞太地區重要經濟領袖共聚一堂，至感榮幸，首先要代表馬總統向支持台灣的祕魯友人表達最誠摯的謝意，也要向旅居祕魯在海外打拚的各位台灣鄉親問好。」

「APEC是亞太地區最重要的多邊官方經濟合作論壇，二十一個會員體的貿易量超過全球一半以上，會議的共識對全球經貿政策有極大影響力。在面對全球空前金融危機之際，APEC經濟領袖們在此集會並做出重要回應，以展現APEC對金融危機之重視與面對之決心。APEC為台灣參與最重要的國際組織之一，也是台灣參與國際事務的重要舞台，台灣長期以來經由APEC架構積極與其他會員體分享發展經驗，忠實履行我國做為國際社會一分子應盡之責任，已得到各會員體之尊重與肯定。」

「例如我國推動的APEC數位中心計畫（以下簡稱ADOC）係運用我實力堅強的資通訊科技產業及人力資源協助祕魯等會員體縮小數位落

差，提升競爭力；在台舉辦的ＡＰＥＣ中小企業工作小組相關會議則係分享我國中小企業成功發展經驗；而本年九月在台舉辦的「ＡＰＥＣ大規模災難復原重建研討會」更擬運用我九二一地震災區重建經驗與成果，協助ＡＰＥＣ建構未來緊急應變及災後復原重建能力，並為同為環太平洋地震帶之各會員體提供交換救災經驗之平台，都已獲得會員體熱烈迴響。」

「在此本人要恭賀祕魯人民與政府成功辦理本年ＡＰＥＣ各項重要會議與活動。此次年會期間，我們看到利馬市容整潔，綠地廣大賞心悅目，現代化高樓與歷史古蹟兼容並存，尤其人民極為友善好客，工作勤奮，特別令人印象深刻。而祕魯政府全力籌辦，使各項在祕魯舉辦的ＡＰＥＣ會議都能順利進行，同時也將馬丘比丘及庫斯科等重要文明遺產成功介紹給各國與會者，大幅提升祕魯國際地位及能見度，做法值得我們敬佩學習。當然更要感謝在座的祕魯國會議員及友人們長期對我國之支持及對本人祕魯之行成功所做之努力。」

「本人也要對在座的台商會理監事們表示敬佩感謝之意。各位遠離故鄉，長期在國外打拚，事業有成之餘，仍時刻關心台灣，以行動支持台灣，著實令人感佩。尤其前天深夜本人抵達祕魯時，各位鄉親冒著寒冷在旅館門口歡迎，見到各位就像見到家人一樣親切，本人實在很感心，忘記了旅途勞頓。」

「最後本人敬祝各位祕魯友人及女士先生們，身體健康，事事如意，各位台商鄉親事業發達，財源廣進。Salud。」

在出席二〇〇八年APEC領袖會議時，總共有兩場的閉門會議。第一場閉門會議（Retreat I），二〇〇八年十一月二十二日「從中華台北重新開始」

以下是我的致詞：

我很榮幸能夠出席這次盛會，並與各位尊敬的領導人就當今世界面臨的三大問題交換意見。我還要向我們的東道主加西亞總統閣下表示誠摯的謝意，感謝他們給予我們的熱情款待和親切的禮遇。

中華台北與所有成員經濟體一樣，同意關注當前許多挑戰，我們希望在今年亞太經合組織議程中解決各種問題。

我想首先解決以下問題：全球金融危機。

與世界上所有其他經濟體一樣，中華台北一直在努力解決全球金融危機導致的經濟放緩。在財務和經濟困難的時刻，中華台北仍然首先致力於自由開放的貿易和投資原則。我們堅信，重建信心，振興經濟需求，優化充足的供應方將是緩解金融危機影響的關鍵。

除個別成員經濟體採取的行動外，中華台北認為，APEC經濟體可以共同努力，改善金融結構中的多邊監管體系，加強資本市場，促進健全的公司治理，提高透明度和充分的風險管理。此外，亞洲經濟體長期以來主要依靠銀行業融資。需要運作良好且整合的債券市場來幫助確保金融市場的穩定性。

更具體地說，我們隨時準備加入多邊金融合作網絡並開展合作。

接下來，我想談談：高糧價和大宗商品價格。

食品和商品價格最嚴重影響我們公民的日常生活。最近價格的波動給最貧困的人帶來了嚴重的困難。我們認為APEC應該研究可能的長期和中期食品及相關商品供應計畫。

我們還認為應該利用APEC平台加強農村發展和技術援助方面的合作。我們還鼓勵具有不同發展水平的經濟體利用這些機會，以分享經驗和解決方案，以確保該地區的可持續發展。

中華台北在這方面有一些有趣的經驗。目前，我們已派出二十八個農業技術團隊到二十八個國家和經濟體。並幫助在台灣的亞洲蔬菜研究開發中心建立蔬菜種子庫，現在稱為世界蔬菜中心，取得了良好的效果。

最後，請允許我討論以下問題：世貿組織杜哈回合談判。

隨著世貿組織杜哈回合曲折的談判，中華台北一直致力於早日取得圓滿結果，並支持亞太經合組織領導人就此問題發表的獨立聲明。除了我們所承諾的年度聲明外，亞太經合組織應該堅持我們在「協調一致的單邊主義」方面的努力，以便通過「WTO Plus」審議來維持實現貿易和投資自由化的勢頭。APEC可以通過為WTO提交一些可行的建議來發揮示範作用。

感謝您的關注。

以下是十一月二十三日第二場閉門會議（Retreat II）的發言：

謝謝你，加西亞總統。

我很高興參加今天的會議。

我想從以下問題入手：推進區域經濟一體化。

隨著世貿組織長期的停滯不前，導致雙邊、多元和區域自由貿易協定（自由貿易協定）的擴散。無論我們對各種區域貿易安排形成何種不同程度的適應，亞太經合組織成員應該面對挑戰並維持我們在一九九四年第一次領導人會議上為亞太經合組織領導人所承諾的「茂物」目標而努力。

中華台北認為，亞太地區的所有計畫都可以做為構建基塊，並在長期整合中發揮關鍵作用。我們對任何自由化的推進持開放態度，並尊重所有促進全面共同利益的努力。在我們的不懈努力中，我們將繼續尋求志同道合的夥伴。

其次，有關促進亞太地區企業社會責任問題。

中華台北想強調企業社會責任（CSR）的重要性。

我們認為APEC的發達經濟體和發展中經濟體應將CSR活動納入其個別行動計畫（IAPs），因為這有助於創建CSR APEC社區。

中華台北鼓勵成員經濟體考慮建立APEC CSR共同標準的可能性，

並合作促進企業的發展潛力，特別是對中小企業（SME）。

中華台北正在整合公共和私營部門以及非營利組織（NPO）的相關資源，以促進ADOC項目。到目前為止，我們已在七個成員經濟體中建立了四十一個ADOC，共有六萬名受訓者。宏碁，華碩，中華電信和非營利性佛教慈濟基金會等公司及組織都承擔起彌合亞太地區資訊發展鴻溝的責任。我們認為該項目是企業社會責任的重要組成部分，可以做為亞太經合組織推動企業社會責任的最佳實踐之一。

第三，關於應對氣候變化的問題。

中華台北歡迎G8領導人宣言以及在二〇五〇年之前將全球排放量減少至少百分之五十的決議。我們為工業化和工業發展中成員之共同努力所鼓舞。我們認為，關鍵成員制定一個可接受的中期目標模式對於實現這一目標至關重要。中華台北在二〇〇七年提出了「綠色亞太經合組織機會」，並採取了可衡量、可報告和可核實的行動。

關於亞太經合組織人類安全的問題，包括協同災害救濟。

我們很高興指出這一點，在應急準備方面，亞太經合組織通過舉行「亞太經合組織大規模災後恢復研討會」的共識迅速應對了四川地震，該研討會於去年九月底在台北開幕並在四川閉幕。該活動的主要目的是促進災後恢復的經驗共享和能力建設，並且還顯示APEC是該地區應急準備協調和溝通的理想平台。也許是APEC將TFEP（應變準備工作組）轉向覺醒並將我們的相關工作整合到區域應急準備網絡的時候。

未來，中華台北將很高興看到APEC論壇引入「預防是最好的投資」的概念，並以靈活和創造性的方式合作，保護人類安全，這將確保APEC地區社會和經濟的穩定發展。

我們一直是亞太經合組織的受益者，十六年來一直是忠誠的成員。我們期待與該組織的所有成員經濟體攜手合作。

感謝您的關注。

各國領導人穿著祕魯傳統服飾合影。

在祕魯大會期間，我也出席了國際記者會，在這幾百人的盛會上，大會並沒有安排西班牙文翻譯成中文或英文，我只得以過去駐節薩爾瓦多時學的西班牙文派上用場。我印象中當時記者對我問了兩個問題，其中一題則是一位男記者問道你們以前的總統陳水扁因為貪汙入獄，基於做過總統的特權，是否可能保釋出獄？我以西語回答說：「謝謝你的問題，但我必須很誠懇地告訴你，你所問有關司法的問題，依照我們的傳統，司法議題屬司法單位，有關處理的手續、步驟，這是屬於司法單位才能做出決定的領域，我身為領袖代表，我不負任何授權，我立即回答你問題，並非代表我對此沒意見，而是未受授權，請你原諒。」

我能即席以西班牙語答覆問題，很多中外記者都感到驚訝。其實我三十八歲奉命出任駐薩爾瓦多大使，三十九歲啟程，行前做了很多的功課，包括拜會、聽取簡報，關於區域的、國際的、雙邊的關係都要了解。等我到了駐節地，等了兩三個月後，才與其他兩三國新任大使一起到薩國總統府呈遞國書。從那時開始，我就下定決心要好好學習西班牙文，以協助我工作的進展。當時有一所語言學院教授不同程度的西班牙文，我與內人每天早上八點都準時去上課，不管前一天是多晚睡，都不願遲到怠慢。薩爾瓦多與一般西語系國家一樣，宴會常搞到很晚，尤其是有樂隊出現的重型宴會常搞到清晨兩三點才結束。但我每天都是準時從八點開始，到九點半，接受一個半小時的西語課程。由於薩國當時還處於內戰，我的一位老師還遭到游擊隊擊斃，非常遺憾。

我的長女惠心及長子勝文都在此地學習西班牙文，惠心到美國也主修西班牙文，甚至回台後我也曾送她到西班牙中部的一所寄宿學校學習西語，這樣的語文訓練對她後來在美國攻讀學位很有助益。至於勝文後來沒繼續學西語，都給丟光了。但這次在APEC國際會議場合，難得讓我的西班牙文派上用場，這也是意料之外的收穫。

而這次在祕魯停留期間，最受中外媒體矚目的是我與胡錦濤總書記進行的雙邊會談。

在祕魯當地時間二十一日上午十時四十五分，我與內人及代表團成員薛琦、陳錫蕃、張昌邦等到胡總書記下榻的利馬海豚酒店十二樓拜會。跨越大半個地球，老友相會特別親切，我開口說：「胡先生今天您是領袖代表，我則是代表領袖」；胡先生則以「連主

我與胡錦濤總書記於祕魯進行的雙邊會談，妻子方瑀與胡夫人握手寒暄。

席」、「老朋友」相稱。以下是我的講話內容：

胡總書記、胡夫人、各位媒體朋友，我今天早上非常高興，也非常榮幸，在萬里之外，能夠和總書記及夫人見面，屈指數來，今年八月在北京奧運開幕式之後，也是第三次和總書記見面。

今天，在祕魯我們一起參加APEC，總書記代表領袖，我則以領袖的代表身分參加，萬里之外，可以說相逢自是有緣，誠如總書記談到兩岸的關係，在近期以來，已經開始邁開歷史的步伐，尤其是最近以來，很多具體的成就，我想這不但是有利的，把福祉帶給兩岸的百姓，拉近了兩岸和平發展這個總的方向。我想，世界上所有的朋友，也都樂見兩岸發展為世界和平與穩定帶來更好的基礎，相信這都是大家所樂見的。我今天看到胡總書記，也是我的老朋友，回顧到二〇〇五年胡先生以高瞻遠矚、宏觀思維，促成了兩方面六十年來頭一次的相逢聚會，獲得很好的結果。在我們的歷史上，一定會留下光榮的一頁，身為老友也好；身為我們中華民族的一分子也好，我在這裡，要表示對您的敬意與祝福。最近，陳雲林先生到台北，我覺得也是極富歷史重大意義，一方面，他的訪問可說是成全了辜汪二老當年他們的心願；另一方面，也有歷史發展的成效。今年六月我們在北京簽署兩項協議，開始兩岸飛行所謂包機的服務，及大陸觀光客訪問的協議。今年十一月我們又簽署四項協議，海運、空運、郵政和食品安全，這都是對兩岸人民，尤其是對台灣人民有重大的幫助，我們希望兩岸在這些基礎上，能逐步地推展到各方面，尤其在經濟領域的合作。

胡先生則說，連先生是我們的老朋友了，老朋友再次見面，感到格外高興。他接著說：「連先生為推動兩岸關係的和平發展，進行了不懈的努力，也做出了積極的貢獻，我們對此高度評價。海協會會長陳雲林率領代表團最近赴台和海基會共同簽署了兩岸空運、海運、郵政、食品安全等協議，為兩岸同胞謀得了實質的利益。」他認為海協會這次訪問的成功，標誌著兩岸關係的發展又掀開了新的一頁，也表明兩岸雙方加強交流合作是人心所向，大勢所趨。

他衷心盼望兩岸雙方抓住這難得的歷史機遇，進一步為兩岸同胞做好事，做實事，為兩岸同胞謀福祉，為台海地區謀和平。

大陸作陪的有令計劃、國台辦主任王毅等人[4]。

當我們兩人公開致詞時，按雙方事先的默契，對兩岸媒體開放，至於國際媒體記者都在大廳等候。但會後，所有國際主流媒體關注的焦點都圍繞在兩岸互動與「連胡會」。媒體觀察說，在APEC非正式領袖的會議期間，關注兩岸的政治互動超過經濟議題，這是前所未有的現象。

在媒體離場後，我與胡先生閉門會談要點，紀錄如下：

一、謹代馬總統向胡總書記問好。

二、今（九十七）年十一月四日，兩岸已簽署四項協議，意義重大。現在全球經濟環境險惡，兩岸尤應發揮最大善意，做出最大努力，相互合作以共度難關。

三、未來一段時間，希望開始協商一系列經貿相關議題，以擴大兩岸互惠互利的經貿交流，這些議題包括：金融合作、經貿合作、產業合作、漁業合作與文教交流等。但同時也要建立兩岸交流的新秩序，讓其排除可能衍生的問題及紛擾，讓民眾能切實享受到實際效益。這或可稱為「遍地開花」。

四、這其中特別要提金融合作與醫療衛生合作。金融危機乃當前全球所面臨的共同挑戰，而醫療衛生牽涉到人民的生命與健康；兩者皆為超越國界，不分種族、宗教、性別的人類安全議題。

五、另外，台灣人民很關心國際空間問題。這問題已困擾兩岸很久；不止十年、二十年，而是將近六十年之久。希望我們把握歷史的契機。是否以「雙邊關係維持現狀，多邊關係個案處理」做為雙方處理這個問題的原則？

六、對於WHA的議題，早在二〇〇五年「連胡會」時就已提及。當時雙方也以最大的善意與努力，達成共識，應盡速推動。不僅可以增進兩岸人民的健康福祉，也可強化對於全球衛生安全的貢獻。

七、在兩岸關係和平發展方面，極為肯定胡先生所做之貢獻。

我要特別記述有關討論中華台北參與WHA的議題，在二〇〇五年首次連胡會時觸及此議題時，當時我反映台灣若再次發生SARS，大陸也無法高枕無憂，因為兩岸的經貿社會交流太密切了，但WHA做了什麼事，台灣都不知道，這是很危險的事。當時胡總書記就立即表示會訓令其衛生部長與WHA祕書處簽署備忘錄，以後台灣個人及醫療團體可以自由參與WHO國際雙邊及多邊的會議，不必經過北京，只要照會即可；但要參加WHO，則需要經過談判。這段協商過程，和平之旅後曾經照會當時的政府，可惜未受理睬。直到二〇〇八年國民黨重新執政，兩岸重新良性互動，隔年二〇〇九年五月，中華台北終於首度受邀參加在瑞士日內瓦舉行的WHA，算是我國參與國際組織的一個突破。

返國後，我們代表團於十一月二十八日於總統府會見總統偕副總統，同時也舉行記者會，由我代表說明此行與會經過與成果。

總統肯定本人代表他及國家出席本屆APEC會議，並順利圓滿達成任務，使台灣在亞太地區的地位大幅提升，也提升台灣在國際場合的能見度，也讓國際社會正視台灣在東亞地區是一股不可忽視的力量，國人咸感振奮。我則表示，代表團今晨返抵國門，就蒙總統接見，深感榮幸。代表團此行可謂「不辱使命」。

我也提到對於當前世界金融危機，大家都公開宣示二十一會員體絕不採取有礙自由貿易的做法，甚至有決心在十八個月內解決金融危機。

對於此行的雙邊會，我向總統報告，會談大致就雙方關心的經濟、財政、經貿、科技與明年會議的議題進行討論，我也將會議資料分別整理送請各相關單位參考。此外與大陸胡錦濤總書記的會談，進行約四十多分鐘，國際媒體也有廣泛報導。

我報告此行與美國總統布希以及印尼總統、泰國總理以及祕魯總統共同主持企業家論壇，商討如何因應金融危機，我特別在會議中說明，台灣這次雖然與大家一樣，在金融風暴中受到不同程度的影響，但台灣相對還是比較好，仍有力量參與今後的雙邊或多邊合作，台灣很樂意配合。

我特別向總統報告，兩岸關係也是企業家關心的議題，包括美國總統

與美國總統小布希、印尼總統尤多約諾（Susilo Bambang Yudhoyono）等代表合影。

布希在內的領袖都認為，世界的主流意見就是希望不要單方面改變現狀，只要在此前提下，他們樂見兩岸能走向穩定、和平、合作的道路。而我在會中也表示，國民黨在今年五月重新執政後，政府即本於和平、開放、鬆綁的立場改善兩岸關係，簽訂了交通、觀光、食品、郵政等協議，在場人士對此都非常肯定。我說除了正式的雙邊會談外，我也把握機會與大多數的領袖進行相當長時間的交談。他們都很樂見兩岸情勢嶄新局面與契機。

總統也回應表示，我此行在外交與國際宣傳都有非凡的意義，可以說是「帶著大家的希望去，帶著國家的榮譽回來」，他也要肯定、慰勉相關部會首長與同仁的努力與辛勞。

在公開的記者會上，我表示，非常榮幸能代表馬總統出席第十六屆亞太經濟合作非正式經濟領袖會議，此次各國與會領袖先後舉行兩次的領袖會議，我並與大陸胡錦濤主席及其他國家領袖舉行雙邊會談，就相關議題交換意見。APEC各國領袖在會後發表公開宣言，呼籲各國關切世界金融問題、自由貿易與環境永續發展。

我進一步表示，近來世界局勢的發展與各國相繼發生的金融危機令人憂心不已，會議中即使各國領袖對於相關議題的支持度或有差別，但在議題發展方向已有一致共識，可以說達成了難得的會議成果。

我接著指出，明年的亞太經合會即將邁入第二十年，與會國家的經貿總額已超過世界貿易總額之半，可見其重要性與影響力。我特別感謝本屆主辦國祕魯與其他經濟體的熱誠歡迎與招待，並對所有隨行團員與工作同仁的辛勞及付出表達誠摯謝忱[5]。

在記者會上，媒體也關注「連胡會」是首次在國際場合，討論台灣的國際空間問題。我答覆說，與胡總書記雖是老朋友，但「老朋友見面也有新話題」，在我主動提出台灣準備明年叩關WHA之後胡總書記也主動提出「兩岸應協商參與國際事務的問題」。對於明年五月的WHA大會，我答覆「希望在一定時間內有一定的進展」。我這樣的回答，也是有一定的依據，的確隔年就有了具體進展。

二〇〇九年新加坡會議

繼祕魯之後，馬總統繼續指派本人代表他及國家出席APEC非正式領袖會議，總統府於民國九十八年十一月二日對外發布新聞。總統府高層官員並對媒體透露，政府將「聯合國氣候變化綱要公約」（以下簡稱UNFCCC）與ICAO列為優先推動參與的國際組織目標。同時預告氣候變遷已成全球議題，繼南韓成立APEC氣象中心後，我國也擬爭取設立類似中心，將台灣向來擅長的颱風研究，與會員體分享[6]。而媒體在第一時間也關注本人與中共總書記胡錦濤將再度雙邊會談，可能觸及明年兩岸要簽署的ECFA議題[7]。

外交部長楊進添特別在十一月四日下午於外交部五樓的東廳舉行了行前茶會，全體的成員代表，包括財政部李述德部長、經濟部施顏祥部長以及將隨行的企業界領袖、顧問都出席。

我在會中表示，APEC目前是我國所參與最重要的政府間國際組織之一，我國朝野及全國民眾對台灣參與APEC也抱著極高期望，本人今年再度代表總統出席APEC領袖會議，深感意義深遠且責任重大。

對於APEC各會員體或對全球來說，今年是極具挑戰性的一年。在全球金融風暴引發少見的嚴重經濟衰退之下，亞太地區同時還面對頻傳的天災與新型流感的威脅，氣候變遷及能源效能等問題也都亟需亞太各國積極合作因應；本人本次參與APEC領袖會議也企盼與各會員體領袖就區域內各項重大議題廣泛交換意見，為維繫亞太地區的共榮願景齊盡心力。

十一月五日馬總統於總統府接見代表團，他表示，因為兩岸關係改善，我國的國際空間也變大，今年除了參與WHA外，未來也希望能夠有機會參與ICAO與UNFCCC。他強調，擴大國際參與是政府不變的政策，會透過各種管道去加強。

他也期勉本人此行「維繫政府去年以來的氣勢與格局」，為中華民國爭取更大空間。他說去年本人同樣代表中華民國出席APEC領袖會議，與各國領袖及大陸領導人充分良好互動，交換意見，圓滿達成任務感到欣慰。並期勉代表團要努力為台灣發聲，並締造出比去年更好的成果。

總統也提到，近二十年來，亞太區域貿易量從三成七激增到五成七。過去八年，亞洲國家從只簽訂三個自由貿易協定，快速成長到五十六個。

總統也坦言，今年印度就跟韓國、東協簽署自由貿易協定，顯示亞洲區域整合是非常快速進行，「中華民國恐怕不能落後，也不能不快速跟進。」

本人則強調，將以「臨淵履薄」的心情，為國家貢獻。我提到，除了金融風暴，還有地震、颱風、能源效能、糧食短缺等都是亞太面臨的重要課題，過去幾年台灣在天然防治上也有贊助研究，此行也會代表台灣提出意見[89]。

代表團於十一月十二日出發，立法院長王金平及外交部長楊進添特別到機場送行。登機前，我對媒體發表談話，我強調，我國在一九九一年加入APEC後，即積極參與APEC各項合作計畫，為亞太區域的繁榮及和平做出正面貢獻。今年適逢APEC成立二十週年，無論在既有的貿易投資自由化、便捷化、經濟技術合作等議題，或是因應金融海嘯、氣候變遷、永續發展等新課題，APEC做為一個區域經貿合作架構，必須在此轉捩點適切地做出回應；APEC領袖的回應不僅將影響下一個APEC的二十年，也將牽動亞太區域內經貿情勢轉變的動向，所以，本屆領袖會議可說具有「思考現在，展望未來」的重大意義。而我國當然也應該在此一重要時刻，掌握當前國際與亞太區域的政經發展，在APEC場域創造新的利基。

我說，本人本次參與APEC領袖會議，企盼與各會員體領袖就區域內各項重大議題廣泛交換意見，為維繫亞太地區的共榮願景齊盡心力。行前本人已經聽取相關部會簡報，感謝大家的努力與準備，本人唯有全力以赴以不負眾望。

經過四個多小時的飛行，代表團抵達新加坡樟宜國際機場，我過去在交通部長、外交部長（陪同李登輝總統訪星）、行政院長、副總統及中國國民黨榮譽主席（應新加坡華人商會慶祝同盟會成立百年慶發表專題演講、參訪孫中山紀念館—晚晴園）任內五次訪問星國，在台灣更有無數接待星國政要的紀錄，因此從李光耀資政、吳作棟資政及李顯龍總理，我們都是熟識的老朋友，因此對於再次來到這個熟悉的國度，可與眾多老朋友見面，我的內心是充滿喜悅的。尤其是我特別感念李光耀資政在二〇〇〇年五月中旬，我卸任副總統前夕，邀我到新加坡訪問，並對我和內人做了許多鼓勵，這是他做為亞洲卓越政治家的體貼之心，也是對我的雪中送炭之情。

抵達機場時，已有眾多媒體等著採訪。我說，本人今年代表馬總統來到新加坡，出席明後兩天舉行的APEC領袖會議，屆時將與各會員體領袖就亞太局勢交換意見，共商發展良策。

新加坡將今年APEC主題訂為「永續成長、連結區域」，面對全球金融危機的衝擊，從邊境、境內及跨境三方面持續、有系統地推動亞太區域經濟整合，本人深表贊同，今年領袖會議重要議題包括：因應金融危機後的經濟復甦做好準備、支持多邊貿易體系、加速區域經濟整合、人類安全、APEC改革等，上述議題均能切合亞太地區當前的適時需要，我將向星國總理李顯龍先生對推動該等APEC重要議題發展上所做的努力表示支持。在國際局勢變動如此快速的今日，我相信所有的領袖都一樣，深感國家及人民交付的責任重大，也期待APEC在區域各重大發展議題上，應扮演積極領航者的角色。

中華台北在一九九一年加入APEC後，即積極參與APEC各項合作計畫，為亞太區域的繁榮及和平做出正面貢獻。我方支持APEC對世界面臨的重大議題，如金融危機及永續發展等，做出立即有效的政策回應，也支持APEC在既有基礎上繼續深化及廣化各項合作議題之交流，包括在WTO杜哈回合談判議程、促進亞太區域整合與氣候變遷等。

為協助APEC持續發展上述議題，中華台北在今年內主要之工作成果包括有：推展縮短會員體間數位落差的ADOC2.0計畫、促進中小企業因應金融危機應變能力、具體回應APEC緊急應變能力建構的需求等。另由於能源安全及永續發展已刻不容緩，亟需亞太各國積極合作因應，我將在會中建議加強對能源效能及再生能源之探討，促進相關綠色產業的發展；並願藉此機會，對於我今年遭受莫拉克風災後，各會員體表示的關心與具體的物資及救援行動表達謝意。

二〇〇九年是APEC成立二十週年紀念，相信本屆領袖會議的決議對APEC未來發展將具重要意義。本人本次參與APEC領袖會議也企盼與各會員體領袖就區域內各項重大議題廣泛交換意見，為維繫亞太地區的共榮願景齊盡心力。

在新加坡嚴肅的開會期間外，舉辦國新加坡於十四日晚間舉行了輕鬆溫馨的「新加坡之夜」。他們別具巧思的邀請我們領袖代表夫妻分別搭乘有特色的人力車前往，以人力車代替轎車，也是彰顯節能減碳的用意。我留意到國內傳來的簡報，在十五日《聯合報》A2版用了一張法新社所拍內人與我分別搭乘人力車赴晚宴的照片。圖說是：「出席APEC的國民黨榮譽主席與夫人連方瑀，十四日晚在新加坡搭乘節能減碳的人力車穿過街頭。連戰穿新加坡當地華人特色服裝，連方瑀則穿一襲無袖改良旗袍。」

特別值得一提的是，美國總統歐巴馬因為國內發生恐攻事件，為參加追悼儀式，因而延誤行程，直到晚宴即將開始時才抵達。當時所有與會人士都已入座了。但他進入會場後，還是很有禮貌的與各國領袖及領袖代表、夫人們逐一握手。晚宴的席次是安排成一個大圓圈，所有會員體都是平等的。當握到我時，大約是第十七、八位，他停下來對我說「I Knowe you」，我說「是的，我們都有芝加哥大學背景」，他問我：「你何時在哪？」我說：「在芝大時與你舅舅佩恩就住在同一宿舍，長達五年時間成為很好的朋友，除了暑假宿舍關閉必須另找國際學舍的地方住外，其他就學時期都在一起，很熟，很熟。」

歐巴馬的媽媽就是佩恩的姊姊，因此佩恩是歐巴馬的親舅舅。除了其母親外，佩恩是歐巴馬家族中與白人血統的唯一聯繫。歐巴馬的母親嫁給肯亞留學生，其母親是從夏威夷過去的，因此歐巴馬是從小在夏威夷長大。

我前駐美代表袁健生有次返國述職來看我，我特別和他提起與佩恩的淵源，有機會可以連繫。後來我駐芝加哥辦事處的處長逢年過節都會過去拜年，看看歐巴馬的舅舅。當歐巴馬當選入住白宮，第一個聖誕節就邀全體家族成員團聚。佩恩就在此場合跟歐巴馬提起「我有位同學叫連戰，在台灣做過行政院長、副總統等職務，你往後很可能會在國際場合見到面。」歐巴馬說「還不知道舅舅在台灣有那麼具影響力的朋友」。

我與美國總統歐巴馬暢談芝大往事。

歐巴馬與我握手寒暄，愈聊愈熟狀，竟然親熱地以右手搭到我肩上，我也以左手握其右手臂，這樣的親切肢體語言，長達將近五分鐘，也引起與會其他會員體領袖注意到，他們或許納悶認為怪了，「何以中華台北的領袖代表與歐巴馬怎麼這麼熟？竟然迫不及待握完手站著聊那麼久！」

其實還有一個背景是，我啟程去新加坡前，袁健生代表曾經先去拜會美國國家安全顧問瓊斯（James Logan Jones Jr.），袁提到我是芝加哥大學現任董事，雖然在新加坡停留期間未安排一對一的碰面，但若有機會見到面，可以交換意見。

中外記者會上，連胡會與 ECFA 最受關注。

很難得的是，我與歐巴馬這樣的互動，中共方面並未抗議。否則若兩岸關係未改善，沒有互信，這樣的互動在過去還得了。甚至當天晚宴在場的攝影記者只有主辦方、大陸方與俄國。歐巴馬當天與我搭肩聊天的照片流出來後，隔天的國際記者會，中外媒體有興趣的都是問我與歐巴馬互動的情形，這也是這次我出席APEC會議的插曲。

我憶起首次與歐巴馬於APEC會議

碰上面，這也是很有緣分的事。除了我與佩恩是同學外，歐巴馬在芝加哥法學院也擔任過講師七年之久，因此對芝大的一草一木，他除了有記憶也很有感情。我讀書時所住的宿舍（B-J Court），隔壁就是法學院。我對歐巴馬說，你的芝大同學或是老師也好，對你的表現，都感到驕傲。

曾經在參加芝加哥大學董事會時，芝大社會科學院院長馬克・漢生（John Mark Hansen）先生，他就提起要注意當選伊利諾州參議員的歐巴馬，極可能會當選美國總統。當時我聽到就想：「一個有色人種背景，可能當選美國總統嗎？」沒料到，兩年後歐巴馬真成氣候，在黨內初選就扶搖直上，最後聲望如日中天。

在聊天時，歐巴馬提到在芝大教書時，夫人蜜雪兒在醫學院服務，妻子方瑀說「這是有口皆碑」，歐巴馬高興得不得了，接口說：「有機會見面，以後可以多談談。」

做為主辦方，李顯龍總理夫婦對我很尊重，在其忙碌的行程中，特別邀我及內人到其行館吃點心。記得我們之間談到了台星經貿夥伴協議的問題，他應允兩國可以自行研究，再進入共同研究，最後即可商簽。另外，李總理也提到新加坡一艘載運星光演習吉普車的船隻，在香港遭扣押一事，他表示會與大陸方面積極交涉，並不會影響到現有的星光軍事訓練合作計畫；在最後一天，他又邀我到會場的貴賓室辦了場茶會，顯示對我代表團的熱情歡迎。

在晚宴的場合也是與其他會員體領袖晤談的很好時機，記得在晚宴前我恰巧與日本首相鳩山由紀夫及南韓總統李明博站在一起，難得聊聊天。內人方瑀與

主辦方李顯龍總理夫婦與我及內人。

鳩山由紀夫首相夫人聊了很久，TVBS特派記者林宏宜特別別報導：「她們兩位像是舊識一樣，笑得開心，日相夫人和連方瑀，成了整個會場最亮麗的焦點。」

與鄰座的俄羅斯總統梅德維傑夫握手致意。

午宴時，我則獲安排與俄羅斯總統梅德維傑夫（Dmitry Medvedev）、泰國總理艾比希（Mark Aphisit）鄰座，也難得交換了一些意見。林宏宜記者在同一則的報導結尾稱：「連戰憑著優異的外語能力，今天晚上APEC這個場合，和各國領袖有相當多的互動，也讓台灣難得見到，可以跟世界各國領袖平起平坐。」

在兩天的緊湊會議，我也整理記述了討論情形如下：

整體而言，各會員體多肯定本年相關議題之發展；且同意追求經濟成長同時，亦應意識到平衡發展及包容性成長的重要性，協助中小企業及經濟弱勢團體。另支持APEC未來應發展綠色經濟、改善能源效率，以減緩氣候變遷的威脅。

值得注意者為，美國歐巴馬總統明確表示將就跨太平洋夥伴全面進步協定（本書以下簡稱TPP）之談判採取行動。此係美國參與TPP案停滯一年來，首度做出明確宣示。新加坡、智利及紐西蘭領袖均於會中對此發展表示歡迎。

會中本人發言要點如下：

就推動達成「茂物目標」（Bogor Goals），已開發經濟體應分享經驗、提供建議，並進行能力建構合作。

為彰顯APEC係推動貿易之重要機制，各經濟體應聆聽企業界對亞洲太平洋自由貿易區（以下簡稱FTAAP）之建議，並採相同立場；此亦將帶動亞太地區經濟合作之歷史新頁。

公私部門需就管制革新緊密合作，以界定妨礙跨境貿易與投資之貿易障礙。APEC推動之經商便利度（EoDB）之相關工作亦為正確方向。

現階段APEC會員體宜共同協調刺激景氣政策之退場機制，以避免負面衝擊。

APEC應該在即將於哥本哈根舉辦之氣候變遷會議中，扮演積極角色，例如成立APEC小組（APEC Caucus）以支持UNFCCC。

會中討論時，智利總統巴舍萊（Michelle Bachelet）發言時曾主動呼應本人有關社會復原力（social resilience）發言，並對台灣中小企業之發展應予高度重視。

會議期間本人與日本、馬來西亞及墨西哥元首同組進行與APEC企業諮詢委員會（以下簡稱ABAC）對話。與會之企業界代表均關切兩岸簽署ECFA，並盼了解我中小企業發展之經驗。本人曾就ECFA之進展進行說明。

按慣例，會議閉幕也發表領袖宣言。

本次領袖會議除援例發布領袖宣言（AELM Declaration），另以「亞太地區於二十一世紀之新成長典範」（A New Growth Paradigm for a Connected

新加坡總理李顯龍及台灣與會企業代表王雪紅、苗豐強、蔡宏圖等人合影。

我與墨西哥總統卡德隆（Felipe Calderon）、馬來西亞總理納吉（Najib Razak）同組進行對話。

與中共總書記胡錦濤夫婦再度會面。

Asia-Pacific in the 21st Century）為題發表獨立聲明（Standalone Statement），總結本年APEC所討論之工作方向。其內容強調後危機時代之全球經濟情勢將有所不同，區域間需要一新的成長典範，亦需一新經濟整合模式；將尋求平衡、包容，以及永續之成長。

在新加坡停留期間，在緊湊行程中，亦安排了多場雙邊互動，分別與中共總書記胡錦濤、新加坡總理李顯龍、菲律賓總統艾若育（Gloria Macapagal Arroyo）及巴紐總理索馬利（Michael Somare）安排雙邊會談。亦利用各場合與其他會員體領袖晤談及友善寒暄，包括美國、日本、澳洲、菲律賓、紐西蘭、加拿大、韓國、印尼、泰國、越南、香港、新加坡等。原擬與馬來西亞安排雙邊會談，嗣因雙方行程緊湊，而無法排入，惟亦在多個場合，包括與ＡＢＡＣ對話時，與納吉首相（Najib Razak）親切互動。

這次與會我的觀察、感想及建議事項如下：

在國際文宣部分，會議期間共出席三場記者會，與胡錦濤會面時，亦安排媒體採訪開場部分。首場抵星記者會特安排於國際媒體中心舉行，國內外媒體約百餘人出席。另連胡會及兩岸關係之發展，亦數度獲本地媒體報導。

內人全程出席官方安排之配偶行程，並與各會員體領袖配偶熱絡互動，亦為本人此行之重要助力。

本次與會期間再度與中共總書記胡錦濤進行雙邊會談，引起各方高度注意，媒體亦競相報導，此有助增進各會員體對兩岸關係正面進展之了解，對我國際地位之提升亦有助益。

本年澳大利亞總理陸克文（Kevin Rudd）積極推動「亞太共同體」概念，日本鳩山首相亦倡議「東亞共同體」，如何強化我在區域間之地位，實值深思。鑑於APEC為我參與之重要區域機制，我允宜以策略性思維，積極推動在APEC之相關工作。

我與胡總書記的會談，是於十一月十四日上午十點於瑞吉飯店舉行，晤談時間約一小時。

與胡總書記再次於海外碰面，我們彼此都很高興。我首先向胡總書記轉達國民黨主席馬英九對他的問候，胡總書記也請我轉達對馬英九主席的問候。胡先生也祝賀我在國民黨十八全大會繼續擔任國民黨榮譽主席。其次也提到，當前兩岸發展面臨歷史機運，希望國共兩黨和兩岸雙方加強交流對話，增進互信，增強良性互動，多做實事，積極推動兩岸關係新進展。他說要繼續按照先易後難，先經後政的步驟推進兩岸關係，爭取年內啟動ＥＣＦＡ進程，同時雙方也要為今後共同破解政治難題積極創造條件。[10]

本人則指出，去年以來兩岸關係和平發展在穩定中持續向前邁進，取得令人欣喜的成就。兩岸經濟合作不斷擴大和深化，希望下一步加速協商兩岸經濟合作架構協議進程。

我說，兩岸之間的互信非常難得，值得珍惜，雙方應在九二共識基礎上，持續累積與強化互信，同時堅定兩岸和平發展方向，共同書寫中華民族歷史的新頁。我說，二〇〇八年以來，兩岸共簽訂了九項協議，一次共同聲明，歡迎陸資來台。同時我也感謝大陸各省對台重大的採購，我們覺得時機關鍵，層面廣泛，誠意令人感動。對於台灣企業的幫助及整體經濟的提振，發揮了相當效果。

我也特別感謝大陸同胞，對台灣八月八日遭受莫拉克巨大風災後的援助與捐獻。

我認為，兩岸宜順應歷史趨勢、民意、掌握契機、加緊合作、互助達雙贏，以成就我們歷史責任。

胡總書記也期盼我能為兩岸增進互信，良性互動及兩岸和平發展，發揮影響力，做出新貢獻。他也提出「要為破解政治難題，積極創造條件」，這句話受到國內媒體注意，我在記者會上被問起時答覆「這是對岸釋出政治對話的訊息」，但兩岸要等到條件成熟後，再來推政治對話，阻力會較小。

至於政治對話的時機，我對記者表示，「先經後政，先易後難」是基本常理，但經濟脫離不了政治問題。稍後我在答覆外籍媒體媒體提問時，我就說：「不知道兩岸經濟合作架構協議，『海峽兩岸經濟合作架構協議』（ECFA）要算經濟或政治議題呢？」我指出兩岸的大方向上是「First Things First」（為所當為），這是正確的努力方向[11]。事實上，胡總書記也同意我這個為所當為的觀點。

在會中我特別向胡總書記明確提出明年希望能盡速達成ECFA的共識，這也是國內外媒體都關注的議題。不過我留意到，我們稱「架構協議」，他們則稱「框架協議」，雖然一字之差，但講的是同一件事。經濟部長施顏祥說，如果一切順利的話，經濟合作架構協議將在十二月江丙坤與陳雲林第四次會晤後進入兩會階段，因此最快在隔年一月可以進入正式諮商[12]。

我在國際記者會上特別強調，經濟合作架構協議，對台灣而言非常重要，是「中華台北經濟體」跟「大陸經濟體」交換意見時的主要議題，我們希望能在明年達成協議。

我指出，海峽兩岸經貿關係非常密切，已經達到一百三十二億美元，其中台灣對大陸出口為九十九億美元，進口三十三億美元。因此對台灣而言，大陸市場十分重要，使得兩岸經濟合作架構協議，更有其必要性。

我進一步說，二〇一〇年「東協加一」即將實現，接著「東協加二」、「東協加三」都將陸續實現，因此兩岸經濟合作架構協議更顯急迫，因為可以幫助台灣避免遭邊緣化。

對於協議進展，我不認為有任何無法克服的困難，「事實上，經濟合作架構協議不但對兩岸的經濟合作有強化的作用，也有助於雙方與其他經濟體的自由貿易發展[13]。」

我也提到，連胡五項願景「絕非無意間安排」，從兩岸簽署和平協議、終止敵對狀態、推動安全信心建立機制，還有台灣參與國際空間議題，包括兩黨推動經貿文化、和平兩項論壇。

我也說明，胡總書記在會中也主動提出「應繼續推動國共論壇」，加強對話與鞏固互信，我也表示支持[14]。我也正面回應，希望能持續推動兩岸共同發起的「國共論壇」，加強對話，增加良性互動，鞏固雙方的互信。我也提到兩岸的文化、教育合作方面，也可以多所進展。

在媒體記者退席後，我與胡總書記還交換了一些對兩岸關係的看法：我的意見歸納如下：

一、非常感謝總書記所提的幾點面向和重大問題，我完全有同感。

二、〇五年以來，兩岸已達到九二項的共同決議和建議，涵蓋了雙方各層面。

三、希望總書記將來只要時間容許，能夠和國民黨重要的領導層次及黨對黨的論壇來多交換意見，面對局勢，爭取未來目標，這是民族大事，也是中國同胞的大事。

四、當前最重要問題之一ECFA，我非常高興聽到總書記提到，也希望今年年底前可展開正式的談判，我們希望能夠在來年適當時間，當然是愈早愈好，順利完成此事。

五、這不單是國民黨對台灣老百姓的承諾，同時對台灣經濟發展、兩岸經貿更制度化，都亟有助益，更坦誠來說，可避免所謂「邊緣化」的問題。

六、所以，總書記這種善意決定，我要藉此機會表達的，不但是欣慰，更是非常感謝。

胡先生的意見則包括：

一、連主席是我老朋友，幾乎每年都見面，今年七月來京，碰巧我不在，心裡掛念，好在這次在星國見面，可以說「補」上了。

二、肯定連主席在兩岸關係發展上的鮮明態度。

三、繼續推動國共兩黨加強交流對話，良性互動。

四、國民黨十八全後，我們兩黨確認「共同推動兩岸關係，和平發展」共識，是向外界發出了明確、積極的訊號。

五、國民黨將兩黨達成的「兩岸發展共同願景」繼續列入政綱，馬英九主席還強調，今後國民黨在促進兩岸文化、教育，可扮演積極角色，我們對此給予充分肯定。

六、強調國共建立的各種交流渠道，應保持下去，並進一步強化。具體來說有三方面：

（一）保持兩黨領導層的接觸，對話的方式、形式，雙方可進一步研究。

（二）繼續保持我和連主席共創的兩岸經貿文化論壇，做為兩岸交流對話的主要平台。

（三）繼續開展兩黨基層黨務交流。

七、當然，我們也不排除為了適應兩岸關係發展的需要，還可考慮建立新的交流渠道。

八、鞏固和增進兩岸雙方的政治互信、保持兩岸關係發展的正確方向。

九、我們希望國民黨更加珍惜和重視雙方建立的政治互信、慎重處理彼此存在的分歧，特別慎重處理兩岸關係的一些複雜敏感問題。

十、台灣很關心商簽ＥＣＦＡ，我聽到連主席對傳媒的講話也提到此，據我了解雙方準備工作正加緊進行，我們希望加速年內能夠啟動協商進程。

十一、我贊同連主席說的，就是「當做立做」（first thing first，台灣譯為「為所當為」）。

十二、我相信連主席一定能繼續為我們兩黨增進互信，加強良性互動，促進兩岸關係和平發展，發揮積極影響，做出新貢獻。

離星記者會致詞

在離開新加坡前，十五日我也再度與媒體界見面。本人首先向新加坡李顯龍總理所領導的政府團隊與新加坡人民致上最崇高的敬意。感謝星方本次在議程規劃上的用心以及在各項活動安排上的細膩與專業。

其次，本人很榮幸透過參與本屆APEC領袖會議，與各會員體領袖就當前重大議題及未來趨勢交換意見，為亞太的繁榮發展共謀願景及擘劃藍圖。

再者，我與胡總書記晤面對兩岸簽訂經濟合作架構協議達成共識，相信很快就會啟動商談，並得到圓滿結果，讓兩岸合作雙贏。

我們可以說，今年APEC會議取得了歷史性的豐碩成果，這些可以從會議討論的重點及結論體現，包括有：

一、積極有效回應全球金融危機並為經濟復甦做準備

領袖們一致同意，面對上年以來全球金融危機之經驗，APEC做為亞太區域間最重要的經濟論壇，將積極參與新經濟秩序的成形，持續拓展區域貿易自由化與便捷化。並同意積極協助區域內企業度過難關。

二、促進區域經濟整合發展

我們承諾持續促進APEC的區域經濟整合目標，繼續推動商品、服務及資本等項目之自由化及開放市場、持續FTAAP的準備工作、促成高品質的FTA及區域貿易協定（RTA）等。中華台北樂意持續與各會員體就此項目攜手合作，以早日實現此一目標。

三、永續成長

全球面臨最大的挑戰之一是來自於人為因素造成的氣候變遷，APEC領袖均同意應確保經濟成長係以永續發展為基礎，未來APEC永續發展的議題將著重於加強推展環境商品與服務以及能源效能。

四、加強災難應變與回應協調工作

近來區域間的天然災害頻仍，包括颱風、地震等接連發生，實有必要加強區域減災與災防管理能力。我們歡迎會員體提出有效的減災與緊急應變策略，及建立協助提升區域災難反應之協調機制。

在致詞的最後，我們承諾於未來加強與APEC各會員體在上述領域的合作，並願繼續做出實質具體貢獻，以期讓APEC擁有一個更安全、更穩定的貿易環境。

二〇一〇年日本會議

第十八屆APEC領袖會議於二〇一〇年十一月十三日至十四日在日本橫濱舉行，這是本人第三度代表總統出席APEC經濟領袖會議，這次會議中敲定我方與菲律賓共同成立颱風及社會研究中心，總部設在台北，這是因應國際氣候變遷，提供預警防災我方所能貢獻的智慧與研究。而二〇〇九年兩岸簽署完成ECFA，對兩岸的經濟交流合作起了正面效應，我也再次與中共胡錦濤總書記於此國際場合，對兩岸事務交換了意見，而大陸國台辦主任王毅也再次作陪。

日本對我而言，從我出生取名字開始，就有了關聯。我所以被取名戰，就是祖父當年認為中日必有一戰，加上我們連家五房七代在台南首府的家產（現為台南地方法院），在日據時期也被清算占據，那年曾祖父也過世，先祖父母及先父都被迫離台到大陸發展。日本統治台灣，對我們家族的感受是家破人亡，並不為過。因此有人會理所當然認為我是「反日派」。但是台灣光復迄今已經超過七十餘載，歲月光陰也已沖刷兩國過去戰爭仇恨歷史。加上自己擔任公職之後先後多次訪問日本，在黨職、公職任內，包括青工會主任、交通部長、國民黨主席任內都曾率團訪問日本，例如在青工會期間，由於中日斷交後，為修補兩國關係，因此兩國的執政黨優先推動台灣與日本青年菁英交流，召開中日青年友好會議。當時副團長是施啟揚先生，日本通梁肅戎立委則擔任訪問團顧問。那次的訪問就與後來擔任首相的安倍晉三及副首相的麻生太郎有過交往。後來我在交通部長任內，也曾受邀參訪北海道的海底隧道（函館到青森）工程，印象極為深刻。日本的交通大臣也安排在國會與我見面，十分正式。尤其在外交部、台灣省政府、行政院及副總統任內，與日本政府官員、參眾議員、學者、新聞界等的互動，更是無數。因此在工作的歷練上，我也理解國家的對外政策需要，所以還不如說我是個「知日派」較為恰當，但是我不知道日本的政界、學界是否有先入為主觀念認為我較不親日。

這次能以總統特使身分出席在横濱舉行的APEC領袖會議，在兩國關係外交史上也有具體的進展，不為外界所知。那就是日本首相菅直人在會議期間與我代表團有正式的雙邊會談，這是過去二十屆APEC會議從未有過的安排。

我駐日代表馮寄台在我出發前，就敲定我與菅直人首相的晤面，十分不容易。但是日方當時開出的條件，必須保密不對外。馮寄台告訴我，馬政府上台後推動的外交休兵政策，讓他在日本的外交工作，順手很多。我在其他國家參與APEC會議時，駐外人員也都有這樣的反應。可見國民黨推動與大陸當局的和解政策，對開展台灣的國際空間是有利的。

行前馬英九總統與蕭萬長副總統於十一月八日上午在總統府會見代表團一行，總統說對我第三次率團出席，代表國人表達感謝與支持。

總統表示，本屆APEC會議在日本橫濱舉行，主題為「變革行動」（Change and Action），將對前幾年所提「茂物目標」，亦即貿易與投資自由化，進行第一階段檢驗；此外適逢我方甫與中國大陸簽訂ECFA，亞太地區許多國家對台灣未來經濟發展深感興趣，配合APEC貿易自由化的議題，在時機上極富意義。

總統指出，APEC亦高度關切氣候變遷與防救災等議題，對此，我方已有相當豐富的經驗可與各國分享，若能深加耕耘，將如我國以往倡議推動ADOC一般，對APEC做出貢獻。

我則回應指出，本屆會議是APEC回顧過去與展望未來的關鍵性會議，除「茂物宣言」的自由化進展檢視、區域經濟整合及安全議題如糧食、反恐等，同時主辦會員體日本並提出平衡成長、包容成長、永續成長、創新成長以及安全成長等五大面向，契合會員體需要。

我提到，兩岸簽署ＥＣＦＡ一事，在台灣最近幾季的經濟成長率已經充分顯示其先期效益；此外，我方一向積極參與ＡＰＥＣ相關活動，包括資訊、中小企業領域等，都將繼續所有貢獻。

我也指出，二〇〇六年美日等國提出ＦＴＡＡＰ的構想。

出發前，我在新聞局會見媒體。我提到，值此全球金融及經濟情勢尚未完全穩定之際，能與ＡＰＥＣ各會員體領袖齊聚一堂，共商亞太經濟發展局勢及解決問題的方案，格外覺得有意義。

本年日本年會的主題為「變革與行動」（Change and Action），主要議題為：區域經濟整合（Regional Economic Integration）、新成長策略（New Growth Strategy）、人類安全（Human Security）及「茂物目標」達成情形之評估。對於這些主題，本人將在會中積極參與討論，分享我國家發展相關策略，並傳達我方立場，以提升我國能見度，展現我參與國際社會之能量及實力。

我指出，本屆會議期間，本人將代表我國傳達五點訊息：

一、身為國際社會成員，我將繼續秉持友好合作的精神，積極推動及落實各項多邊合作，使APEC繼續做為亞太區域最重要的經貿合作論壇。

二、我國支持日本今年推動APEC長期廣泛的新成長策略，藉由分享我國發展相關策略，提出我國強項的相關建議，如協助中小企業發展及縮短區域內的數位落差。

三、我國一向積極推動貿易及投資自由化與便捷化，並且參與APEC推動亞太區域經濟整合進程，支持以FTAAP做為APEC長期發展的目標。

四、我國將持續藉由APEC平台，強化與區域內主要貿易夥伴經貿關係，共同追求一高度整合的亞太社群，進一步促進區域的成長與繁榮，為亞太的和平與穩定做出具體貢獻。

五、台灣是和平的締造者，願意共創兩岸與國際的三贏局面。

最後，我感謝全國人民和媒體對我參與APEC經濟領袖會議的關心與建言，本人將全力以赴完成使命，以不負總統及國人的期望。

十一月十一日在松山機場出發時，立法院曾永權副院長、總統府廖了以祕書長、國家安全會議胡為真祕書長等特來送行，我非常感謝。這次飛行能從松山直飛羽田，一方面節省時間，另一方面也是我國與日本航空合作的一個新起點。登機前我也特別和媒體發表講話，APEC目前是我國所參與最重要的政府間國際組織之一，本人今年再度代表總統出席APEC領袖會議，深感意義深遠且責任重大。

我國在民國八十年加入APEC後，就積極參與APEC各項合作，為亞太區域的繁榮及和平做出正面貢獻。今年適逢APEC對貿易自由化進展情形進行第一階段「茂物目標」檢視，展現APEC會員體邁向區域經濟整合之決心，也象徵APEC推動區域經濟整合進入新的里程碑，尤其會中將通過「橫濱願景」，加強在貿易投資自由化與便捷化、經濟技術、人類安全、糧食安全及永續發展等方面之合作，形塑亞太區域新成長策略，建構APEC成為更緊密整合且安全之社群。所以，本屆APEC領袖會議可說具有承先啟後的關鍵性意義。而我國值此重要時刻當然將積極參與並創造在APEC場域的新利基，也將繼續與各會員體共同促進區域的繁榮與穩定。

本人此次與會，除期盼與各會員體領袖，透過對話就國際與區域重大議題交換意見外，也將向國際傳達支持APEC扮演更重要區域角色的看法。本人將全力以赴，以不負眾望。

此次欣逢松山機場與羽田機場恢復直航，政府自從馬總統提出「活路外交」後，台日關係之進展有目共睹。

抵達日本於十一月十二日的晚宴上我特別指出，今天是國父孫中山先生一百四十七歲生日，國父推動革命時在橫濱前後八年之久，也在橫濱建立興中會，來到橫濱我心中充滿懷念與興奮。我說橫濱是一個緬懷過去、展望未來的都會，二〇一〇年APEC的主要議題是展望未來、回顧過去，也許是巧合，非常有意義。這次相信是APEC的重要里程碑，大會後會發表橫濱願景，是大家未來的目標。而我的妻子方瑀也在這天代表我參訪橫濱僑社的中華學院，與學院學生互動，學生大喊「連奶奶好」，方瑀也向校園中的國父銅像獻花、三鞠躬行禮[15]。

抵達橫濱後，在駐日代表處協助下，我也於十三日對中外記者發表談話：

本人今年很高興有機會來到日本橫濱，再度代表馬總統出席APEC經濟領袖會議，在後續兩天的會議時間將與各會員體領袖就亞太局勢交換意見，共商發展良策。

日本將今年APEC主題訂為「變革與行動」，是著眼於全球及亞太區域政經情勢重大變遷時刻，APEC各會員體面對後金融危機時期，應採行具體行動因應挑戰，共同努力促進復甦，建立長期的「成長策略」，以進一步推動亞太區域經濟整合，本人對此深表贊同。

今年領袖會議重要議題包括：進行「茂物目標」檢視、促進區域經濟整合、形塑亞太區域新成長策略、促進人類安全及持續推動「杜哈發展議程」。上述議題均能切合亞太地區當前的需要並為未來發展妥善規劃，本人將向日本菅直人首相表達支持推動該等APEC重要議題之意。

中華民國自一九九一年加入APEC以來，就積極參與APEC各項合作。本年也自願加入「茂物目標」檢視，展現積極參與貿易暨投資自由化與便捷化之決心，同時也支持APEC推動區域經濟整合，盼終能達成未來成立「亞太自由貿易區」之目標。一年來我國也推動多項具體倡議，除繼續推動「第二階段APEC數位機會中心計畫」（ADOC2.0）並擴增合作之會員體外，本年五月也在台北成立「APEC中小企業危機管理中心」、倡議成立「APEC颱風及社會研究中心」，以及建構促進綠色能源商品市場發展之能力。

今年APEC首度提出一項全面性、多年期且具前瞻性之成長策略，這項策略超越APEC以往以經貿投資自由化為主之關注重點，強調重視均衡，具包容性與創新性，以及永續、安全之成長。相信本屆領袖會議的決議對增進區域內人民的福祉，以及推動APEC未來的發展將具正面意義。本人此次參與APEC領袖會議將與各會員體領袖，就共同關切的全球與區域性議題積極研商，打造亞太共榮社群的願景，以為維繫亞太地區的共榮發展齊盡心力。

於橫濱的APEC領袖第一次閉門會議中我指出，近年來APEC所推動「境內」（Behind-the-border）措施的結構改革（structural reform）工作，已為亞太區域貿易暨投資自由化奠立良好的基礎，更是落實平衡性成長及包容性成長的關鍵要素。中華台北近年來積極推動結構改革，致力於改善投資經商環境，創造更能吸引投資及具競爭力的賦稅環境，已累積豐碩成果。

我也表示，今年五月在台北設立的「APEC中小企業危機管理中心」，有效協助APEC經濟體中小企業因應跨國金融風險與挑戰，並提升對經濟危機的應變能力，此外，ADOC 2.0（APEC Digital Opportunity Center 2.0）計畫，是我國推動協助婦女及弱勢團體縮短數位落差的多年期計畫，目前已有十個經濟體參與。我國亦樂於就該兩項計畫與各經濟體進一步合作並分享經驗。

本人當時發言內容還包括：

一、APEC成長策略因日本這一年來所做的努力已呈現完整架構，除呼應G-20「強勁、永續、平衡成長架構目標」的倡議外，更反映亞太區域特殊的政經環境及發展需求。在此後金融危機時期各經濟體應參考

APEC成長策略，重新尋找新的自我定位，妥善因應各項挑戰。

二、減緩氣候變遷之衝擊、確保低碳經濟成長有助於永續發展，我們欣見APEC近年來推動關於「環境商品與服務」（EGS）的計畫，我們亦應持續促進貿易投資、市場自由化及產品標準調和等工作，並鼓勵執行「促進綠能商品市場發展的能力建構倡議」，以促進綠能商品的市場活絡。

三、中華台北與菲律賓近期將共同在台北成立「APEC颱風及社會研究中心」（APEC Research Center for Typhoon and Society），我們期盼此一合作平台可整合區域內有關颱風的研究成果，尤其是對社會及經濟面之影響，同時建立高效率的區域颱風預警系統及聯繫網絡，以有效降低各受侵經濟體的災損。

四、近年來糧食安全議題逐漸受到國際重視，APEC應基於「經濟暨技術合作」（ECOTECH）的成果，致力穩定糧食供給、提高農業投資與生產及促進農業貿易。我們願意持續在農業科技及擴大糧食供給方面與各經濟體通力合作，並以自我管理及風險分擔的方式，妥善因應氣候變遷及天然災害等緊急狀況所衍生的糧食短缺之挑戰。

在APEC領袖第二次閉門會議中我接續發言指出，ECFA於二〇一〇年六月簽署後，不但使兩岸經貿合作向前邁進一大步，同時也有助於催化亞太經濟區域的經濟發展及整合進程。

我說，台灣位處亞太區域的樞紐，樂意持續強化與各經濟體的經貿關係，進一步促進區域的成長與繁榮，以共同追求高度整合的亞太社群。

我發言內容還包括：

一、在此刻全球金融風暴餘波盪漾、保護主義可能死灰復燃之際，區域經濟整合尤其顯得重要，APEC基於過去二十一年來推動自由化的能量及成果，應持續扮演整合以及溝通平台的重要角色。

二、區域經濟整合可使各經濟體及企業真正獲得市場整合及區域連結的實質利益，儘管各經濟體發展程度及對部分議題立場存在歧異，但大家朝向更開放及永續發展的目標是一致的。APEC經濟體應深化與企業及與大眾實質利益相關領域的整合，並落實經濟基本體制的改革。

三、在探究達成FTAAP此一長期願景的可行路徑時，TPP及「東協＋N進程」（ASEAN Process）等區域性FTA雖然受到矚目，惟APEC長期推動之貿易暨投資自由化與便捷化實係FTAAP未來成形的重要基礎。因此我們呼籲，FTAAP的推動應符合APEC開放區域主義（open regionalism）的精神，同時邀請企業部門參與形塑FTAAP的進程，以擴大經濟整合的正面效應。

四、身為亞太社群成員，中華台北將繼續秉持友好合作的精神，與各經濟體進行各項多邊合作，使APEC繼續做為亞太區域最重要之經貿合作論壇。我們也預祝APEC明年在美國的主導下，能有具體的進展與豐碩的成果。

在橫濱停留期間，我也再一次與胡錦濤總書記會面，並轉達馬英九對胡錦濤的問候，胡先生也要我轉達對馬英九的問候。

我說，本人跟總書記是老朋友了，從二〇〇五年四月「和平之旅」第一次正式會面，到今天已多次會面。雖然場景不同，但是彼此情誼的深厚與融洽之感對兩岸、對當前全球經濟情勢的關心，則是一致的。

五年多以來，兩岸關係日益密切，無論是在經貿、文化、觀光等各方面的交

我向胡錦濤總書記轉達馬英九總統的問候。

流，都有很大的進展。特別是今年六月兩岸簽署了ＥＣＦＡ，讓兩岸彼此經濟合作會邁向更大的發展，兩岸的關係也更將邁入一個新的階段。

我提到雖然ＥＣＦＡ今年九月一日剛生效，而其中的「貨品貿易早收清單」還要從明年一月一日才會開始執行，但目前已經可以見到先期成效的展現。例如，台灣今年的ＧＤＰ預估將達到百分之八．二四，民間投資增加百分之二十三．六九，是二十二年來最高，顯示台灣與大陸簽訂ＥＣＦＡ對台灣的出口大有幫助，可以說是為台灣經濟注入活水。

我認為，這不但是我們兩岸同胞之福，也是世人所樂見，這都是胡總書記深具遠見，並且展現決斷力，才能使得兩岸關係真正的邁向和平穩定，兩岸經貿大步發展。譬如去年在新加坡，就是總書記決定在年底前正式討論ＥＣＦＡ才有今天這一切成果，在此要特別感謝胡總書記這一段時間以來，對於促進兩岸關係發展，還有推動兩岸共同簽署ＥＣＦＡ所做的種種努力。

我表示，未來兩岸之間仍將繼續協商：一、貨品貿易；二、服務貿易；三、投資保障；四、爭端解決等四項協議，鑑於這四項協議關係到兩岸和平發展，台灣經濟再創佳績的契機；將來海基、海協兩會在開會研議協調時，希望大陸方面秉持兩岸優勢互補、共創雙贏的精神，並考慮兩岸經濟條件的差異，積極支持或者是放寬限制，則台灣中小企業就會有更多機會。

未來，我很期盼也相信總書記能夠繼續在兩岸經濟、文化各方面的交流給予支持，使兩岸經貿文化關係能夠進一步合作。相信兩岸的經貿文化交流合作，如果能夠持續地擴大與深化，必定可以達到一加一大於二的效果，使海峽兩岸發揮各自的經濟優勢，共同攜手爭取全球商機，從而實現兩岸互利互惠、共榮發展的理想目標。

我分析，ECFA簽訂之後，兩岸即將進入大交流、大合作、大發展的新階段，未來兩岸應該要一起參與東亞經濟合作，共同享有亞太地區經濟發展的成果；所以我們都希望能夠在ECFA的基礎之上，使兩岸經濟能夠與亞太經濟合作接軌，讓台灣分享東亞區域整合的機會，才能擴展台灣的經貿發展空間，使兩岸共創和平發展、繁榮富裕的黃金時代。

這場會面中，我和胡錦濤總書記都強調，兩岸的經貿文化交流合作，如果能夠持續擴大與深化，必定可以達到一加一大於二的效果。

稍早，兩岸在東京影展曾發生衝突的「江平事件」，引起媒體廣泛報導。我在領袖會議後，特別做了說明。對於兩岸在國際場合發聲的衝突，胡錦濤總書記指出，台灣涉外事務包括參與非政府組織問題，應透過協商解決，如此「有些不必要的內耗和紛爭可以避免[16]」。

我說，胡錦濤的說法並非針對江平事件，而是兩岸在非政府組織的會議場合，「經常會發生這樣的狀況」，有必要加以解決。

我向胡總書記說，兩岸日趨和解，合作的機會很多，台灣的立場很明確，就是希望不管什麼途徑，都不要把台灣落在外面。我說台灣參與非政府組織的經驗比大陸都要豐富，希望未來參與的時候，兩岸能很平順。聽我這麼一說，胡總書記回覆說：「有些事情沒有協調，大家根本不知道，都悶在肚子理，一旦發生了，好了，那就熱鬧了，所以事先通通氣就好。」

這場會見，原本表定時間為半小時，結果足足談了五十分鐘，使得接下來要和胡先生見面的香港特首曾蔭權，只剩下十分鐘[17]。

二〇一〇年亞太經濟合作（APEC）領袖會議十一月十四日落幕，離開日本時，我再次與中外記者碰面，我說在結束這次參與APEC領袖會議的任務後，首先我要向日本首相菅直人所領導的政府團隊與日本人民致上最崇高的敬意。感謝日方本次在議程規劃上的努力與用心，以及在各項活動安排上的細膩與專業。

其次，本人很榮幸透過參與本屆APEC領袖會議，與各會員體領袖就當前重大議題及未來趨勢交換意見，為亞太的繁榮發展共謀願景、擘劃藍圖。

我們可以說，今年APEC會議取得了歷史性的豐碩成果，通過了以橫濱願景為主題之領袖宣言，重點結論包括有：

一、積極建立後金融危機時期之成長策略：領袖們一致同意，面對先前全球金融危機之經驗，APEC做為亞太區域間最重要的經濟論壇，將形塑新經濟秩序，持續拓展區域貿易自由化與便捷化，並同意創造更多工作及教育訓練機會，為區域內中小企業提供更多商機，提升女性在商業及政府部門之參與，同時加速產業創新，建立低碳社區，促進區域高品質之成長。

二、促進區域經濟整合：APEC領袖承諾促進APEC的區域經濟整合目標，推動商品、服務及資本等項目之自由化及開放市場，持續為FTAAP進行準備工作。

三、促進人類安全：APEC領袖同意致力消弭貧窮、反貪、加強糧食安全及設立因應自然災害之有效機制，以建立一個更安全之社群。

身為APEC社群的成員，我們願秉持友好合作的精神，加強與APEC各會員體在各項相關領域的合作，並願繼續做出實質具體貢獻，以落實上述願景，使APEC全體成員享有更緊密經濟整合、更高品質成長，以及安全且有保障的經濟社會環境。本人本次與會受益良多，相關成果對我國自身的發展以及未來持續深化參與亞太事務亦多所助益。

在日本短暫的幾天停留時間，我也非常感謝駐日代表馮寄台及其團隊周密的安排，與溫馨的接待。

有外電報導由於中俄代表不願穿著和服，因此本屆會議大合照時，與會領袖改穿著西裝拍攝。

（在日期間感想有許多小插曲，包括與他國領袖互動，例如《聯合報》登了一張我與歐巴馬相見歡熱情擁抱；這次大合照沒穿和服，日方表示穿法太麻煩，也有外電報導說胡錦濤與俄羅斯總統梅德維傑夫不會穿，這是二次世界大戰的歷史恩怨，所以恢復一九九五在大阪召開會議時，穿深色西裝與襯衫合照，沒打領帶。

這次領袖會議期間與各國領袖也有交換意見的時間，《中國時報》駐日特派員黃菁菁十三日專電有如下的紀錄：台灣出席亞太經合會議（APEC）領袖代表，去年在新加坡的APEC領袖會議上，傳出美國總統歐巴馬的舅舅，是連戰就讀芝加哥大學的室友小插曲，當時兩人熱絡的

與歐巴馬總統廣泛交換意見。

代表台灣人民對智利總統皮涅拉表達敬意。

互搭肩膀聊天將近十分鐘。今年連戰在會議中場休息時，在夫人連方瑀的陪同下，也與歐巴馬親暱互動，如同舊識般地相談甚歡，並且廣泛地交換意見。

連戰向智利總統皮涅拉（Sebastian Pinera）表示，對智利三十三位礦工英勇的事蹟及智利政府展現的領導能力感到非常欽佩。智利礦工已如同自己兄弟，他也代表台灣同胞向皮涅拉表達了最高敬意。

連戰還提及，印尼總統尤多約諾提早於十三日返國，他與尤多約諾已見過三次，這次在會上對於印尼遭遇到的火山災害表示關切，火山還在爆發中，尤多約諾對連戰表示，十二日幾乎無法前去在首爾舉行的G20峰會。

我在會上還恭喜幾位新參加的領袖，包括澳洲女總理吉拉德（Julia Gillard）、紐西蘭總理凱伊（John Key），並與吉拉德聊到雙方的度假打工簽證，使年輕人往來頻繁等話題。我在參加晚間觀賞歌舞祭的文化活動後，也與南韓總理李明博親密地握手寒暄。

在抵達日本東京出席會議前，承我的友人林新一董事長的安排，我與日本實業家、精工名譽社長、曾擔任財團法人交流協會會長一職長達十八年的服部禮次郎，一起具名邀請二十到三十位國會議員及地方首長等聚會。與我同行的華南金控副董事長林明成董事長、林新一董事長、劉介宙董事長，都是日本通，日文流利，他們也協助我做好主人，我在會中發表了一篇演講，講述對兩國關係的展望，日本第七十任眾議院議長綿貫民輔也全程出席。

在東京我也很難得代替先父為其母校——慶應大學準備了法藍瓷的禮物，慶應大學校長清家篤還特別寫了封信給我致謝。先父在日本慶應念了中學、大學，起碼超過十年、十一年，台灣光復後，他的日本同窗還常組團到台灣看我父親，日本慶應大學的財經、醫學非常有名，台灣很多畢業校友後來很多從事醫療衛生工作，因此難得再次到日本，我特別給慶應大學備了份禮。

而我在日本出席會議期間，特別值得一提的是，台日雙方曾舉行了首次領袖代表與首相間的不公開正式會談。我帶著顧問陳錫蕃、駐日代表馮寄台、企業家林明成、林新一及翻譯等。而日方出席則有菅直人首相、外務省相關官員及翻譯等。我們對雙方的經貿關係坦誠交換意見，也對兩國的經濟海域談判交換了意見。菅直人首相還特別提到為了促進兩國文化交流，日本國會將通過相關法令，確保我國故宮文物能到日本展出，並確保故宮文物能安全返回台灣，我認為這都是友善的進展。

值得一提的插曲是，日本與中國大陸由於漁船與釣魚台主權爭議問題歧見很深，甚至可以說是鬧翻了，兩國關係不睦。菅直人首相為打開僵局，希望能在會議期間能安排與中共國家主席胡錦濤有正式會談，否則至少要張公開握手的畫面。記得在會議結束的晚宴前，我們代表團與其他領袖都在各自準備的房間等待。馮寄台告訴我，日本外務省官員私下透露在盡最後努力，希望菅直人首相能在會議結束的最後期限與胡錦濤主席握個手，否則日本做為東道主，與胡錦濤無任何互動，對日本政府將是不利的衝擊。最後胡錦濤總算首肯，在走廊上不期而遇照了一張照片，但是表情很冷漠。因為這個緣故，晚宴延遲到八點多才開始，後來草草結束。而日本政府向來顧忌北京的態度，馮寄台推估，菅直人與我的晤面，應該事先與北京打過招呼。因此對照北京對東京的態度，我們此行能與日本首相有正式會談，是不容易的安排。

由於菅直人當時是執政的民主黨，因此會議結束後，我取道東京返台前，馮寄台代表又特別在東京帝國飯店邀請在野的安倍晉三等自民黨參眾議員與我餐敘，這是我第三次與安倍的見面。帝國飯店知道主客與主賓的身分，因此特別在地下一樓安排了一間寬敞的宴會廳，餐點則是用了北京廳的中國料理，餐敘場面十分熱烈，也喝了點酒。我在會上提起，國民黨與自民黨有長期的友誼，尤其中日斷交後，日華懇談會發揮了很大的溝通功能，對此安倍也有共鳴。與安倍前一次晤面，是二〇一〇年十月三十一日他以眾議員身分搭乘首航班機來台灣參加松山與羽田機場直航活動，當晚在馬總統於總統府舉行的歡迎宴會上多所交談。一年多後，二〇一二年十二月二十六日安倍領導的自民黨再度獲勝，二度當選首相（前一次首相任期是二〇〇六年九月至二〇〇七年九月），迄今也算是任期較長的日本首相。安倍晉三是日本政治世家之後，外祖父是前日本首相岸信介，生前多次訪問台灣。其父親安倍晉太郎是前日本外相，外叔公也是日本政界知名的不倒翁佐藤榮作。而他自己已連任九屆的眾議員，政治生命甚為活躍[18]。

餐敘結束後，我們訪問團直接奔赴羽田機場，準備返台。馮寄台代表告訴我，全程的安全、交通，日本都安排十分妥當，從帝國飯店到機場，他注意到沒有停一個紅綠燈，完全比照元首級待遇。在中華民國與日本斷交後，這種禮遇大概是首見。馮寄台事後說，我的此次訪問，對兩國的關係加分不少。當日本首相都能與中華民國的總統代表見面，外務省官員與我代表處的管道此後也更暢通了。

二〇一一年美國會議

APEC第十九屆年會輪值美國主辦，我總統府在十月三日發布新聞，馬總統再次委請我代表出席十一月在夏威夷舉行的亞太經濟領袖會議。中央社報導，會議將在十一月十二日至十三日在美國夏威夷檀香山市舉行，馬總統已決定敦請國家政策研究基金會董事長、前副總統連戰，第四度擔任領袖代表。美國在台協會表示，稍早負責APEC事務的美國資深官員唐偉康（Kurt Tong）曾經短暫訪問台灣，和台灣資深官員討論APEC相關事務與台美經濟議題[19]。

媒體一般報導我繼續擔任總統代表，並不意外。總統府不具名官員向中央社透露，今年代表馬總統出席的領袖代表，一開始就是鎖定連戰。因為連戰才是一個可預測的人選，在國際上、外交上不會有意外。加上連戰過去代表出席的表現非常好，與出席各國的領袖代表都建立良好關係，所以連戰是在國際與外交綜合考量下，最適當的人選。

總統府所以有此匿名官員談話，我推敲是否認稍早有媒體報導政府考慮派蕭萬長副總統出席此次會議，以提高層級。但是基於美國與大陸有正式邦交，加上兩岸關係的考量，零意外應該是馬總統與決策圈的共同考量。

美國這次身為主辦國，會議目標是「走向緊密的區域經濟」。

十一月三日下午，馬英九總統接見將於本月十日啟程出席二〇一一年第十九屆「亞太經合會議（APEC）經濟領袖會議」的我國代表團一行，並期盼國內產官學界共同透過APEC平台，讓國際社會了解中華民國在世界經濟版圖的重要性及所做的努力，以進一步提升我國際地位。

第十九屆APEC經濟領袖會議將於十一月十二日至十三日在夏威夷檀香山舉行，總統特別感謝我不辭辛勞，第四度代表出席此一重要國際會議，並推崇本人過去代表出席二〇〇八年祕魯、二〇〇九年新加坡及二〇一〇年日本APEC領袖會議時的卓越表現，令國內外各界印象深刻，相信此次必會有更豐碩的成果。

總統說，本年APEC會議主題為推動「加速區域經濟整合及拓展貿易」、「促進綠色成長」及「推動法規謀合與合作」三大優先領域，以期達成建立「緊密的區域經濟」（a seamless regional economy）目標，這與日前他於「黃金十年・國家願景」中所宣示，以十年為期加入TPP的國家政策方向一致。總統指出，我繼去年與中國大陸簽訂ECFA後，今年九月再完成與日本簽署雙邊投資協議，目前正與新加坡進行「台星經濟夥伴協定」（以下簡稱ASTEP）談判，上個月亦與紐西蘭發表共同聲明宣布將展開「經濟合作協議」的可行性研究；此外，我與其他國家也有程度不等的接觸，顯示我已積極啟動參與區域經濟整合的機制。

我則表示，我國參與APEC將屆二十年，始終是忠實且積極的會員經濟體，二十年來，我國對區域內的經濟貿易額成長了三倍以上，與各區域經濟體間緊密活絡的經貿關係明顯易見。

我也指出，目前全球金融危機雖已趨緩，但未來的經濟情勢仍有嚴峻挑戰，本次的會議主題包括如何維持持續的經濟成長、能源效率與安全、法規改革及提升競爭力，均係當前全球關注的議題，而我在過去金融海嘯期間成功採取包括：實施寬鬆的貨幣政策、「三挺」政策、照顧弱勢福祉以及降低失業率等有效作為，亦備受各國關注。因此，此次主辦單位特別安排我在大會領袖代表會議及分組討論會議中發表演說，分享我在上述領域的經驗，我與所有代表團成員將全力以赴，向國際說明我在區域經濟所做的貢獻，以圓滿達成任務。

二〇一一年第十九屆「APEC經濟領袖會議」代表團成員包括：連領袖代表戰、陳顧問錫蕃、林顧問明成、何顧問壽川、梁顧問啟源、焦顧問佑倫、林顧問鴻明、劉顧問紹樑、蔡董事長宏圖、苗董事長豐強、內政部長江宜樺、經濟部長施顏祥、外交部長楊進添及國家安全會議諮詢委員董國猷等人，下午前往總統府晉見總統、副總統，國安會祕書長胡為真等人陪同[20]。

我是於夏威夷當地時間十日上午八時左右抵達下榻的希爾頓飯店彩虹樓草坪前，現場數十位僑民以當地語言「ALOHA」熱情歡迎，我與內人也戴著夏威夷傳統花圈，入境隨俗也回應「ALOHA」。

我對僑胞們說；夏威夷連接太平洋東西兩岸，在地理上最符合APEC宗旨，即團結亞太地區，共同為經濟成長努力。

我還是中國國民黨榮譽主席，既然到了檀香山，我首先安排下午到中國城文化廣場，向國父、總理孫中山銅像獻花致敬，並且參觀了興中會紀念堂。

我提到夏威夷是中華民國國父孫中山早年接受教育、受到民主自由思想啟發的地方，後來他又重回檀香山，於一八九四年創辦興中會，成立了中國近代第一個革命團體。

在抵達美國檀香山出席歐巴馬總統晚宴的隔日，台灣媒體包括《中國時報》、《聯合報》及各大電子報、電視媒體都大幅報導APEC年會台灣領袖代表搶占美國大報版面，歐巴馬夫婦與我及內人的合照刊登在《今日美國》（*USA Today*）、美聯社，以及檀香山當地發行量最大的《檀香山星廣報》（*Honolulu Star-Advertiser*），報導稱我在國際媒體出盡鋒頭。

這是怎麼回事？這次我代表團安排下榻的是希爾頓飯店，鄰近晚宴地點檀香山哈雷寇阿飯店（Hale Koa Hotel），十二日晚間因為領袖會議開鑼，檀香山市交通大亂，到晚宴會場，美國的特勤單位安排兩條路線，一條步行走海灘，另一選擇則是搭車，而我選擇搭車前往。原本我是被安排第三順位到場，因為第一順位及第二順位選擇步行沙灘遲到，我意外卻搶了頭香，因而成為讓國際媒體捕捉最多畫面的領袖代表。

根據東森新聞雲報導：檀香山發行量最大的《檀香山星廣報》以第一版將近半版篇幅，刊登我與內人方瑀與歐巴馬總統握手寒暄的照片，連戰咧嘴開懷大笑；照片圖說以「former vice president of Taiwan」稱呼連戰。連戰夫婦不僅登上檀香山最大媒體版面，在美國本土發行量數一數二的《今日美國》則引用美聯社刊出連戰夫婦出席夏威夷時間十二日晚間舉行的歡迎晚宴照片，台灣成功在國際媒體曝光。

媒體紛紛問我和歐巴馬究竟談了什麼這麼開懷，我說與歐巴馬總統已經見面過多次算是舊識，尤其夏威夷是他的出生地，因此他的歡迎是格外熱情。我說從你們媒體登的照片看來「我的嘴巴笑得、開得太大，不知道好不好。我們兩人談到他的舅舅查爾斯．佩恩，佩恩是我芝加哥大學同窗，但年紀比我大十一歲，老先生日前動了髖關節手術，我特別請歐巴馬代為請安。」

大會期間，我於十一日下午參加「全球附加價值鏈之連結」（Global Value-Added Chain）場次，擔任主講人。我藉此機會向各國代表喊話，重申台灣欲加入TPP的意願，「希望有朝一日能參與這個高水準的自由貿易區。」

我指出，TPP本身是一個高水準的自由貿易體系，因此不是一蹴可幾、一步到位，必須要經過一段時間準備，分階段進行。

我說台灣基於自身的發展程度最近已經公開指出，希望能獲得邀請參與討論「但是它還是需要時間」。

我強調，尤其每一個會員包括台灣在內的國內經濟情勢，尤其是農業部門，「是不是允許他們很快加入，這是一個很大的問題。」

我和時任國務卿的希拉蕊不期而遇。

《聯合報》報導，現場湧入五百人前來聆聽，把原僅容納四百人的會場擠得水洩不通。這是一場需要買入場券的演講，我估計台下近八成是大陸工商企業老闆[21]。

在夏威夷開會期間，值得一提的是我和希拉蕊．柯林頓在會場外海邊的邂逅，這場不期而遇，我們聊到天氣、會議的進行、對台的有關議程，以及對我的歡迎等一些客套話。之後她派其辦公室副行政祕書梅健華和相關官員及我方人員，特別在我的套房（Suite）就台美事務性問題進行意見交換，梅健華還特別做了筆記。

記得在海邊休憩時，陳錫蕃顧問告訴我，美國亞太助卿坎博（Kurt

內人方瑀應歐巴馬夫人蜜雪兒的邀請外出野餐。

Campbell）曾走近私下告訴他：「美國政府已經決定，以後讓台灣的駐美代表可以直接進入國務院洽公。」我相信當時的袁健生代表應該有正式的報告向台北呈報。當然我們返國後，陳錫蕃也把這訊息告訴了馬總統。

而內人方瑀應歐巴馬夫人蜜雪兒的邀請外出到景點「中國人帽子」（在肉眼即可辨識的淺海有一隆起的小山，狀似斗笠）海邊野餐，並交換對教育子女的心得。歐巴馬夫人提到對兩個女兒的管教極為嚴格，對她們平日使用手機有限制，沒必要不讓她們玩手機。她也提到歐巴馬就是在夏威夷長大，也提到歐巴馬的舅舅查爾斯・佩恩，與我是芝加哥大學同窗的往事。

十一月十二日我再度安排與胡錦濤總書記會面，會後我的辦公室發出了新聞稿：

與胡錦濤總書記會面，堅持「九二共識」為和平基礎。

中華台北領袖代表連戰今天告訴中國國家主席胡錦濤：堅持「九二共識」是兩岸關係和平發展的重要基礎，也是雙方經貿互惠與繁榮的基石，更是政治互信的憑藉。

連戰更強調：儘管兩岸執政當局在「一個中國」的涵義，仍有所不同，但是「在我們遵守一中憲法精神，維繫民族情感和振興民族的努力上從未動搖。」

連戰也期許兩岸能以更務實的精神，秉持「擱置爭議、存異求同、正視現實、開創未來」的理念，為兩岸人民生存與福祉做更積極的貢獻。

也擔任中國國民黨榮譽主席的連戰，今年再度接受馬英九總統的指派，以中華台北領袖代表的身分代表馬英九總統參加在美國夏威夷召開的第十九屆亞太經濟合作領袖會議。

今天上午十時十五分（美國時間），連戰和胡錦濤總書記在夏威夷喜來登大飯店會晤，我代表團顧問陳錫蕃、張昌邦、林明成、何壽川、王文淵、張虔生、林鴻明、焦佑倫，及大陸代表團戴秉國、令計劃、王毅等都在場。

晤談時，連戰首先代馬英九向胡錦濤表達問候之意，連戰並說，他於二〇〇五年四月二十九日與胡錦濤總書記第一次見面至今已有六年，六年來，兩岸關係在雙方共同努力下，呈現政治和平發展、經貿互惠交流與社會融合互動的新局面。

「這些形勢的發展，讓我們感到非常欣慰。」連戰說，「兩岸領導人『寫歷史』的胸懷和改善兩岸關係的決心，是主要動力所在。」

對胡錦濤的胸懷與決心，連戰說：「我有很深的感觸及崇高的敬佩；也因總書記有此定見與前瞻，兩岸才能突破意識、制度之障礙，也才有今天兩岸關係的實質進展。」

〇五年連戰率團訪大陸，史稱和平之旅，和胡錦濤總書記會談後，共同提出兩岸和平發展五大願景包括：

一、促進盡速恢復兩岸談判，共謀人民福祉。

二、促進終止敵對狀態，達成和平協議。

三、促進兩岸經濟全面交流，建立兩岸經濟合作機制。

四、促進協商台灣民眾關心的參與國際活動問題。

五、建立黨對黨定期溝通平台。

連戰指出，六年來，這些目標我們多數實現了，兩岸和平與福祉，都得到實質改善，儘管還有不盡理想的地方，我們除了加強溝通，另外也期盼未來能進一步開始就和平問題交換意見。

晤談時，連戰也特別指出這次的會晤，是繼祕魯、新加坡、日本之後的第四次了，前三次都有成果，第一次在祕魯，我們都體認兩岸需共同因應金融危機，唯有合作才能雙贏；第二次在新加坡，我們也再次強調國共平台之重要，也認同兩岸開始有關ＥＣＦＡ談判之重要性；去年在橫濱除了肯定ＥＣＦＡ簽署進展，也希望在其他方面多通通氣，回顧過往這都是令人感到欣慰的成果！

會議結束後，返回國門。馬英九總統於十七日下午在總統府接見參加二〇一一年第十九屆「亞太經合會議（ＡＰＥＣ）經濟領袖會議」我國代表團一行，推崇此行係成功的外交與經濟交流活動，並重申政府將持續創造條件，以十年為期加入ＴＰＰ，打造我國的「黃金十年」。

總統致詞時首先感謝各代表團成員為國辛勞，特別是連領袖代表第四度率團與會，不僅於「APEC企業領袖高峰會」中以「全球附加價值供應鏈」為題發表演說，展現其見解、風範與豐富的外交經驗，亦與美國總統歐巴馬及日本、新加坡等國領袖互動友好，引起各國對我國之重視，增加我與APEC之聯繫，深具意義。

總統指出，此屆會議正值全球遭逢歐債及美債問題之際，亞洲又是全世界經濟動能最大的區域之一，因而廣受矚目。會中，歐巴馬總統大力推廣TPP之構想，並獲得日本及墨西哥等國的支持，使得此一區域性之自由貿易區日益成為亞太地區重要的經貿機制。我政府已於日前「黃金十年．國家願景」中宣示將於十年內加入TPP為目標，儘管目前尚未具備足夠條件，且未來可能面臨政治障礙，但我們仍須下定決心，因為不走這條路，我國未來將難以在區域經濟整合中占有一席之地。

總統強調，我國於一九九〇年申請加入WTO，經過十二年才達成；

此次加入TPP應不致花如此長的時間，但最重要的是，我們自己是否有朝向更為自由化方向邁進的堅決意志。

總統也提到，此屆會議決議於二〇一五年底前，將綠色商品的關稅降至百分之五以下，我國電動車、太陽光電及自行車等綠能產業可望因此受惠，深盼經濟部整合相關業者，擴大產品出口。此外，總統也肯定我國出席ABAC的企業代表們傑出的表現，使APEC對我國企業界的能量有新的體認，同時對連領袖代表與訪團成員特地前往檀香山興中會紀念堂向國父銅像致敬，表達欣慰與謝意。

稍後，代表團一行在總統府舉行返國記者會，由我代表說明此行與會的經過與成果，並接受記者提問。

我致詞時表示，本屆係APEC成立以來由美國所主辦的第二度會議，由於當前世界經濟充滿挑戰，因此美國所規劃的主題，包括：成長與就業、法規改革與增加競爭力、能源安全與效率議題等，都非常切中經貿情勢的需要；此外，美國並積極利用此一機會推動TPP，包括日本及墨西哥皆表達參與意願，因此，TPP的未來發展也是本屆會議的重點議題。

我指出，本屆會議並舉辦多次企業領袖高峰會，我也擔任主談人，就產業供應鏈所面對的挑戰及中華台北扮演的角色進行專題報告。

我並表示，適逢建國一百年，本屆會議舉辦地點恰於國父成立興中會的檀香山，代表團一行於國父誕辰當日前往興中會原始會址向國父銅像敬禮致意，並與當地僑界對話交流，別具意義[22]。

二〇一二年俄羅斯會議

二〇一二年九月八日我第五度代表馬總統出席在俄羅斯海參崴舉行的第二十屆APEC經濟領袖會議，這是我最後一次出席，也是大陸國家主席胡錦濤先生最後一次的出席，因為緊接著的十月的十八大後及隔年的兩會之後，他將把大陸黨政軍的領導權移轉給習近平。在這次的會議期間，也是我們兩人在APEC國際場合的第五度見面，也是最後一次。因此在兩人懇談交換兩岸關係意見時，除了總結也有離別之情的感受。

二〇一二年八月二十七日，馬總統偕同吳敦義副總統接見我及全體代表團成員，他重申政府將持續排除障礙，希望在八年內加入TPP，以提升國家層級最高的國際會議；特別是過去半年來，歐債風波未了、美國景氣復甦遲緩及全球經濟低迷，我與各地代表團齊聚一堂，共同商討因應策略，其辛勞殊值肯定與感謝。

我和胡錦濤先生最後一次出席 APEC 會議。

針對台灣參與區域整合的成果，總統指出，我與中國大陸於兩年前簽署ECFA，去年開始與新加坡洽談ASTEP，續於今年與紐西蘭進行「經濟合作協議」（ECA）談判，進展順利，令人欣慰。

談及我國與美國貿易關係，總統認為，美國牛肉議題已經解決，希望代表團能在會中與美方討論如何進一步加速「貿易暨投資架構協定」（以下簡稱TIFA）協商時程；儘管今年適逢美國選舉年，協商可能受到各種因素影響，但政府仍將為國家利益及經貿前途全力以赴，盼於今年底能重啟協商。

總統也提到，我在過去四年間陸續參加在祕魯、新加坡、日本以及美國舉行的APEC經濟領袖會議，與會經驗豐富，讓他國得以了解台灣經濟的發展及國際參與的熱誠，致盼代表團能在會中為我國發聲，進一步提升我國在亞太地區的經貿地位及未來發展機會。

隨後我也表示，此屆會議以「整合」與「創新」為主軸，與過去曾討論過的永續成長與創新成長相比，增加了平衡成長與包容性成長等面向，希望能彙整各會員體的意見，以期在二〇一五年舉行的大會中提出區域成長戰略報告。因此，代表團此行除就經濟發展議題與各國出席代表廣泛交換意見外、亦將針對就業、教育及中小企業等項目分享台灣經驗。

我指出，我代表團在會中深受重視，繼我去年以產業供應鏈為題發表專題報告後，今年再獲大會指定，將針對新興經濟體之跨國公司議題進行報告。

我說，該會議提供與會者互動平台，讓各方得與重要經濟夥伴深化關係，相信此行能與美國、中國大陸、新加坡、紐西蘭、日本及印尼等代表團充分交換意見，同時亦盼具體強化我與主辦國俄羅斯之互動，增進雙邊合作機會。

九月六日我偕同內人與代表團於海參崴時間晚間七點二十分搭乘長榮航空包機抵達，俄方派出禮賓司長斐拉多夫、濱海省首席副省長柯斯騰科、海參崴市首席副市長喜米契前來接機。我駐俄羅斯代表陳俊賢等官員也來接機[23]。

碰到柯斯騰科副省長時，我還特別請他轉達對一位退休省長的問候與感謝之意，因為一九九九年九二一大地震時，該省長透過一位應董事長的聯繫，主動表達要捐贈一船的最好原木，支援災區的復建之用。應董事長在海參崴投資百貨商場，因此與當地政府官員熟識。當這批原木抵達台灣後，我也裁示運往南投災區。當時我在副總統任內，擔任九二一大地震復建工作的總督導，復建工程千頭萬緒，記得俄羅斯紅十字會也派出了救難隊來馳援，他們支援了一架大型運輸機的援救物資，並有多位救難人員，由於飛機體型大，當時曾經事先徵詢可否降落軍用機場才安全，我主持會議當即裁示可准降台中清泉崗軍用機場，這也是該機場首度有俄羅斯飛機降落。由於一度外界誤傳大陸阻撓俄羅斯救難機飛經中國大陸領空，俄國救難隊副隊長伯雷科接受訪問時特別說明，俄國救難機原本規劃的飛航航線就是從莫斯科飛經新西伯利亞—海參崴—日本領空—台灣。解體後的蘇聯能在第一時間對我九二一大地震伸出援手，俄羅斯救難隊員在東勢深入災區，救出災民，挖掘不幸罹難者，這些英勇事蹟在兩國關係史上是可記上善意的一筆。

海參崴，滿洲話是穆麟德，這個歷史古城鄰近俄羅斯、中國大陸及北韓交界處，三面臨海，是俄羅斯在太平洋沿岸最大的港口，也是俄羅斯太平洋艦隊司令部所在地。對於這個曾是中國領土，經歷渤海國、遼朝、金朝、元朝、明朝、清朝。其實從一六三〇年代開始，沙皇俄國就派遣探索隊進入海參崴，尋求在此地開拓不凍港，因此沙俄與清朝間爆發過多場爭奪領土的戰爭。一六八九年的《尼布楚條約》，還明定海參崴屬於清朝，但是由於清廷當時國力日衰不振，一八五八年清廷黑龍江將軍奕山在俄羅斯帝國壓力下簽訂《瑷琿條約》，規定包括海參崴在內的烏蘇里江以東地區為清俄共管，兩年後的一八六〇年，第二次鴉片戰爭結束後，清朝與俄羅斯帝國簽訂《清俄北京條約》後，清朝割讓烏蘇里江以東包括庫頁島在內約四十萬平方公里的土地給俄國統治，而海參崴也成為俄國在遠東最重要的海軍基地，對於這段近代史，我們在讀書時都耳熟能詳。當要踏臨這個原本屬於中國的城市，難免心中有段歷史的傷痛感。

我記得抵達海參崴後，俄方曾邀請我參觀當地的一座遠東文化博物館，面積不大，只有兩三個樓層，並沒有大量投資。展區除展示俄國早期一些圖片外，也有早期移工協助開發此地的食衣住行資料歷史，包括他們的住房、生活器物，都保留得很好。這些移工韓國人最多，中國人也不少，還有少數日本人。在參觀結束後，館長特別要我在一本大簽名簿上留言紀念，寫下參觀印象，我大概是提了「近悅遠來」。妙的是，妻子注意到前一個來賓的題字，題的是「還我河山」。這位陪同的館長可能不通曉中文，不知道「還我河山」用意，但至少顯示中國人對國土被割讓，是耿耿於懷的。尤其，他們展示的大地圖中，清楚標示著每一年代擴張的領土，這不就清楚說明是「侵略」的事實。

主辦方後來也安排我團參觀了潛水艇博物館以及西伯利亞大鐵路位於海參崴的終點站，立了一座紀念碑，全長九千多公里，跨越歐亞大陸，在當年的確是了不起的鐵道建設。

九月八日在海參崴的經濟領袖會議召開，在開會前，主辦國的俄羅斯普丁總統逐一和每一位領袖及代表握手致歡迎之意，我也第一次與普丁握手合照。第一場閉門會議裡，我特別針對台灣融入亞太區域整合的努力發言。我表示我國正計畫試辦「自由經

我與主辦方俄羅斯總統普丁握手合照。

濟貿易區」，積極推動結構改革、法規改革與市場開放，以具體行動展現我國推動自由化及融入區域整合的努力與決心，共同朝建立FTAAP的目標邁進[24]。

在這場跨國新興公司座談會上，我也分享台灣資訊科技產業發展經驗，我特別引用宏碁創辦人施振榮的「微笑理論」指出，台灣資訊科技產業將逐步由代工，走向微笑曲線兩端的品牌及研發。微笑曲線分成左、中、右三段，左端為技術、專利，中段為組裝、製造，右端為品牌、服務。曲線代表的是獲利，微笑曲線在中段為獲利低位，而在左右兩端位置為獲利高位。含意是：企業若要達到獲利高位，絕不是在組裝、製造位置，要往左端或右端位置邁進。我特別舉例台灣知名產業如宏碁、宏達電、廣達與鴻海等，已從曲線的中段轉向左右兩端的品牌與研發位置。

我說，新興跨國公司形成過程，政府盡量不要插手，主要工作是塑造健全的經營環境。

在強化APEC供應鏈連結部分，我舉例台灣為簡化關務程序，推動「關港貿單一窗口」，同時利用無線射頻技術，確保供應鏈連結的透明度與可靠度。此外台灣也積極推動和貿易夥伴進行「優質企業」（AEO）相互認證，以期落實「APEC供應鏈連結行動計畫[25]」。

會議期間，我也安排與日本首相野田佳彥站在走廊上進行站立交談，地點就在會議前的領袖代表休息室。我們觸及敏感的釣魚台主權及台日漁權談判問題。雙方同意擱置主權爭議，從合作開發漁業資源著手，就漁區劃定展開對話，以智慧處理相關問題。

由於我國與日本的漁權談判即將在一週後召開第十七次談判，因此這次親身與野田首相的商談也至為關鍵。

稍早日方曾有東京都知事石原慎太郎要向釣魚台列嶼地主栗原家族購買土地，而日本政府也有意將釣魚台國有化的行動，升高了區域的緊張衝突。胡錦濤與野田佳彥也安排了走廊外交，雙方站在走廊交談，媒體都報導事態嚴重。大陸方面對此情勢要求日方充分認識問題的嚴重性，不要做出錯誤決定。直指日方的購島行動都是非法、無效。

我則向日方及相關國家談及東海議題時表明，馬總統的《東海和平倡議》「主權在我、擱置爭議、和平互惠、共同開發」。

我向野田首相說明，兩國為釣魚台海域漁權談判已經進行十六回合，但什麼結果都沒有。我認為若雙方仍持現在的態度，「會再開十幾次一樣沒有結果」，必須避免「充滿情緒的問題」（emotional issue），否則解決不了問題。

我提出，問題簡單來說就是劃定漁區；若兩國真正從漁業資源著手；心平氣和地規劃，用智慧來處理，就可以好好談，擱置爭議。否則過一兩年又發生爭端，實在沒有意義[26]。

不料日方還是於九月十日以二十億五千萬日圓，向栗原弘行家族收購釣魚台列嶼的釣魚台、北小島、南小島等島，日方宣稱完成尖閣群島（即釣魚台列嶼）國有化的舉動，是為繼續平穩安定管理。但此舉立即觸怒中國大陸與台灣，反日的示威與台灣民間保釣行動風起雲湧，再次釀成區域風暴。此番緊繃的情勢在二〇一二年底自民黨總裁安倍晉三大選獲勝後有了轉機。二〇一三年四月十日，我國亞東關係協會會長廖了以及日本交流協會會長大橋光夫於台北賓館舉行第十七次漁權談判，終於達成共同簽署「台日漁業協定」，我很欣慰的是，台日之間總算對爭議已久的漁權談判達成協議，這也是馬政府重要的一項外交成績單，對常遭日方船艦驅趕的宜蘭地區的漁民是項福音，因為捕魚區域擴大到四千五百平方公里，兩國的漁民也可以在面積七萬平方公里的海域不受干擾的自由捕魚。

另外，九月八日晚間我們與美方的國務卿希拉蕊也舉行了一次正式的面對面會談，陪同我的是謝武樵司長與陳錫蕃顧問。希拉蕊特別提到台灣是美國重要的經濟貿易夥伴，她也建議我們能與日本加強關係，畢竟日本是東亞地區的重要國家，或許她認為馬總統對日本態度較為強應，才有此

與澳洲總理吉拉德會晤。

說法，其實馬政府上任後一直採取的是「親美、友日、和中」的立場。會談中，我方最關切的就是重啟談判TIFA，美方原則上也同意，只是涉及雙方各自宣布的時機。因為美方與中國大陸有正式邦交，加上胡錦濤總書記也還在海參崴開會，因此美方總要很小心，顧及陸方的態度，不可能在海參崴會議期間就發布此一重大訊息。但馬總統還是很關切會談進度，一度在會議進行大合照時，打了電話詢問會談結果。當時媒體記者拍到我正在接聽電話的鏡頭，並自行解讀馬總統關切我與日本野田首相的漁權談判問題，其實總統當時關心的是與美方就TIFA的會談。

二〇一二年俄羅斯會議大合照。

九月九日晚間我特別舉行答謝晚宴，當時說道：「首先，本人要轉達馬總統對大家最誠摯之問候。本人很高興能第五度代表馬總統出席APEC經濟領袖高峰會。本屆會議主題為『整合推動成長，創新促進繁榮』，本人此次就『貿易暨投資自由化及區域經濟整合』、『強化糧食安全』、『建立可靠供應鏈』、『促進創新成長』等四項會議主軸與各會員體領袖廣泛交換意見。」

我指出，我國向來積極參與

APEC各項會議及活動，並持續在中小企業、資通訊科技、農業技術、衛生保健、災難預防等具優勢領域，協助APEC開發中會員體奠基建構，以增進我與各會員體之密切互動及永續交流。

我表示，馬總統於本年五月二十日總統就職典禮上發表以「黃金十年」做為國家願景，提出「強化經濟成長動能」、「創造就業與落實社會公義」、「打造低碳綠能環境」、「厚植文化國力」，以及「積極培育延攬人才」等國家發展五大支柱。鑑於提升台灣競爭力，在強化經濟成長動能，而動能的核心，在經濟環境自由化和產業結構優質化。本人爰用此次與會，向各經濟體領袖重申，我將與區域內國家密切合作，共創一無障礙之貿易環境，俾促成區域經濟及各領域合作理想之早日實現。

我國面對全球簽訂自由貿易協定之發展趨勢，除在兩岸「經濟合作架構協議」下，簽署「兩岸投資保障和促進」與「兩岸海關合作」等十六項協議外，並加速與新加坡、紐西蘭等重要貿易夥伴洽簽經濟合作協議，期在未來八年內做好加入TPP的準備，以掌握融入國際經貿體系的歷史機遇。

最後，我感謝俄國外交人員、行政首長及大學有關教授的參加及駐俄陳俊賢大使及所有同仁為安排本日晚宴及本團在海參崴期間各項接待作業竭盡心力，亦祝大家身體健康，萬事如意。

離開海參崴時，國內記者也問起我對主辦國的印象，我特別指出，自己連續五年出席高峰會，算是最資深的代表之一，與會領袖都是我的老朋友。依我過去的經驗，從未有主辦國像俄國這麼細心，每一個經濟體領袖的菜單都是用自己國家的文字，像為我們準備的菜單都是中文，「上面一個洋字都沒有」。不過有趣的是，依照座次安排，泰國總理盈拉與我們夫婦鄰座，卻被誤認為是台灣代表團之一，也為她準備中文菜單，不懂中文的她，後來還向我的妻子求助，由方瑀代為翻譯菜單[27]。

在海參崴停留期間的九月七日上午九點三十分，我也再度與中共總書記胡錦濤在其下榻的一號館見面，親切晤談。由於胡錦濤即將卸任總書記與國家主席一職，因此台灣媒體也紛以海參崴：最後的連胡會為題。中央社也評論說，連胡二人這次海參崴會談超過一個小時，可以說是一次超過預定時間、超過歷次的「連胡會」，會談的實質內容與效益更受矚目，為二〇〇五年以來影響兩岸關係發展的「連胡會」劃下句點。以下是我當時的談話要點：

一、今天，很高興能在海參崴參加APEC會議時，和胡總書記再次會晤，並針對亞太經貿合作、全球經濟情勢展望，以及大家都關心與重視的兩岸關係交換意見。

二、二〇〇五年，我以國民黨主席身分，率團到大陸訪問，進行「和平之旅」，自那時起，有幸和胡總書記共同致力於兩岸的交流、合作；因此，我想藉此機會強調，由於總書記對兩岸和平發展堅持的定見與前瞻的遠見，才有今天兩岸穩定的新局，與廣泛的合作，這不但深受國際高度肯定，更是兩岸同胞都應感念與敬佩的！

三、〇五年，本人和總書記簽署了兩岸五項共同願景，近八年來，兩岸在此願景基礎下，雙方擱置爭議，求同存異，追求雙贏，這五項共同願景，也都逐步的落實，例如：促進兩岸經濟全面交流，建立合作機制，加強投資與貿易保障，共同打擊犯罪等，當然，也還有許多未落實完成的願景，例如：建構兩岸關係和平穩定發展的架構，包括建立互信機制、參與國際活動等問題，我想，這都是有待雙方進一步努力的空間。

四、時間過得很快，轉眼間〇五年和總書記簽的五項願景，至今也近八年，我常回想也常翻閱願景的內容，再回顧這些年兩岸的互動，我深深覺得，這些開創兩岸和平發展的路，雖然艱辛，但是正確的，成果也是豐碩的，而我們的努力與堅持的目標，更都是基於增進兩岸同胞的福祉，開創中華民族的未來！也就是「為民族立生命、為萬世開太平」，應該是俯仰無愧的。

五、兩岸制度化協商是重要橋梁與平台，未來期盼雙方應該要進一步推動並完成ECFA及其他攸關兩岸民生福祉的商談，進一步加強兩岸的互信與合作。

六、目前兩岸的投資、貿易和金融往來等，都已進入另一階段，所謂的「深水區」，亦即問題多、難度高，所以，也希望總書記及相關負責領導能多費心支持，發揮關鍵力量。

七、目前台灣已加速洽談雙邊FTA，另外，未來台灣參與像TPP及「東協加N」（ASEAN+N）等重要的區域經濟合作平台，對兩岸關係良性的發展與鞏固和兩岸的經濟，一定會產生加乘的正面效益，但這都需要仰賴大陸的支持與協助。

八、希望能繼續發展兩岸文教密切關係和爭取特定性質的國際活動空間。我想透過事前的「通氣」，兩岸可以建立共識。

九、兩岸共創未來和平發展的基礎，就是「九二共識」，儘管兩岸當局今天對「一個中國」的意涵有所不同，但是在「遵守一中憲法精神，在維繫民族的感情和振興民族的努力上，我們從未動搖」。

十、有關「和平協議」、「政治互信」方面，我們〇五年簽訂的五項願景（已列入國民黨政策綱領），第二項即明確指出，「促進終止敵對狀態，達成和平協議。」為此，兩岸或可由學術界或智庫等單位來召開和平論壇，大家集思廣義，為和平、為發展、為互信，創造積極條件。

十一、兩岸制度化協商是重要橋梁與平台，未來期盼雙方應該要進一步推動並完成ECFA及其他攸關兩岸民生福祉的商談，進一步加強兩岸的互信與合作。

十二、馬英九總統說，總書記所做之事，「不但是開創歷史，應給予高度肯定，也是給中華民族留下重大的『資產』（Legacy）」，馬先生特別希望我代表他，向您問候並表欽佩之意。

而胡總書記也要我轉達對馬英九主席的問好，他也強調兩岸要不斷鞏固兩岸關係和平發展的政治基礎，並說九二共識的共同政治基礎是確保兩岸關係進展的關鍵，同時也將認真研究台灣以適當方式參與國際組織的問題。

其中關於我方要求參與ＩＣＡＯ一節，胡錦濤總書記有了較為正面的善意回應。我記得在台北出發前，國安會、外交部等相關部門希望我在與胡錦濤總書記碰面時，能轉達我方希望加入國際氣候公約組織及參加兩年一次的ＩＣＡＯ大會。但是我告訴他們不用這麼急，可以一個一個來，這次可專注在尋求加入ＩＣＡＯ的突破為先。

當我搭乘的長榮專機抵達海參崴時，我注意到胡錦濤總書記搭乘的中國民航專機已停靠一旁，表示他已先我一步抵達。在我抵達當晚，大陸國台辦主任王毅前一晚先到我住的飯店，進行溝通。我對王毅說，你可轉告胡總書記，就說我的意見認為基於民航飛航安全，台灣參與ICAO有急迫性。

我指出，台北飛航情報區是國際航線一部分，尤其兩岸航線，搭乘的外國人較少，飛機往返飛來飛去，上面載著的乘客，主要都是兩岸的中國人。因此基於飛航安全，希望台灣能夠早日參與ICAO。雖然目前的做法，也有其他國家航空公司會轉達ICAO的相關資訊給台灣，台灣民航公司也會自我改進、自我要求，但是沒有國際認證，都是自行摸索。哪怕是一枚螺絲釘乃至於其他機械問題，我們都是在黑暗中摸索解決。事關飛航及乘客安全，這是非常危險的事，我對王毅和胡錦濤都這麼強調。

我說我們退出聯合國後，像ICAO這類組織已經離開多年，尤其大會是兩年召開一次，今年若不決定，等於是要再等三年，以目前兩岸航班的密集，實在不宜再拖延，萬一出了事，誰要負起責任。

我說我們首應注意照顧到兩岸中國人的生命安全，台灣所有飛機都應全面提升安全度，ＩＣＡＯ有很好的規定，什麼要做，何時限期完成，這應該與政治議題脫鉤，單獨來考慮。

王毅則說，大陸有關部門也曾經為此議題開過會，但是ＩＣＡＯ的組織章程規定，會員是以政府為單位，此時要讓台灣加入，問題多多。

我對王說，你們有關部門雖不同意，但我是說出內心話，我關切的是飛機上所有中國人的安全問題，從時間、金錢、效率各方面都要考慮到，你還是回去跟胡總書記完整做個報告。

王毅離去時時間已不早，他說對我的提議，並沒有把握，他要我隔天再當面和胡總書記提提，其他事都好辦，但是像此件事，大陸各有關部門是需一致的共同見解。

記得普丁舉行晚宴約在九點結束，不到五分鐘左右，晚宴場地就收拾乾淨，效率驚人。此時王毅又說要來看我，他大約九點半到，他告訴我已經向胡總書記報告，胡總書記也覺得很難處理，並沒有結論，但也沒有說行或不行。他說他給胡總書記準備兩個方案，提前來通通氣。他說一是ＩＣＡＯ章程已經明訂會員是以政府為單位，因此台灣方面要求參與有困難。另一案則預備提連主席基於民航安全與兩岸人民福祉所提的建議，陸方願意攜回研究。他說他的工作只能做到這裡，問我好不好。

我說這也沒辦法，萬一明天與胡總書記談到時卡住，將令人遺憾，這麼晚了你也辛苦了。行是最好，萬一不行，我們也盡力了，談完時針已指向十一點。

第二天一早九點，我去看胡總書記。當我提出台灣要參與ＩＣＡＯ的主張時，只見胡總書記不疾不徐從西裝的內口袋中掏出一張紙（應該就是王毅準備的），他就照著王毅的建議念出，雖然依照章程規定，台灣參加

ＩＣＡＯ是有困難，但是為了兩岸人民的福祉，台灣應有機會以觀察員身分參與ＩＣＡＯ，以增進飛航安全與效率。胡總書記一講完，參與會談的其他人士包括陳錫蕃、張昌邦及幾位國內大企業家都拍起手來。

以此事的發展，王毅是很認真而能幹的人，我對他深有好感。

國際民航組織是一九四四年，由我國在內的五十二個國家在芝加哥簽署「國際民航公約」所成立。總部設於加拿大蒙特婁，主旨在發展國際飛航的原則與技術，並促進國際航空運輸的規劃和發展。

我國是於一九七一年退出聯合國後，就被排除於該組織外。直到二〇一三年我國應ＩＣＡＯ理事會主席的邀請，以特邀貴賓（Guests）的身分出席ＩＣＡＯ第三十八屆年會，重返該國際組織，這是政府與民航界引領期待多年的目標，終於有了好的結果。

但很遺憾的是，兩岸關係於二〇一六年換政府後急轉直下，當年我國未能再次收到邀請，無法出席ＩＣＡＯ大會。對於曾經為本案付出心血的人來說，看到我國從重新加入到中斷，除了感到遺憾也非常痛心。

我與胡總書記在APEC五次見面中，對於我方提出若干參與國際組織的提議，他都有一些正面的回應與進展，這是兩岸關係改善過程不易的進展。這次在海參崴碰面，我也提出和平協議議題，但他則未回應，這只是我個人的見解提議，留待後人再繼續努力。

返國後九月十二日，馬英九總統偕同吳敦義副總統於總統府接待我及出席第二十屆APEC經濟領袖會議代表團，對於代表團不負眾望，達成促進經濟貿易發展，有意義參與國際組織等任務，表達了最高肯定與感謝之忱。

總統致詞時表示，我於與會期間，與中國大陸領導人胡錦濤會談，就我參與ICAO一事，獲得對方善意回應。此外我與美國領袖代表希拉蕊・柯林頓國務卿會談，雙方獲得共識，決定展開重啟台美TIFA協商之預備性工作，美方將派高層官員來台，就雙方共同關切的經貿議題洽談，期盼進一步提升並強化台美經貿關係。

總統特別提到在與會過程曾多次與我通話保持聯繫，區域多邊合作及經濟整合的主要平台；本屆APEC會議各國經濟領袖齊聚一堂，除討論全球經濟情勢，也聚焦在區域經濟整合進展及各區域體共同關切的重大議題，如創新戰略、糧食安全及供應鏈連結等。

我也特別感謝我APEC代表團出席本屆會議時進行良好分工，各部會官員、顧問及企業家領袖分別參與俄羅斯總統普丁主辦的大會、宴會及企業家峰會之下的分組會議等，成果非常豐碩。

這次會議結束後，我覺得已經連續五年出席，是該換人參與。像蕭萬長副總統也曾經以經貿首長背景出席過APEC，隔年二〇一三年的APEC年會在北京舉行，蕭當時已經卸任副總統，由他來接棒代表馬總統出席，是很理想的，也維持我方已卸任副總統身分出席的規格。

另外，我從未對外吐露的是，參與APEC除了正式會議，還有不少的雙邊會談，時間安排得緊湊，加上時差的關係，沒有好的體力是吃不消的。像海參崴與台灣時差三小時，參加完普丁宴會結束，已是台北時間晚上十二點。當王毅來看我，等他離去再梳洗就寢，台北時間已經是清晨一兩點之後。再加上一清早有早餐後的安排，這樣密集的行程對我個人是個挑戰也是壓力。因此我也正式向馬總統婉謝繼續擔任APEC特使的工作，但過去五年連續出席五屆APEC會議，結交認識各國領袖與各國重要企業領袖，除了不辱使命，提高我國的能見度與向各國分享融入亞太區域經濟的「貢獻」外，我也很感謝馬總統給我在公職退休後，還有報效國家的機會，這也是我個人很珍惜的國際外交經驗。

注釋

1 2018年10月30日。蘋果日報。

2 中華民國總統府官網，總統府新聞（民97年11月13日）。檢自https://www.president.

gov.tw/NEWS/12789 (Dec. 15, 2022)

3 2018年11月22日。自由時報。A3焦點新聞。

4 郭篤為（2008年11月22日）。《中國時報》。A5版。

5 中華民國總統府官網，總統府新聞（民97年11月28日）。檢自https://www.president.gov.tw/NEWS/12831 (Dec. 15, 2022)

6 陳洛葳（2009年11月3日）。《中國時報A11版

7 李明賢（2009年11月3日）。《聯合報》。A11版。

8 秦蕙媛（2009年11月6日）。《中國時報》。A26版。

9 李明賢（2009年11月6日）。《聯合報》。A16版。

10 梁東屏（2009年11月15日）。《中國時報》。A4版。

11 李明賢（2009年11月15日）。《聯合報》。A2版。

12 梁東屏（2009年11月14日）。《中國時報》。A4版。

13 梁東屏（2009年11月14日）。《中國時報》。A4版

14 李明賢（2009年11月15日）。《聯合報》。A2版。

15 王飛華（2010年11月12日）。中央社。

16 李光儀、陳世昌（2010年11月14日）。《聯合報》。A1。

17 李光儀、陳世昌（2010年11月14日）。《聯合報》。A1。

18 編注：安倍晉三於二〇二二年七月八日於助選期間遇刺身亡。

19 黃名璽（2012年10月3日）。中央社。

20 中華民國總統府官網，總統府新聞（民100年11月03日）。檢自https://www.president.

gov.tw/NEWS/16014 (Dec. 15, 2022)

21 王光慈（2012年11月13日）。《聯合報》。A3版。

22 中華民國總統府官網，總統府新聞（民100年11月17日）。檢自https://www.president.gov.tw/NEWS/16074 (Dec. 15, 2022)。

23 康世人（2012年9月6日）。中央社。

24 仇佩芬（2012年9月9日）。《中國時報》。A2版。

25 劉俐珊（2012年9月9日）。《聯合報》。A6版。

26 仇佩芬（2012年9月10日）。《中國時報》。A1版。

27 仇佩芬（2012年9月10日）。《中國時報》。A2版。

終章——

兩岸應該推動政治對話 追求最終和平

我這一生的工作雖然歷經不同的職務歷練，但是回想起來，涉獵兩岸範疇是既早、又深、且廣。早在民國五十八年我在台大任教時，就奉派擔任我駐聯合國代表團顧問，親身參與聯合國代表權保衛戰。民國六十四年出任駐薩爾瓦多全權特命大使，為鞏固中美洲國家邦誼盡力。在交通部長時期處理華航飛機遭劫至大陸廣州，交涉飛機返航，這是政府遷台首見的兩岸敏感事件交涉。在外交部長期間，則是邦交國爭奪戰的一段難得篇章，也推動加入GATT。在擔任行政院長期間，一開始就是推動兩岸辜汪會談，進而因應香港九七大限，推動台港海空航線持續，也首創「權宜輪」的彈性概念，繼而因應千島湖事件危機，九六年台海危機，將近四分之一世紀的從政時間與兩岸關係結緣，而且因緣際會處理不少重要決策。

我的出生與成長背景與兩岸也是有奇妙因緣，我的祖籍台灣台南，卻因對日抗戰關係，我卻在西安出生，跟著祖母牙牙學語，學閩南話。到了十歲，因為抗戰勝利，就隨母親返台，我今年已經八十六歲，扣除在美國留學任教時間及擔任駐薩爾瓦多大使之外，我在台灣居住的日子已經超過六十五載的歲月，吃台灣米，喝台灣水長大，過去擔任公職期間，保護台灣，建設台灣，我也付出了心力，因此對於台灣這片土地，我深深地充滿著摯愛與感恩之情。

二〇〇五年我赴大陸進行破冰的和平之旅，出發點就是要追尋和平，不僅為台灣好，更是為了兩岸好。當時史無前例的國共兩黨難得達成五項和平發展願景，為兩岸的合作發展擘劃出藍圖。二〇〇八年國民黨重新執政後，兩岸外交休兵，中華民國以中華台北名義重返世界衛生大會（WHA）、國際民航組織（ICAO），這將近十來年光陰，我先後與大陸兩任領導人胡錦濤及習近平單獨會晤多次，累積兩岸政治互信，促進兩岸和平發展。個人雖然擔任國民黨主席、榮譽主席及總統特使不同身分，但是為化解兩岸敵意，打破隔閡，促進交流合作，我是盡了心力，沒有間斷。

但是二〇一六年之後，由於民進黨執政當局不承認九二共識，導致兩岸關係急速惡化倒退，大陸內部武統聲浪高漲，大陸飛機軍艦以壓制台獨及美國介入台海等國際勢力為名，日以繼夜在台灣島嶼周遭出沒。對照二〇二二年二月爆發的俄烏戰爭，全世界都看到烏克蘭數百萬的難民潮湧入東歐的慘狀。我曾經訪問過烏國的首府基輔，因此對於這場戰爭，也格外關注。從國際媒體的報導，我們看到從都市到鄉村都是斷垣殘壁，死傷無數，人民過著躲警報、缺水缺電的痛苦日子，對於那片不陌生的城市土地今天面臨的浩劫危機，我是深深寄予同情與不捨。這場戰爭是不是可以避免？國際勢力的介入，如果在關鍵時刻相關國家領導人提早進行預防性的外交對話，經過斡旋，烏克蘭暫不提出加入北約的申請，戰爭的按鈕說不定就會止步。這場戰爭已經拖了近一年還沒有終止跡象，這樣的情勢發展，很多國際媒體都擔心台灣會不會成為「烏克蘭第二」，這也呼應了英國經濟學人雜誌最早公開撰文稱「台灣海峽是世界最危險區域」[1]的辦法。

但是這樣的警訊，卻未帶來台灣內部人民的居安思危，美國反倒介入要求台灣增加對美軍事採購，並要求台灣要加強自衛力量。以至於國防部開始增加役男的教育召集[2]，考慮推動役期延長及恢復徵兵制取代募兵制的聲浪又起。這樣的危局，台灣以外的國際社會看得很清楚，紛紛擔心台海局勢驟變，台灣的民主體制遭到威脅。反倒是台灣內部依然政黨對立，繼續內耗，民主自由帶來的卻是政府效能倒退，國家競爭力下滑，人民對於外在危機輕忽的態度，讓人吃驚。不過二〇二二年九合一選舉的結果，執政的民進黨大敗，台灣人民是否已經用選票表達要和平，不要戰爭的訊息呢？

對於像我致力投入兩岸和平發展的工作者而言，我是很失望自己所努力打拚出來的和平願景遭到重大挫折。中國國民黨於十七全大會上，把九二共識及五項和平願景寫入黨綱。中國共產黨接著在十八全大會也正式接受九二共識，緊接著在十九大及二十大的報告中也都寫入九二共識。在兩岸分治六、七十年間，對於一個中國問題採取求同存異的共識，是何其不容易。

兩岸的政治難題，無法完全從國際介入得以解決，關鍵還是兩岸之間務實的面對，政治現狀的維持需要有彼此都是中國人的認同，否則現狀的改變，兩邊是一點一滴在進行，終會有擦槍走火的引爆點，不能不防。

「兵凶戰危」不該是兩岸人民的選擇，也不該是被迫走上的際遇，在和平環境追求發展才是正確道路。因此對於化解政治對立與難題，政治對話已經是兩岸之間逃避不了的一條路。

兩岸關係中的和平發展，特別是涉及到兩岸和平協議的談判與架構的過程，都需要兩岸人民共同來關心、討論、參與。換言之，兩岸關係的和平發展的推動與建構要有以下嚴肅的體認：

一、這不僅僅是兩岸高層領導人個別所能決定；
二、這不僅僅是兩岸任何政黨的歷史任務及責任；
三、這不是國際關係的強權所能干預和阻撓；
四、最關鍵的是這是一個應訴諸於兩岸人民的意志與決心的課題。

本人體認到，兩岸的有識之士及民間的熱心人士，一方面對當前兩岸關係以經貿互動及民間交流為內涵的發展模式表示支持與肯定，但也都體認到兩岸關係如果不能在建構「和平協議架構」上有所思考與對話，甚至如果是特意的加以疏忽或迴避，對現階段兩岸關係的發展只會添增更多負面的變數。

我始終認為兩岸不能迴避政治問題，這是執政者的責任。我認為兩岸問題是綜合性與歷史性的問題，儘管現階段兩岸經濟問題很重要，但是不能迴避政治問題。因為，想把兩岸政治與經濟問題完全分開，是不可能的事，必須務實面對。

將來兩岸面臨的和平協議中的重大課題，例如「結束敵對狀態」、「兩岸政治定位」、「台灣的國際參與」，以及「對待中華民國存在的事實」等等，這些都應在條件成熟的情況下逐步的展開對話與協商，這才是真正掌握兩岸發展所預期的最重大戰略目標。

我也要向北京當局呼籲的是，開啟兩岸政治對話的前提，必須務實正視一九四九年後，兩岸分治以來中華民國政府存在的政治現實，這是翻不過的一頁，唯有在此政治互信下，政治對話才能開展，才能開創新的未來。

我常想，中國有句古話：「十年河東，十年河西」，而今兩岸關係卻是「三十年河東，三十年河西」！很顯然，今天的大陸已非美、日、英、德等過往的世界經濟強權可想像，整個局勢也翻轉了過來！當然，今天大陸也面臨了許多開發過程的壓力，但其經濟實力，超越強權，已是今天不爭的事實！

兩岸之間，當然不能只談經貿，就長遠的眼光來看，兩岸同胞，同文同種、源遠流長的文化，系出一脈，因此，在彼此分隔了六十多年，我以為，文化的交流，更顯得意義深遠，如何擴大並深化兩岸文化、教育、學術、體育、科技、新聞傳播等之交流，以增進彼此了解與互信，發展共同合作的關係，共創中華文化新紀元！

從首創的和平之旅、破冰之旅後，在國民黨重新執政的八年間，兩岸都是以「先經後政」、「先易後難」為考量，一直到民國一〇二年（二〇一三年）二月胡錦濤正式卸下中共國家主席後，事實上，在胡先生卸任前，中共已希望兩岸能邁向另一階段，也就是進入政治協商，但此一提議，馬英九總統並不十分認同，他甚至在同年四月二十一日接受《中國時報》訪問時，還公開強調：「兩岸政治對話，何必急？」他並說，兩岸過去談到了十項協議，多少會碰到政治問題，但都解決；若特別要進行政治對話，「那要談什麼？」他解釋：過去五年的經驗，證明兩岸可以和平地發展下去，若要在政治上做什麼，台灣的時機還沒成熟，雖然外界有許多人一再表示兩岸應進行政治對話，但沒有人真正說清楚具體談些什麼？既然大家都沒有一致的意見「那又何必急」？

我曾說過，兩岸事務哪一樣是單純的經濟？任何一樣事都有政治的影子在，政治是避不開的。今天不做，不是沒有能力做，而是抱著逃避，以免吃力不討好的心態，那是不對的；民國一〇二年（二〇一三年）二月二十四日，我和剛接任中共總書記的習近平先生會見時也觸及這個問題，當時，我們都同意，固然「先經後政」、「先易後難」，但不能全然不去面對政治，既然如此，也可以先從政治層面中「先易後難」的來做。

我也曾和馬英九總統談及此一問題，例如和平協議，目前固然無法簽訂，但我們不必去迴避這議題，既然如此，兩岸可先由學術單位、智庫等廣邀專家、學者來舉辦論壇，大家先集思廣義，來進行此一議題，我也認同馬英九總統提到以堆積木的方式來做，也就是一步步的先創造氛圍環境，等主、客觀因素都齊備了再做也是一途。

我簡單要說的就是，就歷史的史實，就現實的狀況，中華民國的率先開國存在，與中華人民共和國的後起，都是事實。台灣是個多元化的社會，個人有個人的思維，有人力求兩岸統一，有人則有台灣獨立的想法，對此，我也只能表達尊重，但是我要強調的是，不管你追求統一，或是追求獨立，任何想法、做法，最重要的前提，一定要為了人民的生計，為了子孫的福祉，尤其做為一個政治人物，國家領導人，更應該要一切以人民為先，以人民為上。

寫到這，我就想到其實早在民國八十九年(二〇〇〇年)，我就提及「簽訂和平協定，保證長期穩定關係」，我認為，應該在對等及確保我國家權益之基礎上，簽訂兩岸和平協定。在兩岸關係方面，我們追求的中程目標是「全面正常化」，唯有「和平協定」才能反映兩岸關係全面正常化的事實，也才是兩岸關係長期穩定發展的基礎。

「終止敵對狀態協定」或「停戰協定」僅表示兩岸間「暫時停止戰爭」的狀態，並不是兩岸關係長期和平穩定的保證。因此，我在那時就主張，兩岸應適時透過高層次議題的對話與協商，尋求共識，簽訂「兩岸和平協定」，並商定以某種機制確保和平協定之執行。

做為一個政府決策者，尋求和平，維持自主，避免戰爭，永遠是最為首要的施政考慮，尤其在俄烏戰爭上更可得到戰爭沒有贏家的教訓。尤其我過去曾長期參與過外交及大陸政策的擬訂與推動，因此，我時時刻刻都思考如何謀求兩岸關係的改善及走向正常化。

在二〇〇〇年參選時，在兩岸政策方面，我公開提出我的期盼：我「深切的盼望有一天，中國人不打中國人」，讓世人看到一個沒有砲聲的台灣海峽，一個沒有烽火的兩岸。「中國人幫中國人」，讓世人看到雙方善意的交流與合作，雙方互信與互利的雙贏局面。

果真如此，有這麼一天，兩岸人民不僅在廿一世紀中握手言和，也將會在世界舞臺上揚眉吐氣。

事隔二十二年過去了，我再回顧我過去的期盼，我深感兩岸間曾難得一步步的在追求互利、互惠、互助及雙贏，但走了一段，面臨了所謂瓶頸，甚至出現大逆轉，這是悲哀且令人痛心的局勢。我很企盼，我方的當政者，不管是國民黨、或民進黨在位，一定要有前瞻，要有定見，不能瞻前顧後，須知有些事現在不做，一輩子都不會做了！更有些事今天不做，明天就會後悔了。我總覺得政治家應該看的長遠，而非目光如豆，只見及眼前，或是只考慮選舉。所以，我真是期盼，有這麼一個政治家能把上一代留給我們的歷史問題，就在我們這一代手中有效解決，絕不要把爛攤子再拋給下一代，讓後代子孫還繼續煩惱下去。留給下一代應該是美好的事情、正面的資產、圓滿的成果。

在台灣內部而言，兩岸和平協議的談判與對話絕對是會有不同聲音，甚至有人會抗拒。台灣的未來是台灣人民不分藍綠、不分族群、不分地域共同關切的課題，在兩岸歷經超過一甲子的分合對抗之後，此時此刻應該平心靜氣冷靜思考如何開展政治的對話，兩岸應揚棄自我中心立場，以理解與包容的態度看待對方人民的利益與情感，先從民間、學者間進行對話，以開放理性創新思維，站在為兩岸人民謀求共同的幸福著想，必能找到一條通暢的道路。

後冷戰時期，世界格局產生了相當的變化，隨著全球化的快速發展，世界正朝向「文化多樣性」的方向前進。同時伴隨著網路與大眾傳播技術的發達，更加速了國際間不同文化間的交流。各國逐漸把注意力的重心從軍事與經濟領域轉到文化領域，「文化」因素對國際關係的影響越來越受到重視。

同樣的，在兩岸關係上，由於雙方承襲了相同的中華文化，擁有共同的歷史傳統與生活習俗，隨著兩岸民間文化的交流發展，也拉近了人民間的感情，增進了彼此的了解，對兩岸關係的和解也發揮了正面積極的作用。展望未來，進一步加強兩岸文化交流，以文化做為兩岸關係的紐帶，為兩岸的和平發展開創契機，應是共同努力的方向之一。

對台灣而言，由於兩岸關係涉及到台灣最敏感的生存與安全，因此如何建構一個保障兩岸和平發展的架構就一直是兩岸有識之士共同追求的目標。但是正因為兩岸關係的敏感性與複雜性，以及政治鬥爭的需要，有的政黨及有些人，以「抗中保台」為訴求，販售「芒果乾」獲得選舉利益，進而抹紅主張交流合作的人是「出賣主權傾斜中國」的批評。這是不道德且應被譴責的政治舉動。因此，兩岸除了經貿的互動來往之外，若能進一步從「文化議題」出發來促進彼此的認識與理解，經過時間的發酵，才有可能逐漸化解兩岸交往過程中的各種阻力。

現階段中國大陸的發展正面臨到一個如何抓住戰略機遇期的機會與挑戰。個人認為，當前中國大陸最重要的國家戰略，就是在二〇二一年實現全面建設小康的社會後，加快社會主義建設的全面現代化，讓中國大陸走向一個「全面性、平衡性、公平性、實質性」的現代化大國。而從中共過去三十多年的改革政策的經驗得知，堅持「和平」就是中國大陸能夠永續「發展」的唯一選擇。中國大陸目前對人民提出「共同富裕」的號召，中山先生的民生主義也是以縮小貧富差距追求「均富」為目標，這應該是兩岸當政者為讓人民普遍過好生活的共同交集，應該從各自努力到相互幫助，少點意識形態的堅持，多點民生經濟的訴求，這何嘗不該是兩岸化異求同的新願景與共同價值觀。兩岸應當好好抓住孫中山先生思想的最大公約數，為兩岸的和平，中國的未來，走出一條正確的發展道路。

事實上，兩岸儘管在政治體制與意識形態上有此差異，但在中華文化之傳承與表現上卻存在高度的共鳴，中華文化中的節慶日與紀念日，過農曆年、清明節、端午節、中秋節仍是兩岸人民共同的文化變身，這充分證明中華文化在兩岸關係中的重要角色。

個人認為，「和平」與「發展」是兩岸關係中最關鍵的課題，也是不容迴避的工程，必須大家群策群力共同來因應，尤其是要理解「人民的意願」及「人民的力量」，因為兩岸的和平與發展最後還是應該以人民的利益及人民的福祉為依歸，因此必須重視及強調人民的因素。

為民族立生命，為萬世開太平，是我二〇〇五年和平之旅應邀在北京大學演講中所強調，此刻重申這句話，簡單說，這就是我對兩岸和平發展、對兩岸交流、為兩岸同胞、後代子孫，努力奉獻的目標與期盼。

即使將來有那麼一天，我的生命燃燒到最後一刻，我念茲在茲的，還是心繫著「兩岸和平」四字！

注釋

1 2021年4月40日《經濟學人》（*The Economist*）封面故事

2 編注：蔡英文總統於二〇二二年十二月二十七日宣布兵役改革政策，義務役從四個月延長至一年，預計二〇二四年元旦生效。

跋

寫回憶錄，雖然是不少好友的催促，包括遠見・天下文化事業群高希均發行人在內，但我遲遲未動筆。但後來我深思過，這樣的寫作，並非是為了趕時髦出書，更非成就個人，或是調侃臧否哪個人、哪件事，而是忠實的面對自己走過的歲月，回顧檢討自己的工作奉獻，希望能給讀者們一起分享。

如果問我，你對這一生滿意嗎？我要說的是，當然不是，世間事務的發展，豈能盡如人意，但求無愧於心。對家庭、對社會、對國家民族，我已經盡了個人的心力，無愧父母的教育、家國的栽培。

我從出生就經歷悲慘的對日抗戰階段，童年歲月輾轉從大後方經長江、台灣海峽，輪渡回到先祖的故鄉台灣。在年少時就親眼目睹感受世間的悲歡離合，因此對戰爭的痛恨，和平的嚮往，也格外殷切。

我的小學教育雖然是顛沛流離，但是之後的中等教育及大學教育，再到美國芝加哥大學留學，我很幸運得到啟發，開拓視野，增長見識。尤其在美留學任教期間，我得以有外語的歷練溝通，對我這一生受用無窮。上世紀六〇年代的美國，在世界已經舉足輕重，領導群倫。我們處於接受美援的國家子弟，留學就是吸收再吸收，觀察再觀察，磨練再磨練。回首過去的一甲子，能有完整的學術歷練，父母的栽培、自己的用心及妻子的陪伴鼓勵，是我得以進入公門，報效國家的基礎。

在不同政府部門的工作，在書中已有詳盡的敘事，讀者們可以感受到我工作的用心。我個性雖然不是譁眾取寵型，在民粹網紅盛行的年代，參與選舉並不討好。但是我也深信，水能載舟也能覆舟。國家社會的發展，未必能照我們的意願行走。但是人民還是會有智慧，這是很奇妙的事，就像時鐘的鐘擺一樣，它還是會擺回中道的理想，進步不會終止，激情不會持久，這是我深信不疑的信念。即使法界有句話說「正義總會遲到」，但正義總不會消失不見。

當各位看完本書時，應該可以感受到我對國家民族社會的發展有一整套堅定不移的系統化信念，絕不會動搖，我抱持為大我目標，盡我小我努力，結合志同道合之士，向奮鬥的目標堅毅不拔的走下去。我回顧當年推動台北市區鐵路地下化、全民健保、眷村改建、網際網路建設、電子化政府、活路外交、兩岸和平三通等重要政策，這都可以攤開來給現代人，甚至下一代人檢視，我們的所作所為是不是為了人民的福祉而行，我們的出發點是不是為了國家民族、甚至兩岸雙贏的共同利益而考慮。我及我的工作夥伴，我們都努力打拚過了！我們無怨無悔，更是無愧。

從二〇〇〇年後，我就離開公職，沒有再領過官俸了。但是做為在野黨的主席、跟國民黨黨員的一分子，我在退休的一、二十年間，也不得閒，我更能跳脫世俗雜務，為黨及國家盡一己之力。連續五年的亞太經合會議領袖代表角色，我要很感謝馬總統的信任託付，我豐富的從政閱歷，與無礙的外語溝通能力，能與主要國家領袖平起平坐，介紹中華民國與台灣的發展，及表達我國願意貢獻世界的角色，同時也能與對岸領導人坦誠對話溝通，這是我人生精華最後的燃燒。

我最後想要說的是，一個人所做的雖然有限，但是累積下來，傳承延長下去，能積累的力量、智慧還是驚人的。我們未必都能親眼目睹那一刻到來，但社會正向發展的進步力量，總是會浩浩蕩蕩奔騰下去，永恆不息。

我這一生奮鬥的過程，遭受的打擊也不算少，但是我不茫然，也不會若有所失，我很清楚曉得奮鬥的目標，絕不糊塗。我以此期勉他人，也做為自勉。

在我的辦公室裡，珍藏有服務公職數十載所受贈的中外各國勳章，無不記錄我充滿感激的榮耀時刻。

任職行政院長期間獲頒巴拉圭共和國懋績大十字勳章。

民國八十三年六月，瓜國總統戴雷昂（Ramiro de León Carpio）贈勳予我。

附錄——精彩演講稿七篇

美中政策基金會及華府全國記者協會合辦之午餐會演講全文

時間：二〇〇三年十月二十一日

地點：全國記者俱樂部

題目：我們將往何處去——台灣二〇〇四年大選時的兩岸關係

主席、各位女士、各位先生：

當我環顧四周，我看到許多熟悉的面孔——有來自美國或台灣的前政府官員、智庫學者、媒體代表、大學教授，或是我認識多年的老友。你們今天能夠出席，我非常很感謝。你們同許多其他美國人士一樣，非常關心台灣將要往何處去，以及台灣兩千三百萬人民所能掌握的未來。

你們之中許多人都知道，從現在起的五個月後，準確地說就是二〇〇四年三月二十日，中華民國將會舉行另一次總統大選。兩千年的總統大選，民主進步黨僅僅以百分之三十九的得票率贏得大選。陳水扁先生成為總統的主要原因是國民黨分裂成兩個團體，由我代表國民黨參選，而前國民黨祕書長、台灣省長宋楚瑜博士，以獨立候選人參選。

俗語說得好：「一個家庭分裂成自己打自己的局面一定不能站穩住腳」，所以即使我們兩人加起來總過獲得超過百分之六十的總總票，但是我們兩人仍然皆輸掉選舉。

我們得到了慘痛的教訓，兩千年總統選舉的結果是中華民國在民進黨執政三年半之中，國運快速向下沉淪。失業率創台灣歷史新高，前所未見的到達百分之五點二一。超過三十萬人無法支付一個月少於二十美元，相當低的全民健康保險費用，以至於因此無法享受全民健保的福利。最近，幾乎社會每個重要部門，從教師到鐵路工人；從菸酒公司勞工到中華電信職員，紛紛走上街頭抗議政府對於他們的問題處置失當，以致明顯地影響了他們的生活。

更重要的是，相隔僅九十英里寬的海峽兩岸，彼此仇視的態勢似乎不能改變，這確實驚嚇到所有人民，他們害怕民進黨隱性的台獨，以漸進的方式朝這個目標邁進，如此可能會導引我們的國家最終走向與中共政權的衝突，更糟的是會拖美國下水。

當陳先生在兩千年五月二十日宣誓就職時，他承諾他不會在他四年任期內令人失望。他宣示，第一，不會宣布台灣獨立；第二，不會更改國號；第三，不會推動兩國論入憲；第四，不會推動統獨公投。台灣媒體稱這幾點為「四不」。然而，在過去大約一年之中，藉由「切香腸戰術」，陳水扁已經違反了所有四個承諾。

簡而言之，民進黨政府在三年半的執政中，國內經濟表現已經引起了極不滿意的風暴，對外的兩岸關係也引起了緊張情勢。

現在，反對黨是如何定位所有有關兩岸關係的重要議題？我相信你們已經都知道，今年二月國民黨已經與宋楚瑜博士在上次大選所領導建立的親民黨形成聯盟，共同參與明年的總統大選。地方媒體說我們是泛藍陣營；而將另一方說成是泛綠陣營，其包含民進黨及台灣民主聯盟，而台灣民主聯盟在台灣獨立這個問題上比民進黨更激進。

民眾對於泛藍陣營的重新出現的反應，至少可以說抱持著歡迎的態度，民意調查顯示，包含七月份美國國務院所委託的調查發現，如果選舉在現在舉行，人民將會以接近二比一的差距，也就是百分之四十二選擇我和宋楚瑜博士的泛藍陣營，超越泛綠陣營的百分之二十三，而其餘的百分之三十四選民仍未決定投給誰。

其他一個由《中國時報》在八月所進行的大型民意調查顯示，泛藍陣營獲得百分之四十三，超越泛綠陣營的百分之三十一，不知道投給誰的比例減少至與大部分選舉缺席投票的比例接近。這個調查做了四千零二十三人的電話訪問，以隨機抽樣的選取方式以與台灣的人口結構一致，誤差範圍僅在正負百分之一點六之間。

我不是在引用這些數據，沾沾自喜地說我們有機會贏得二〇〇四年總統大選，任何有見識的政治人物都知道不能處在像這樣眾矢之的的地位，除非他想要成為大家的公敵。宋博士和我都了解這將會一場硬仗，其結果繫於許多因素，所以所有候選人至今沒有人可以預測結果，我們僅希望盡全力去打一場乾淨、高格調的選舉，這就是我們想做的事。

在將來的選舉活動中，我們會在每個重要的議題上向選民誠實以對，所以選民能夠做決定選擇最適合台灣未來的團隊。因為兩岸關係似乎是你們最關心的台灣議題，讓我首先向你們陳述我們對兩岸關係的立場。

在過去數年中，我知道你們之中有許多人曾經與台灣的政府官員或是民進黨籍的立法委員接觸。相信已經聽到許多傳聞，說起國民黨和親民黨的主要罪惡，當謊言一再被重複到夠多的時候，就連正常人也會被影響，在這些謊言當中，最極端的就是，因為泛藍陣營是親中共的，若泛藍贏得二〇〇四年大選就會傷害美國的國家利益。

事實勝於雄辯，我們對於兩岸關係的立場如下：首先，我們不會落入北京的陷阱當中，也不會屈服於北京武裝入侵的威脅，我們堅持兩岸是分裂的兩個政治實體，而台灣有獨立自主的地位，我們堅決反對中共提出的「一國兩制」，因為它不能給我們比現在更好的狀況。台灣人民現在擁有的是什麼？是享受個人充分的自由權、人權、自由且活力充沛的新聞媒體、民主的政府體系和一個自由市場經濟，我們沒有任何意願拿這些去換一個不切實際的承諾。

其次，我們根本沒有興趣去挑起所謂的統獨爭議，更確切的說，我們拒絕被貼上親中共的標籤，我們確信台灣所有的人民都沒有興趣去挑起所謂的統獨爭議，這個議題適合留給未來的人民去決定，我們應該集中全力維持現狀並致力解決經濟問題。海峽兩岸應該且能夠在未來的數年進行「平行發展」。

第三，我們希望恢復中斷已久的兩岸對話，因為有許多相當急切的相關議題亟待兩岸協商解決。譬如，在大陸工作生活幾乎高達一百萬的台商，他們權益的保障與促進，以及兩岸共同打擊犯罪，與預防SARS的再次爆發。

第四，我們相信如果兩岸空中、海運直航開通，是對每個人都有利的。而不是假裝繞經第三地，也就是繞經香港或澳門，其實港澳也是中共所管轄。兩岸之間的「空中安全走廊」應該建立，一點也不會破壞我們的國家安全。隨著三通的最終開放，台灣的外匯與股票市場將會立即復甦，這正會給我們疲弱的經濟所亟需的動力。

第五，我想要再次強調，台灣安全是我們絕對優先的考量，我們也絕對反對中共對我們的打壓。我們堅決反對中共針對台灣部署四百五十枚飛彈對我的威脅。我們必須要有方法防衛北京鷹派對我所進行的任何突襲或不對稱戰爭。

總結來說，我們對中共的立場將會是堅定但是理性，不會有任何的通融讓步，我們沒有意思去製造美、中、台三角關係的難題，特別是當你們文明國家應該手攜手去打擊恐怖主義的時候。我們不會扮演東亞地區的破壞者或麻煩製造者的角色，並且我們對於民主及和平的承諾絕對不會縮水。

最後有一點非常重要，讓我藉著這個機會再次對美國民眾長期對中華民國的支持表達我們深深地謝意。

主席，謝謝你再次邀請我參加這次聚會，如果各位有問題要問，我非常樂意接受。

北京大學演講全文

時間：二〇〇五年四月二十九日
地點：北京大學
題目：堅持和平・走向雙贏

閔主任委員、郝副校長、陳主任、各位貴賓、各位老師、各位同學、大家早安：

今天我和內人偕同中國國民黨大陸訪問團一起到北京大學，受到各位這麼樣熱烈的歡迎，內心感到非常的榮幸、溫馨，要向各位表示感謝之意。

北京大學的現址，就是當年燕京大學的校址。我的母親在三十年代時曾在這裡念書，所以今天到這裡，倍感親切。看到斯草、斯木、斯時、斯人，想到母親在年輕的歲月中，在這個美麗校園接受教育、進修成長，心裡實在感到非常親切。她老人家今年已九十六歲了，我告訴她我要到這裡來，她笑咪咪的很高興。台灣的媒體說我今天回母校，母親的學校，這是一次非常正確的報導。

北京大學是中國大學的翹楚，也是中國新思潮的發源地。蔡元培先生曾有兩句名言：「循思想自由的原則，取兼容併包之義」，在這種自由、包容的校風之下，長久以來北大為國家、社會不知培育了多少菁英分子。尤其在國家、民族、社會需要的時候，都能挺身而出、各領風騷，不但為國家、民族、社會做了很大的貢獻，尤其是展示了中國知識分子感時、傷時、憂國的情操。所以我今天來到這裡，心裡非常感動。

同樣的，我的母校，也是我服務多年的台灣大學，師生們也以能夠參與爭自由、衛民主、保國家的各種活動為榮。也是因為歷史的因緣際會，台灣大學曾經成為兩岸高等學術人才的熔爐。一九四九年後，北大好多的老師和同學們，好像種子一樣，跨洋過海，到了台灣，尤其是到了台灣大學，讓自由的種子在台大開花結果。當時除了胡適之先生在中央研究院之外，其他如傅斯年、錢思亮、毛子水、洪炎秋、臺靜農、沈剛伯、陳雪屏等後來都在台大當教授，受到大家非常的歡迎。尤其胡適之和傅斯年兩位先生都是北大教授，也都是五四運動健將。傅斯年先生曾經代理過北京大學的校長，後來出任台灣大學的校長。一直到今天，台大校園內，悠靜的「傅園」，迴響不已的「傅鐘」，都是我們台大師生生活裡的一部分。

簡單來說，自由的思想，北大、台大「系出同源，一脈相傳」，一個是在大陸歷史上自由主義的前鋒，一個是台灣自由主義的堡壘，隔了一個海峽，相互輝映。

今天來到北大，我願回顧一下，中國近百年，整個思想的發展應該也可從北大開始。胡適之先生提倡自由主義，代表了一種對自由民主與繁榮進步的憧憬，曾經引起了很大的迴響。但是我們仔細來看，自由主義的思想，在中國所走的卻是一段坎坷的路，不是很順利，也不是很成功。

記得在那個年代，胡適之先生介紹杜威的實用主義，談到科學的方法、科學的精神，面對重大政經社會的問題，提出問題取向的態度，要大家以漸進的、逐步改良的方式來面對所有社會國家的問題。他相信，不要任何的武斷、不要任何的教條，科學理性，點點滴滴，積沙可以成塔。這是實用主義或自由主義進入中國的最主要橋梁。

那時候，胡適之和李大釗先生在《新青年》和《獨立評論》等雜誌史進行了一系列的辯論，題目就是「多談些問題，少談些主義」。我想這樣的「理性漸進」方式在一個正常的時刻和環境之下，也許是一個最好的選擇。但是，為什麼自由主義在中國，它的影響大部分還是侷限在知識分子中？為何如此？我們可以回憶一下，十九世紀末、二十世紀初，那段二、三十年，你看看這個國家所面對的是什麼？是中法戰爭、是甲午戰爭、是八國聯軍、是日俄戰爭、是第一次世界大戰，可以說整個國家都在列強、帝國主義燒殺擄掠，不平等條約喪權辱國的環境中度過，老百姓的生活已到了貧苦的極致，烽火連天，顛沛流離！在這樣的環境，中國人民實在沒有環境再來冷靜的思考自由主義所代表的各種深刻的意義！

各種思想雖然在校園裡百花齊放，百家爭鳴，但最後吸引青年人最大的政治號召，不外乎還是以中國國民黨所代表的三民主義，和中國共產黨所代表的社會主義兩條總路線。

今天北大已一百零七年，來到這裡，好像把我們帶領回到近代中國史的時光隧道裡。因為在這裡，不但是人文薈萃，中國近代史也濃縮在這裡。我看到大家，我就想到，各位除了各有專精外，宏觀的思維一定是和北大的前輩先賢一樣，大家念茲在茲的還是要想一個問題，那就是中國的未來到底是在哪裡？我們到底要選擇哪一條路？當然在找尋這兩個問題的答案的時候，我們大家都知道，是歷經曲折和挑戰，讓我們不知走了多少的冤枉路！也不知道得到了多少慘痛的教訓！當然，這些都是非常困難的事！身為知識分子，我相信大家都有百折不迴的決心與勇氣，因為在各位的肩膀上，要擔負的就是要為歷史負起責任，要為廣大的人民找出路！如何讓中華民族不要再走上戰爭和流血的道路？如何實現和平？如何提升人民的生活水準？如何能夠不斷提升我們的國際競爭力？這些重擔都在各位的肩頭上。一肩挑起來，就是現代知識分子偉大的格局。用什麼話來形容這樣子的格局，這樣子的勇氣來帶領我們到一個正確的歷史的方向和目標呢？我想了再想，把它歸納成十二個字，那就是希望各位能「為民族立生命，為萬世開太平」。聽起來好像有點老古董，但是畢竟這是我們老祖先心血的結晶。用現代的話來講，這十二個字可以再縮減為八個字，那就是我們大家一定要「堅持和平，走向雙贏」。

當然有人會問我，你的勇氣不小，你的基礎在哪裡？我要在這裡跟各位「坦白從寬」，在台灣要「報他一備」，我認為這個基礎是歷史的潮流與民意的趨動。這讓我和許許多多人能有勇氣提出來。

什麼是「歷史的潮流」？中國國民黨、中國共產黨都以中國的富強康樂為目標。但是，不幸的是，由於日本鐵蹄的侵略，阻礙也終止了這個國家該有的文明建設，以及現代化的進程。抗戰勝利後，國共兩黨對於國家所應該走的總路線又有不同的看法，結果是以內戰的方式來解決，直到今天，一條台灣海峽阻隔了兩岸，不曉得阻隔了多少的家庭，造成了多少的不幸、哀怨！尤其還形成了若干民族間的嫌隙，直到今天仍迴盪不已！

但是我們也看到，在這樣的歷史的進程中，關鍵的歷史人物，在關鍵的歷史時刻，做了關鍵的決定，扭轉了關鍵的歷史的方向。這是驚天動地，了不起的事情。形成了一個新的趨勢、新的方向，我在這裡特別要提到蔣經國先生和鄧小平先生。

經國先生在兩次能源危機之後，曉得台灣沒有任何的天然資源，要靠自力更生，所以他捲起袖子全心全力推動十大建設、新竹科學園區的建立、技術官僚培育、號召留學生回國研究投資等等作為，為台灣創造了經濟奇蹟。在經濟發展之後再推動政治民主化的工程，包括排除威權政治，奠定了政黨互動的模式，並更進一步開放黨禁、報禁，取消戒嚴，以及開放赴大陸探親，從此開啟了兩岸交流的大門，在歷史的時刻扭轉了方向。經國先生晚年的時候曾說，他是中國人，也是台灣人，這代表了他內心的一個憂慮，他的憂慮就是大陸和台灣共同的未來要怎麼走。

小平先生開放改革，不但轉換了文化大革命的方向，全面提升了人民的生活水準。這都是劃時代、了不起的作為。小平先生講到「改革開放的路線要管一百年，動搖不得」。今天大陸經貿的發展、經濟的成長，樣樣都是名列前茅。我是五十九年前離開上海，回到台灣，那時還是一個年輕人。今天來到大陸，所看到的一切情景，跟我的記憶完全不吻合了。我是懷著一顆祝福的心，一顆持續不斷期盼的心，希望這塊土地能夠更快速的發展。

大陸除了經濟的發展，政治的發展也很快速，例如在基層有很多定點的民主選舉制度；在憲法裡也提到財產權是最基本的人權。我相信這些都是正確的歷史方向，是值得鼓勵的歷史的步伐。當然整個政治改革，無論是腳步或範圍，在大陸還有相當的發展空間。但我必須說，在過去這段時間內，兩岸所走的路和方向已經使兩岸的差距或差異可說是愈來愈縮小，這是歷史的潮流中非常重要的方向。

接下來，我再談民意的驅動。

我這次到大陸來訪問，來得不易，因為有人質疑，甚至批判，認為我這次訪問代表第三次的國共和談，說我的目的是要「聯共制台」，當然那個「台」下面應該還有一個「獨」字才對。這是一個非常嚴肅，且嚴重的扭曲。因為講這種話，是從一個僵化的思維，冷戰、內戰時期的思考來看問題，時間對他們來講的確過得太快了！讓他們留在二十世紀，甚至於是回到三十、四十、五十年代！我們今天怎能不重視、不放眼當前共同展望、開創未來呢？我們為什麼不能以善意為出發點，以信任為基礎，以兩岸人民的福祉為依歸，為民族的長遠利益來考慮呢？我強調：人民為主、幸福優先！我想這是包括我們所有的台灣兩千三百萬，大陸十三億的人民，大家會共同支持的方向。

過去面對東西德，柯爾總理說「我們相互需要」；面對南北韓，盧武鉉說「同理心、兄弟情」，這些聲音難道引發不起我們應有的惕勵嗎？我想答案是我們會的。今天我們所走的這條路是人民所支持的；我們搭橋鋪路，是人民所願意看到的。他們不願意再看到兩岸的對峙、對抗、對立，甚至於對撞！他們願意看到的是兩岸的對話與和解，大家的同心同德、相互合作，這是非常重要的事情。

去年底，台灣立法委員的選舉是民意的展現，我們明確提出「走對路，才有出路」的訴求。什麼是錯的路，我們認為不能讓民粹主義取代民主的思想，不能讓所謂的「制憲、正名」、「去中國化」、武斷的「台獨時間表」來打破我們整個幸福的基礎。結果大家都知道，認為支持這種看法和政策立場的在今天立法院占有絕對多數的立法委員。這一次很多國民黨籍的立委都爭著要來，但是我說不行，我們不能「放空營」，人家會偷襲！從他們的當選和得票率就可看出人民的取捨。

星期天，我們出來之前，有一個民調，有百分之六十六的人民認同支持兩岸的和諧對話，百分之三十認為可能沒有什麼太大效果。這也是民意明顯的取捨。

在這樣歷史的趨勢和民意的驅動下，我認為現在給我們一個總結過去歷史的契機，好讓我們有一個新的環境、新的思考，以發展建立我們共同的未來和願景。這是非常重要的事情。我們不能一直活在過去，就像邱吉爾所言：「如果我們永遠為過去和現在糾纏不清，我們很可能就會失去未來。」

「逝者已矣，來者可追」，我認為我們的願景要回到自由的思想，應該朝三個主軸來共同努力，第一是「多元與包容」，第二是「互助與雙贏」，第三是「現狀的維護與和平的堅持」。

各位親愛的朋友們，在資訊網路暢通的時代，台灣與大陸的社會發展愈來愈多元，而且本身就具備多元的基礎，例如少數民族、不同經濟階層，乃至於不同的政治主張。在一個多元的社會，一定要有包容，就像蔡元培先生所說的包容之意。如何檢驗是否有包容呢？很簡單，應以理性溝通、相互尊重取代激情謾罵和批判。

我再以北大為例，曾任北大校長的蔣夢麟先生曾有過這麼一段描述：「保守派、維新派和激進派，都同樣有機會爭一日之短長。背後拖著長辮，心理眷戀著帝制的老先生與思想激進的新人物並坐討論，同席笑謔」，這就是包容，就是北大的風氣。

第二個主軸是「互助與雙贏」。今天，市場經濟的作為，已經在全球的趨勢裡席捲全球，自由的經濟就是這樣的一個情勢，在自由經濟的體制之下，如何維護與提升我們的競爭力是最重要的事情，我們不能只喊口號，要落實，而維護提升競爭力，唯一的方法就一定要合作、創新。合作創新，才有機會。今天兩岸的關係，我們不但是相互依存，而且是互補互利，是一加一大於二的情況，我相信台灣在創造了第一次經濟奇蹟之後，現在正在向第二次經濟奇蹟的這條路努力。大陸今天所面臨的也是一個千載難逢的機會，中華民族的現代化與富強康樂已經不再是遙不可及的美夢而已了！尤其在即將面臨的未來，兩岸合作賺世界的錢，有什麼不可以？我們一定能夠實踐如虎添翼的加乘效果，這種加乘效果不只是雙贏而已，而是多贏。東南亞國家、亞洲其他地區，乃至於世界各國，哪一個國家不關心兩岸？兩岸的和平、互助、雙贏對大家何嘗不是一個「利多」？

第三個主軸是「堅持和平、維護穩定的現狀」。沒有人希望不穩定的和平，時時可以有改變的憂慮，這是邏輯上的一個層次。但是在實際的層次，今天兩岸的情形，我們必須維護所謂的「現狀」（Status Quo）。現狀的維護，不是靜態的、退縮的、消極的，一方面應避免彼此的爭議；另一方面也可以存異來求同，凝聚善意，累積動力，開創嶄新亮麗的未來。這才是Status Quo今天所代表的實際上的意義。

過去長久以來，戰爭流血不只是在我們之間，整個世界都普受痛苦和摧殘！在聯合國大廈前有一座雕塑，一把槍打了結，差不多就要斷了，它的含意很深，上面寫著：「Swords Into Plowshares」，意思是把刀劍等武器熔化成為犁鋤，來從事民生建設、改善生活！另外美國一位知名教授密傳尼（David Mitrany）討論如何來建構和平，中心思想很簡單，他說：「點滴心血，累積而成」（Peace by Pieces），一點一滴的累積，我們可以達到和平的目的。

以色列特拉維夫的猶太人博物館前寫著一段話：「全世界的猶太人對於彼此都負有責任」，我們雖然曾經彼此有過戰爭，有過流血，今天要談溝通、和平，有時候會覺得談何容易！但是猶太人那句話讓我感觸良深。

我相信，有能力、有智慧的中華兒女都了解我們可以「化刀劍為犁鋤」、「化干戈為玉帛」，點滴的心血累積而成我們長長久久的和平關係。

各位親愛的年輕朋友，江山代有才人出，長江後浪推前浪，各位都知道，年輕就是機會，年輕就有希望。在這個時候，大家回想一下前輩先賢曾經負起了他們應該負起的扭轉時代的歷史責任，現在要輪到大家了。大家都是將來國家、社會，乃至於民族的領航員，在這樣的時刻，讓我也想到美國雷根總統的話：「假如我們不做，誰來做？假如現在不做，什麼時候做？」我就是因為這樣來到這裡。讓我們大家共同堅持互惠、雙贏，堅持和平，這是我們的自我期許，也是歷史的責任。唯有我們能夠達到這樣的目的，「為民族立生命，為萬世開太平。」我相信，這將是中華民族為舉世所稱讚的重大成就，也是我們炎黃子孫，面對世世代代的炎黃子孫共同的光榮。謝謝大家。

中國同盟會新加坡分會一百週年活動演講全文

時間：二〇〇六年六月十二日

地點：新加坡

講題：國民萬歲，以民為尊

郭主席（令裕）、馮館長（仲漢）、各位貴賓、好朋友，大家好！

非常榮幸應新加坡中華總商會、新加坡華裔館與孫中山南洋紀念館的聯合邀請，來到此地出席中國同盟會新加坡分會一百週年這麼有意義的學術研討會。對全世界的華人、海峽兩岸的中華民族子孫來說，新加坡不僅是中國近代革命的發祥地之一，更對中國革命過程扮演了先驅主導、不可磨滅的歷史貢獻。

因為各位都知道，在一百年前，滿清的統治機器仍然龐大，尤其維新派的保皇黨在思想領域仍有相當影響力，所以革命情勢尚未被看好，起義行動屢敗屢戰、屢仆屢起之際，中山先生與黃興、胡漢民幾位核心的革命幹部九度到星馬地區，宣揚革命的主張，推翻滿清，建立民國。中山先生所提出的三民主義思想理論，在當時得到我們星馬地區的先輩先賢熱烈歡迎與鼓勵，為革命運動注入活水源頭，也使革命行動有了新的開始。

具體的說，我們想想百年前，中國的處境是如何？滿清末年，中國遭逢列強鯨吞蠶食，巧取豪奪，在烽火連天，兵荒馬亂之際，被迫簽訂高達八項不平等條約，不但割地賠款，更陷入次殖民地的地位。這是當時任何有血性的中華兒女，都無法接受的屈辱。中山先生自述，在乙酉（一八八五年）中法戰敗之年，他就有傾覆清廷創建民國的志向，但並未付諸行動，他對體制內改革還抱有一絲希望。一八九四年五月，中山先生時年二十八歲，他循體制內上書主管洋務的李鴻章，以盡書生報國之意。當時中山先生就很扼要的看出問題的關鍵，他認為，「歐洲的富強，不盡在船堅炮利，壘固兵強，而在於人盡其才，地盡其利，物盡其用，貨暢其流」，就這四樣事，是富強的大經，治國的大本。如果不由此圖，只專注發展船堅炮利，是捨本圖末。但是當時中山先生的救國建言，石沉大海，李鴻章置之不理。不久，甲午戰敗，喪權辱國的馬關條約簽訂，割讓台灣，民情沸騰。後來光緒皇帝雖然接受康梁變法，推動百日維新，在政治上：鼓勵臣民批評時政；在經濟上：興辦實業；在軍事上：訓練新軍；在教育上：廢除八股，興辦學堂。希望一舉振衰起敝，發憤圖強。但是維新受到掣肘，變法成效有限，保守派反撲，六君子被殺，維新派主角流亡海外，接續的八國聯軍入侵，辛丑條約庚子賠款，清朝的統治基礎也大為動搖。腐敗的滿清政府一再割地賠款，這些總體環境也因此更激發中山先生推翻滿清、建立民國的宏大志向，決定改走體制外的革命行動，進行非常之舉來建立新中國。

中日甲午戰爭之後，中山先生評估革命的時機已經來臨，清廷的統治是日薄西山。

一八九四年十一月中山先生到了檀香山，創立興中會，一八九五年在香港成立興中會總機關，決定改採武力來推翻滿清專制貪腐政權。但這個計畫與手段，在民智未開之時，是大逆不道的事，何況要憑幾個書生就想要推翻一個政權，根本是匪夷所思、以卵擊石，不可能成功。但是中山先生卻有堅強的革命意志，也開始了實際的革命行動，愈挫愈勇，再接再厲，百折不撓。

一九〇五年八月二十日，在中山先生的號召下，興中會與光復會、華興會等革命團體在日本東京合併組成中國同盟會。從此，革命勢力有了一個更強固而統一的主張與領袖；革命事業的基礎迅速擴展到海內外各地知識青年階層，整個革命大業進入新的里程碑。

一九〇六年四月，中山先生二度來到新加坡，在名列四大寇的尤列居間介紹下，新加坡的僑領陳楚楠、張永福等人親自迎接中山先生上岸，同時邀集了所有新加坡革命黨的主要人士，在四月六日齊聚張永福的私人別墅奉養母親的「晚晴園」，成立了南洋地區的第一個同盟會分會，張永福甚至捐出晚晴園做為新加坡同盟分會的會所。當天包括陳楚楠、張永福、林義順、李竹癡等十二位創始盟員，在中山先生的見證宣誓下，認同「驅逐韃虜、恢復中華、創立民國、平均地權」十六字的盟約為奮鬥宗旨，而中山先生也勉勵全體的盟員要有為革命犧牲的精神。從這一天開始，新加坡晚晴園對中國革命的成功扮演了舉足輕重的角色。

我們看看，當時新加坡的盟員是如何推動、支援革命的行動？在組織上，以晚晴園為發展基地，盟員由富商延伸至中下階層（尤其是錫礦工人、橡膠工人參與尤多），組織據點由新加坡發展至馬來亞、暹羅、印尼、越南，盟員可以說是枝繁葉茂，革命勢力大有進展。

在宣傳上，這是中山先生最重視的一環。他認為，「宣傳之功，勝於武力」，因此不只他本人親上街頭為革命宣傳，而後陳楚楠、張永福等多位同志先後創辦《圖南日報》、《中興日報》、《陽明報》、《星洲日報》等等，為國民革命的喉舌，甚至與保皇黨的報紙，打激烈的筆戰。同時他們還以公開演講、戲劇表演方式來號召民心，爭取認同支持。革命聲勢之所以愈戰愈勇，發揮星火燎原之勢，宣傳是重要的火把。

談到這段歷史，為什麼我這麼熟悉呢？因為先祖父雅堂先生，當初在台灣創辦《臺南新報》、在福建接辦《福建日日新報》，也是以排滿為立論中心，當年李竹癡前輩到福建，就一度要把《福建日日新報》轉型為同盟會的機關報，而我家中還收藏有陳楚楠老先生與先祖父雅堂先生的合照。

一九〇六年同盟會新加坡分會成立後，星馬地區的華僑給予革命的支援角色，也就日益吃重，同盟會的重心，為什麼會從日本移轉到南洋一帶？因為日本政府在清廷的壓力下，對革命黨人日益進行壓制。河口戰役後，法國政府也壓制革命黨人的活動。當時海外的保皇黨在星馬地區也有很強的活動力，他們甚至直接威脅到革命黨的發展，因此中山先生也才決定要在新加坡建立革命的據點，直接攻堅，扭轉勢頭，爭取東南亞廣大華人對國民革命運動的支持。新加坡在地理位置上是南洋的中心，而且新加坡當地的英國殖民當局的統治政策亦較為寬容所致。所以中山先生與廣東派的革命黨人，於一九〇七年三月離開日本，前往東南亞，革命黨人的活動重心伸展也就到星馬一帶。一九〇八年中國同盟會南洋總支部在新加坡成立。一九〇七年五月開始，革命黨曾經在廣東、廣西、雲南三省發動過五次主要的武裝起義。潮州的黃岡起義、惠州七女湖之役，都由新加坡華人肩負重擔，主導者黃乃裳、許雪秋更回國從事革命思想的宣傳和同志的吸收。同時陳楚楠、張永福、林義順也慷慨解囊協助軍用，像林受之同志更是毀家紓難，以助起義。其他的革命起義，如欽廉之役、鎮南關之役、河口之役，都是在新加坡策劃發動，星馬地區的華僑不僅出錢出力，還親身參與歷次革命，拋頭顱灑熱血，以大無畏、視死如歸的精神，冒死返鄉投入革命行動，他們的這種壯舉，真可說是驚天地泣鬼神，永垂青史。根據國民黨黨史會的資料，辛亥革命前南洋烈士殉義可查的就有三十二人，其中星馬地區就占了十二人。再到辛亥年的三二九第二次廣州起義以及武昌起義的計畫，雖是根據馬來亞「庇能會議」所籌備決定，但第一次列碑的黃花崗七十二烈士中，就有十九位來自南洋星馬、越南地區的華僑，（其中十一位來自星馬）他們的身分有僑商、教員、星洲晨報記者、印刷工人、機器工人、傳教士等，這些都是最好的印證，他們都是同盟會的骨幹，也都是中華民族的菁英。

星馬地區華僑對於辛亥革命成功的貢獻，不只對於歷次革命起義行動直接在金錢上的支助、還親身投入革命戰役、維持革命報紙的宣傳不遺餘力，對於接濟逃亡的革命黨人士，更是勞心勞力。因此星馬華僑參與國民革命，可以說是全方位的參與。而他們這些偉大的民族情操與流芳萬古的青史，顏清煌教授在《星馬華人與辛亥革命》一書中有很詳實的記載，而且也都完整保留在中國國民黨的黨史、檔案中。

孫總理在推動革命過程，多次發出「華僑為革命之母」之讚嘆，革命元老馮自由先生也說過「凡是有華僑的地方，就有同盟會會員的足跡」，這都不是誇大溢美之言，星馬地區華僑對中國國民革命的貢獻，是永垂不朽的。

一百年前，中山先生和同盟會的先進同志，共同寫下了偉大和動人的歷史故事，他們扭轉乾坤，把皇帝拉下馬，廢除家天下為公天下，建立亞洲第一個民主共和國，改寫了中國的命運。一百年後，我們在這裡紀念緬懷中山先生與新加坡同盟會的先烈先賢，我們從中應該得到怎麼樣的啟發呢？

首先我要特別對新加坡的表現，表示由衷的敬意。新加坡是中國革命中，在東南亞革命活動的大本營，在一九一一年那場改變中國乃至於亞洲政治舞台大變化的革命中，新加坡起了中流砥柱的作用，這個重大歷史事件的成功，部分要歸功於新加坡的貢獻。這項光榮的紀錄，也將激勵新加坡人的信心。即使國家歷史短淺，也能在世界舞台發揮影響力，即使國家面積不大，也能成為一個兼容並蓄、樹立標竿、帶領風潮的國際大都會。今天在世界一般通稱的中華經濟圈的表現，新加坡擁有最高的國民所得，這是新加坡傳承儒家文化、同時也吸取西方的管理運籌長處，發揚光大所致，這是值得其他華人地區參考效法之處。

其次，我們繼志承烈，要效法的是革命先進先烈博愛、利他、無私無我的偉大情操。當年他們所追求的就是祖國的興盛壯大，不再為外國列強欺負，恢復民族的自信與自尊。在過去的一百年，我們廢除了不平等條約，打敗了軍國主義的侵略，中國人民也站起來了，這是我們足以告慰中山先生與先賢先烈的地方。但我們也有尚待努力的遺憾，必須去修補、去彌合，那就是海峽兩岸的和平大計曠日費時、踟躕不前，有待進一步推動落實。透過和平奮鬥建立一個三民主義的現代化國家，是中山先生生前所懸念而尚未完成的壯志。百年後的今天，海峽兩岸的動靜，是全世界華人關心的議題，和解、合作與和平已經是世界浩浩蕩蕩不可逆轉的潮流，所謂「順之者昌，逆之者亡」，我們必須關注這樣的趨勢，而順天行事，不能以歷史的悲情為包裝，以分裂的主張為藉口，讓過去歷史的苦難、民族的悲劇再度重演。

第三，我們也要體認「國民萬歲，以民為尊」，就是要落實讓人民能夠享受安居樂業的生活。革命只是手段，非常破壞之後還要務實建設。中山先生在百年前，就有遠見提出民生主義。他說過「國家的基礎，是建築在人民之上」，尤其他晚年定居上海期間擘劃建國方略、實業計畫的目標，最終就是希望國富民強，給人民幸福的未來。中山先生雖然改變了中國的命運，但是歷史的造化、人為的更替，我們必須坦誠的指出，中華振興的美夢在上個世紀並未完全達成，我們只是逐步在台灣、香港、澳門與大陸若干地區有了經濟起飛的成效，這個進步仍有侷限，而非全面的改善。但是進入二十一世紀，中國大陸持續走改革開放道路，建立小康社會，台灣在自由開放的基礎上，可期待另一次的台灣奇蹟，加上全世界華人以共同的智慧結晶，一起結合起來努力、團結奮鬥在一起，在本世紀中葉前，達成中山先生所期待的振興中華美夢，我相信將絕非遙不可及的目標。

各位好朋友，中山精神不死，孫中山的思想仍是世界進步的潮流，引領著中華民族前進、復興的標竿。星馬地區的華僑先輩，為中國的革命運動所做出的偉大貢獻，已經記載在史冊，永遠活在我們大家的心中。做為同盟會參與者、支持者、擁護者的後代子孫，我們今天在此舉行學術紀念活動，除了同感榮耀之外，也要效法中山先生與革命前輩篤信「有志竟成」、「事在人為」的信念，我們也要一起來承擔時代的新使命、新任務，讓中華民族的偉大復興，更在我們這一代手中落實，讓子子孫孫在和平的環境下成長、發展，享受繁榮的果實。謝謝大家！

主持第十六次全國代表大會開幕致詞稿

時間：二〇〇一年七月二十九日
地點：林口體育館
題目：力挽狂瀾，捨我其誰

各位副主席、參選同志、各位先進、黨代表、各位同志、各位貴賓：

本次大會的歷史意義

今天本黨在此召開第十六次全國代表大會，這是本黨在台灣地區執政五十多年以後，頭一次以在野黨的地位，所召開的全會。今年也正逢辛亥革命建國九十週年，我們面對總理、先烈先賢，及社會每一角落許許多多堅定支持中國國民黨的好同志與好朋友，我們深深感到這次大會的責任重大。四個多月前，連戰與在座的代表們，經過全體黨員一票一票支持，當選黨主席與黨代表，我們受到全體黨員付託，今天我們深深體認到，我們責無旁貸的任務，那就是要透過這一次大會，讓我們凝聚團結的共識，重新整備，重新出發，恢復人民對本黨的信心，打贏年底的選戰，為本黨重新執政做準備，這是這次大會嚴肅的歷史意義。

徹底改造　脫胎換骨

各位先進同志，往往最壞的時刻，也是最好的時刻，現在本黨在野，徹底改造，是我們重新站起來的機會。過去這一年多的時間，我們推動了革命性的改造方案。不管是民主化、精簡化、透明化、公益化，我們都能按時程交出了成績，給本黨有了脫胎換骨的機會，也給本黨面對新局勢有了新的動力。

在今天的大會隆重莊嚴的場合，我代表本黨要再向全國民眾宣示及報告：今天的中國國民黨有絕對的信心，繼續走在民主改革的康莊大道上，今天的中國國民黨有絕對的信心，準備迎接任何挑戰。

在沒有止境的改革道路上，中國國民黨誠懇虛心地歡迎全國各界的指教和建議，但我們也希望大家能重新體認到中國國民黨對國家社會所作的貢獻，尤其盼望的是能再貼近一點觀察國民黨，因為今天中國國民黨沒有任何的包袱，我們已經有了很大的改變。

今天的中國國民黨順應時代潮流，是以民主來結合黨意與民意的現代民主政黨，我們的黨主席是由黨員一票票直選產生，今年的立法委員與縣市長選舉，本黨候選人的提名，也是依照黨員投票及民意調查結果的民主機制產生。

今天的中國國民黨是以服務扎根社會的政黨，我們積極結合社會各層面，永遠站在社會服務的第一線，我們都是志願服務大隊的隊員，我們永遠與社會民眾的福祉、期盼緊密地結合在一起，苦民所苦，樂民所樂。

今天的中國國民黨也是與黑金勢力一刀兩斷的政黨，今年所有的立法委員與縣市長同志的提名名單，已經證明本黨與黑金勢力一刀兩斷，明顯區隔，展現了我們的信心與決心。

今天的中國國民黨是重新走回寬廣大道的政黨，我們要找回我們的黨魂，重振我們的黨德，重整我們的戰鬥隊伍，重塑我們黨的形象，結合所有志同道合的朋友，加速黨年輕化，吸收更多的優秀分子參加本黨，培養、栽培本黨新的梯隊，讓黨可大可久，歷久長新。

只有黨的總體發展方向　沒有個人的路線

另一方面，中國國民黨也有絕不放棄的堅持。總理在一世紀之前，以三民主義的理念，打動人心，鼓動風潮，完成創黨建國的神聖使命。今天本黨要重新執政，也必須與時俱進，以理念來號召我們民眾，以理念結合同志。我們的理念，事實上已經明確地標舉在本黨的黨章之中。中國國民黨為民主的、公義的、創新的全民政黨，本黨基於三民主義的理念，不僅要全力建設台灣地區為人本、安全、優質的社會，更要逐步實現中華民國成為自由、民主、均富和統一的國家。最近有一些人問到，連戰今後要帶領中國國民黨走什麼路線？我的答案是，一個全民而民主的政黨，只有黨的總體發展方向，哪有個人路線。

中國國民黨的發展路線

為了對國家、對人民以及對民族、對歷史盡我們的責任，我們有所堅持。中國國民黨堅持自由民主的憲政體制；堅持自由開放的經濟政策，優先振興與發展我們的經濟；堅持追求社會和諧，族群融和；堅持中道的思想，立足台灣，建設國家；堅持在台灣人民福祉為先的前提下，逐步實踐國家未來自由、民主、均富的統一。這是我們對兩千三百萬同胞堅定的承諾，絕不改變。

我們為什麼要堅持自由民主的憲政體制？因為這是政治穩定、國家進步的萬年根基。

我們為什麼要堅持自由開放的經濟政策，優先振興發展經濟？因為自由化與國際化是台灣經濟轉型的唯一選擇，因為人民不要失業，不要貧窮，更不要失去過去曾擁有的希望。

我們為什麼要堅持社會和諧，族群融合？因為大家早已在此落地生根，都是兄弟姊妹。

我們為什麼要堅持中道思想，立足台灣，建設國家？因為躁進的政策增加社會的成本，偏激的改革只會帶來社會的不安，唯有不偏不倚的中道，才能減少內耗，腳踏實地，扎根基層，時時為民眾打算，事事為民眾著想，也只有這樣立足台灣，壯大台灣的本土情懷才能落實。

我們為什麼要堅持在台灣人民福祉為先的前提下，逐步實踐國家未來自由、民主、均富的統一，因為台灣的前途在雙贏的兩岸，大陸的希望在民主的台灣。

這是我們對兩千三百萬同胞嚴肅的承諾，永不改變。

在這次全會中，我們將討論黨章、政綱，以及黨務革新，對這些議題，經過全體黨代表的討論與公決，形成共識，這就是中國國民黨未來的總體發展方向。

過去的成果毀於一旦

各位先進同志：過去五十年來，我們在台灣與全國民眾胼手胝足，從赤手空拳開始，一點一滴創造了今天一個民主、自由、多元、富裕的生活。去年五月二十日，政黨輪替之後，民主進步黨上台執政，事實上，人民也曾經給予無限的憧憬與祝福，希望我們國家能在過去既定的基礎上，更上一層樓。但是，不幸的是，民進黨政府囿於意識型態的牢籠，面對問題束手無策，空轉內耗，平白延宕了國家的進步與發展機會。一年多下來，台灣政治不安、經濟下滑、社會蕭條都創下歷史的新高。

民進黨執政帶來四大危機

簡單來說，我們政府這一年多以來，已經為台灣、台灣人民帶來了四大危機。

第一個重大危機就是憲政危機。

民進黨掌權後，不承認憲政體制，以民粹取代民主，形成了少數總統、少數國會、少數政府的三重少數，這種怪異體制，造成一年來政局不安，全民受累。

第二個危機是經濟危機，最近一年多，不論是經濟成長、投資、貿易、就業都快速下滑，長期經濟的蕭條若隱若現，經濟的蕭條也成為大家憂心忡忡的問題。

第三個危機是社會危機，所謂分裂的房屋不能久立，我們看到多少政治人物、團體，為了自己的利益，以族群、省籍、地域，活生生在台灣和諧的社會中，劃下深深的一道鴻溝，這種做法，讓我們心寒。

第四個危機是兩岸關係的危機。民進黨受到意識型態的限制，無法了解到九二共識的重要性，以致坐失兩岸重啟協商大門的契機。當前兩岸關係，混沌不明，僵局未解，帶給人民高度的不確定感。

總結過去一年，其實台灣人民已經給予執政當局，夠長的時間，夠多的機會。但是執政當局卻要大家繼續等待過苦日子，我們必須要了解到，民主政治就是政黨政治，也就是責任政治。執政黨對今天的情勢，要擔負起來，他們有完全、絕對、不可脫卸的責任。

國民黨如何解決四大危機

中國國民黨本於同舟一命的體認，必須以堅定的立場，清楚、明白的提出我們的主張，給予台灣人民一個重新選擇、重新出發的機會。

憲政危機，唯有回歸憲法才能解決。我們強調，年底的選舉就是民眾對民進黨政府政績的檢驗。新的民意即將產生，我們要求總統必須尊重選舉的結果，由國會多數組成政府，讓政局回歸安定。我們希望執政者不要再一意孤行，以少數政府，使已經失血的台灣進一步遭致休克的危機。

在經濟方面，第一，任何重大經濟政策暨總體投資環境與投資者信心密不可分，不可因為政黨輪替而貿然變更。更進一步講，政府更應該維護公務人員的尊嚴，信任他們的專業，感謝他們的貢獻，確保他們參與政黨的自由權利，拋棄綠化其名，政治干預其實的做法，台灣經濟才不會因選舉與意識型態掛帥而被扭曲。以核四廠停建為例，它所帶來的有形與無形損失，是無法估計的。

第二，今天社會百業蕭條，政府財政困難，人民失業嚴重，政府應拿出魄力，改善投資環境，促進傳統產業升級，發展高科技產業，並優先輔導失業勞工就業，整頓金融，平衡預算。拋棄政策買票的短線作為，不要亂發紅包，否則將造成國家整體競爭力的喪失殆盡。

第三，配合兩岸可望加入ＷＴＯ的契機，我們要加速調整兩岸三通及戒急用忍政策，以活絡兩岸經貿活動，並帶動景氣復甦。本黨更強調，我們要在九二共識的基礎上，與中共展開政治協商，並以全球經貿戰略的大格局、大思維的角度來定位兩岸關係，為兩岸創造雙贏互利的新局面。

如果要解決社會危機，我們應該共同唾棄任何分化社會，製造對立的政治人物與團體。我們認為，住在這塊土地上的人，不管先來後到，芋仔蕃薯，都是情同手足，命運與共。大家應該要相互扶持，來面對未來共同的挑戰。如果彼此以對立、猜忌、仇恨相對待，請問台灣的未來在哪裡？請問執政者所標榜的「安定、團結、改革」又在哪裡？

在兩岸關係上，我們呼籲政府應該正面回應在野政黨共同的主張，盡速召開國家統一委員會，回歸「一個中國、各自表述」的「九二共識」，重啟兩岸政治協商的機制，透過這樣的機制追求兩岸和平穩定關係，包括建立軍事互信機制，簽訂兩岸和平協定，建立高層溝通管道。至於最近引起廣泛討論的階段性邦聯理念，這不是馬上要實現的目標，亦非最終解決方案，這應該是兩岸未來共同發展的選項之一。我們應當加強宣導，凝聚國內更多的共識，我們也希望中共能以正面、寬廣的心態、思維，來考慮接受這個主張。

國民黨有責任還給人民幸福的生活

各位同志，今天在台灣，有人為了生存，發出了怒吼，也有人為了生活而出走離開台灣，更多的人則是無奈的過著苦日子。一個創造台灣經濟奇蹟、台灣經驗的中國國民黨，當然心不甘情不願的看到台灣繼續的沉淪。我們抱有這樣強烈的使命感，要解決當前的困難，我們要力挽狂瀾，重建台灣。因為，中國國民黨是有豐富經驗的政黨、充沛的人才和宏觀穩健的政策，我們最能振興經濟，安定社會，扭轉台灣當前的逆境。

因為，中國國民黨是最能穩定兩岸局勢，安定台海情勢。在國民黨主政之下，兩岸之間將是制度的競賽，是生活方式的選擇，而不像今天火爆、衝突的統獨的爭議。

因為，國民黨是最能夠促進族群融合，化解省籍情結的政黨。因為國民黨有族群融合的特質，國民黨具有中道包容特色，我們最能鼓勵大家，團結合作，一心一德，為國為民，我們堅決作此主張，我們充滿了信心。

全力向前衝刺

各位同志，年底立法委員與縣市長的選舉，就是我們重新執政、報效國家的關鍵選舉。我們必須盡一切努力，使中國國民黨維持在國會第一大黨的地位，我們要盡一切的力量，爭取縣市的重新執政，為民服務。我們期待勝選，並不是為了參選人個人的勝利，或是國民黨的光榮，我們這樣的努力是希望能結合更多理念相近、相同的朋友，共同穩定社會，發展國家，給人民帶來新的希望與新的光明，給人民重新找回安定與繁榮，給台灣重新找回曾有的驕傲與光榮，這才是全民的勝利。我們要透過這次的選舉，完成全民的勝利。

各位先進，各位同志，第十六次全國代表大會的召開，是我們集中全黨智慧、經驗與意志的關鍵大會。這是一次團結的大會，衝刺的大會，也是誓師的大會。大會的成功，就是我們邁向成功勝利的保證。今天可以看看，挽救台灣，捨我其誰！讓我們大家全力的走入民眾，結合民眾，讓我們全力為勝選而衝刺，全黨同志以重新執政，再造台灣，做自我期許！

最後，敬祝大會成功！

中國國民黨黨運昌隆！中華民國萬歲！萬萬歲！

謝謝大家！

三一九選前之夜預定講話參考稿

這篇講稿原擬於二〇〇四年三月十九日當晚在中正紀念堂的選前之夜上，對三十萬泛藍支持者公開演說。然因當日下午槍擊案事發突然，為保障民眾安全，並避免意外發生，我們宣布停止所有競選活動，也讓這篇發自心的誠懇訴求塵封十八年。

各位鄉親世大，全國的鄉親父老，大家晚安，大家好：

再十幾個小時後，我們就將投下手中神聖的一票，為國家的前途，台灣的命運，子孫的前途，自己的未來，做出關鍵的決定。各位是不是已經做好最好的選擇？我們要投幾號？大家是不是舉個手讓我看看。這樣子我就放心多了，雖然綜合各種情況，我領先的局勢已經明朗，不過雙方差距很有限，我們不能有任何的閃失，絕對不能掉以輕心，為了保證上壘，安全起見，我們現場的每個人，包括電視機前、收音機前的鄉親父老，是不是在最後關頭，也能夠為連戰、宋楚瑜做最後的衝刺、拉票，連戰在這裡誠懇的向大家做最後的請託。

選舉活動在幾個小時後就將結束，對於這次國家層級的選舉，連戰內心有無比的感觸，我們的選舉沒有向上提升，反而是向下沉淪，負面選舉大行其道，連戰和宋楚瑜乃至於我們的上一代、下一代都遍體鱗傷，但所有鄉親父老在過去這一段時間，真情相挺，卻是我們最大的後盾，最有力的靠山，讓我愈戰愈勇，在這裡連戰要向大家深深的一鞠躬，表示最大的的感謝與最高的敬意。有一個夜晚，我和宋主席在高速公路休息站，我們不約而同一起挽起袖子檢驗手上的傷痕有多少，這些傷痕都是熱情的民眾所留下來的，雖然有一點痛，但這卻留給我們永恆的記憶，無比的溫暖。

這場選舉不是一場公平的選舉，我們受盡打壓，第一次執政的民進黨可以肆無忌憚的濫用國家資源，行政不中立，甚至操縱、干預媒體。我相信這一切，大家都看在眼裡，德不孤必有鄰，因此愈到最後，看不慣這一切的隱性選民、中間選民通通都站出來了，三一三就是一個最好的例子，各位說對不對？連戰在這裡向大家報告，這一戰連戰很拚，比四年前還拚，我的小乖、家中的小孩也都勇敢堅定的與我站在一起，他們無怨無悔全心全力的付出，我內心也有無比的感動。四年前因為我的努力不夠，政權易手，沒想到這個改變，竟然導致國家四年空轉、倒退，多少人民受苦、受難，連戰過去四年中間，走遍台灣每一個角落，聽到千千萬萬人民生活不快樂、生活不安定，甚至無以為繼的情況也是所在多有，做為一個政治工作者，對於國家整體情勢下滑，走下坡的景況，我和大家一樣都感到焦慮心急，而我內心有無比的愧疚。過去我以青春奉獻給國家社會，四年前滑一跤，我們虛心檢討，揮別黑金，勇於改革，接受挑戰，這次國親聯盟，同心協力，我和宋楚瑜將以自己的性命、所有的精力，再次奉獻給國家人民，只要大家給我們機會，東山再起，我們一定毫不保留的奉獻自己的能力經驗，來保護台灣，建設台灣，迎頭趕上，儘早結束過去四年的不安與倒退，各位鄉親父老，敬請大家大力的支持好不好？

三一三換總統救台灣的遊行，有超過三百二十萬民眾，自動自發走上街頭，這是台灣有史以來，全國性由北自南，由東到西，不分本島離島，全國性的人民總動員，這種波瀾壯闊的氣勢與民心，已經蔚成沛然莫之能禦的民意洪流，政府要如何的阻擋也擋不住，要如何阻攔也攔不住，各位說對不對？因為三百萬人民走上街頭怒吼，是這場選戰重要的分水嶺，這也代表千萬民心思變、人心望治，各位說對不對？因為從來不曾走上街頭的都走出來了，一向溫柔害羞的母親們為了自己子女的前途也站出來了，遊行不是某一政黨、某一團體專屬的權利，當政府施政不得民心，人民受夠了失業太久，財富縮水，治安惡化，教改失敗，社會對立，因此無法再忍耐下去，大家的內心都渴望必須改變，改變才有希望，改變才有機會，所以大家才會走上街頭，表達心聲，「做不好、就下台」，「換總統、救台灣」，各位說對不對？

民主政治最簡單的道理，就是做得好繼續做，做不好就下台。不能說做不好還要賴著不走，還要再四年，甚至強詞奪理說可塑性高，各位說對不對？一位國家的元首，被一位選民說可塑性高，這是恭維嗎？各位鄉親父老，現任的政府能不能夠續任，最重要的檢驗，就是有沒有政績。現在期末考的時間到了，是我們好好算一算，給陳水扁政府打分數的時候到了，各位說對不對？現在四年未做工，又要騙四冬，大家講通不通（閩南語）？所以台灣人民這一次必須要團結起來，勇敢的站出來，走進投票所，用和平的手段，用清醒的頭腦，理性的態度，做出正確的選擇，讓陳水扁下台，投連宋，救台灣，連宋贏，台灣贏，讓我們一起推動實現第二次政黨輪替好不好？只要我們團結一致，全力以赴，我們就一定可以寫下歷史，為台灣的民主鞏固、民主深化，做了重要的推手，第二次政黨輪替，讓我們一起加把勁，「化三一三的感動為行動，化三一三的信心為選票，化三一三的信心為成功」，只要我們堅持到底，努力到最後的一分一秒，明天這個時候，我們就可以實現換總統救台灣，拚經濟、拚和平的共同理想，各位說好不好？

各位鄉親父老，三二〇勝利，五二〇新政府成立，我們馬上要推動的幾件重要工作，連戰今晚要向全國的鄉親父老做出承諾，連戰一定秉持誠信治國，說到做到。我絕不會說一套，做一套，變來變去。我會專心做四年的總統，不會做候選人，五二〇就職，新政府會有個特別的小組，來追蹤考核政見兌現時間表。

第一、我們當務之急就是要馬上提振經濟的景氣，解決嚴重的失業問題，吸引國內外的投資，政府更要領銜在四年內投入兩兆的公共建設，創造二十萬個工作機會，讓我們的經濟再起飛，大家荷包再增加好不好？

第二、新政府成立，我們一定要大力的推動改革，包括憲政的改革、司法的改革、財政的改革、教育的改革、政府的再造；所有民進黨政府在過去四年間曾經承諾但都沒做到的改革，我們來推動，我來實現好不好？像多少學生、家長、老師所期待的第二次教改，我們一定會盡快完成，達成大家共同的願望，好不好？

第三、新政府成立，我們會是一個公義的政府，我要特別照顧弱勢的農漁民及勞動大眾。因此我所承諾在實現國民年金制度之前，老農老漁津貼將照發照送，勞保老年給付的一半可享有百分之十八的優惠存款，都將立即推動。為了讓我們的社會能夠更公平、更有正義，國民年金制度讓民進黨政府耽誤了四年，我們一定要在任期內實現，讓所有資深的國民，在辛苦一輩子退休後，能夠享有每月八千九百元的收入，讓老人家、銀髮族生活得更有尊嚴，也減輕年輕一代家庭「養老敬老」的負擔，各位說好不好？

第四、我們也要特別替我們的年輕人著想，兩年的兵役實在是太長了，也浪費國家寶貴的人力資源。連戰所提出的募兵制，陳水扁政府雖然百般刁難說不可行，但這個兵役改革的制度是無法抵擋的潮流，民進黨一定會拿香對拜。募兵制要成功，要有個和平穩定的兩岸關係，以及足夠的國防預算，新政府在照顧到這兩個重要的前提後，我們會逐步的縮短役期，我們的最終目標就是採精兵主義，由志願服役的職業軍人，當國防防衛力量的主力，一般的年輕人只要接受嚴格的三個月入伍訓練，退伍後成為後備戰力，這樣年輕人就可以早一點踏入社會發揮所長，或是出國深造，或是成家立業，各位說好不好？如果年輕朋友贊成募兵制，大家就一定要呼朋引伴，女朋友帶著男朋友，男朋友牽著女朋友，明天一起投票支持二號連戰、宋楚瑜好不好？

第五、政府五二〇成立後，我們一定要建立一個清清白白、乾乾淨淨的政府，政府重要首長的財產都要交付信託，不能自己管理或交由太太管理，更不能有內線交易炒股票。尤其行政的風氣要改革，我們不能再允許見不得陽光的關說橫行，我們也不允許總統、副總統乃至部會首長的機要、身邊的人，藉由各種名目有不正當金錢的收入。就連婚喪喜慶，也不能鋪張，尤其不可以有超乎社會常理、收受異常的禮金、奠儀。我們一定要終結現在的黑金進行式，國民黨受過黑金之害，我們也付出了慘痛的代價，我們重新執政，絕不允許黑金勢力死灰復燃，同時也將法辦過去的黑金重案，讓違法者無所遁形，各位說好不好？

第六、台灣的國際地位，長期因為中共的打壓，短近因為陳水扁政府的莽撞，昧於情勢，使得我們的處境愈來愈艱難。因此三二〇當選、五二〇就職前夕，我希望先能到美國、日本等重要友邦，進行外交的修補之旅。之後，我也願意到中國大陸進行和平之旅，希望恢復兩岸正常的對話，促請中共當局尊重台灣的民意，逐步撤除對台飛彈的部署，尤其對台商權益的照顧、三通的進展，希望對岸有善意的回應。

各位鄉親父老，過去十幾年來，密集的選舉，因為許多不必要的分化手段，導致我們社會的價值觀、人性的是非善惡受到嚴重的扭曲，很多人都感慨，這已經是扭曲的台灣，仇恨的台灣，這不是真實的台灣。因此連戰將來當選總統，我最大的使命就是要重建社會的倫理價值，把台灣人真正的謙卑、刻苦耐勞、勤儉持家、相互關懷包容的美德給找回來，我們投下連宋這一票，也是支持找回真正的台灣精神、台灣意識，各位說好不好？

各位鄉親父老，我們是不是一起共同把我們過去所共同擁有的信心、愛心、希望，一起給找回來好不好？我們忘記背後，全力向標竿前進好不好？

所有的理想目標要實現，要靠大家的支持當選才準算。是不是大家全力總動員，一票都不能漏，厝邊找隔壁，阿母招阿爸，樓上招樓下，開車招赤腳，都市招庄下，親戚五十，朋友算一百，大家都動員起來好不好？

全國的鄉親父老，第二次政黨輪替的時機已經到來了，大家團結起來，明天共同投下神聖的一票，為國家的發展投一票，為台灣的經濟投一票，為兩岸和平投一票，為子女的教育投一票，請大家支持二號連戰宋楚瑜，「連宋勝利、人民大勝利、台灣大勝利」，拜託大家，感謝大家，祝福大家！

接受香港中文大學榮譽法學博士專題演講全文

時間：二〇〇五年十二月十日

地點：邵逸夫講堂

題目：兩岸三地的新天地

前言

劉校長、校董會鄭主席、金前校長、各位教授、各位貴賓、各位同學：

這次接受香港中文大學的榮譽博士學位，是我個人莫大的榮幸。誠如劉校長所說，台大是我的母校，北大是我母親的學校，而今天又回到香港中文大學母校，非常榮幸。

今天我要談的題目是兩岸三地有什麼共同的願景，就先從香港談起。

香港在近代中國史上，具有啟迪的先驅角色。光緒年間推動百日維新的康有為、梁啟超都來過香港，看到道路也可以如此乾淨，中國人的社會同樣也可以推動文明建設，香港的文明給他們莫大的鼓勵。而推動國民革命的領導者孫中山先生在香港接受啟蒙教育，接受過西方文明的洗禮。所以中國的現代化，與香港是有密切的關係。

香港曾經度過一段漫長的殖民歲月。香港中文大學於一九六三年創立，代表中國知識分子，對於文化有其特殊的堅持與傳承。到今天，香港更成為兩岸三地的一個重要連結點。新亞書院的創辦人錢穆先生，本身就是一個代表；他成就於大陸，創辦新亞書院於香港，講學終老於台灣。金耀基前校長，成長於台灣，成就於美國，奉獻於香港。今天的校長劉遵義先生，是世界知名的經濟學者，成就於美國，目前則奉獻於香港。從這裡，我們可以看出香港，乃至於香港中文大學，在東西文化及兩岸互動等兩個層面，所展現的包容力與潛力，帶給我們無限的願景。

香港，對我個人來說，則是既陌生又熟悉的地方。陌生是因為，三十八年前，也就是一九六八年我結束美國的教職，我與內人從歐洲回台灣時，曾在香港過境住了兩夜。不過，我對香港也很熟悉，因為我有很多香港的朋友，常常聽到他們對香港變化與發展的評論，我也曾經在服務公職時，主持港澳小組、大陸小組，擔任交通部長時，也促進台港兩地空運、海運的密切合作。我在負責全面的行政工作時，也曾於九五年啟動「發展台灣為亞太營運中心計畫」，當時規劃台灣成立營運中心的構想，這個模式、靈感就得之於香港，以香港的國際化、自由化為典範。可以說，我和香港有很深的因緣。但很可惜的是，在我們推動的過程中，冒出個程咬金，名字叫「戒急用忍」，使得台灣的國際化與自由化，起碼慢了十年。

今年，對我個人來說，是沉澱的一年。今年，我交下了國民黨主席的重擔，從日常繁雜的政治工作中跳脫出來，有更多的時間沉澱。我可以更清澈地思考民族的未來，以及台、港、大陸在這個過程中可以分別扮演的角色。

今年也是激盪的一年，我在今年兩度訪問了大陸，強烈地感受到大陸追求進步發展的決心與企圖心。與建設上輝煌的成就。現在，我來到香港，更感受到明亮耀眼的東方之珠，也聚集了如此巨大的能量。我的心情難免激盪，因為我感受到了中華民族空前未有的發展契機，中華民族長久以來所渴望的富裕生活和社會繁榮，絕不是遙不可及的夢想。我為此感到振奮，好像看到了兩岸三地即將出現的「新天地」。

台灣、香港、大陸，我們常稱為「兩岸三地」。它其實代表了彼此有同，也有異。因為有「同」，所以統稱為「兩岸三地」，也因為有「異」，所以有「兩」有「三」。如何運用「異中求同」，如何發揮「同中化異」，正是建構兩岸三地「新天地」的關鍵所在。

新天地的敵人

談到這裡，讓我想到了美國前甘迺迪總統在一九六〇年接受民主黨提名時所發表的一篇演說，在這篇演說中他承諾要給美國人一個「新境界」（New Frontier），解決戰爭與和平的問題、無知與偏見的問題，以及貧窮與富裕的問題。因為和平的敵人就是戰爭，良知的敵人就是無知與偏見，富裕的敵人就是貧窮。今天，我們站在新天地的前緣，也正要迎向新的里程，但兩岸三地的新天地面對的挑戰究竟是什麼？新天地的前景又在哪裡？這是身為知識分子必須思考的問題。

英國的科學哲學家卡爾・波普爾（Karl Popper）在二十世紀中寫了一本非常重要的著作《開放社會及其敵人》（*The Open Society and Its Enemies*），在這本書中，他對開放社會的內涵和特質著墨並不很多，但重視的問題卻是開放社會的敵人：歷史主義。也就是由柏拉圖到黑格爾一貫下來的各種歷史決定主義。依據他的論點，只要認清了開放社會的敵人，不讓敵人存在，那自然就是一個開放的社會。同樣的，如果我們依循他的邏輯，大家就應該共同思索，怎麼認清「新天地」的敵人、阻力在哪裡，我們要避免它、減少它，甚至不讓它存在，這樣新天地就可以滋長、茁壯。

接下來我想從過去、現在與未來三個層面，來為「兩岸三地」最難解的方程式，尋找答案。

首先我們要做新天地（新機會）的主人，就要拋棄歷史的悲情，不要當歷史悲情的奴隸。兩岸三地雖然存在著三種不同的歷史經驗，可是也都共同經歷過抵禦外侮、血淚交織的反帝國主義的戰爭，尤其台港兩地更分別忍受了不是被百般剝削、就是毫無尊嚴、認同錯亂的殖民統治。

因此在歷史發展的過程中，我們若不提高警覺，往往會有意無意被過去的歷史悲情所影響，讓悲情意識取代開明理性，民粹主義取代民主政治，造成意識型態掛帥，從而壓制了公民社會成長的機會。譬如現在台灣，台獨分離主義所呈現的各種現象，和歷史悲情主義的關係，就很值得我們來深思。

我們必須向前看，就像金前校長所說的「尊重歷史，告別過去」。我們必須走出歷史漩渦的陰暗面，否則把精力與眼光都停留在過去，和過去糾纏不清，就會失去未來。

所以，簡單的說，當我們只想著過去的悲情時，就看不見未來的新天地，也看不見自己的價值。歷史是一面鏡子，我們要尊重它，但我們必需向前看。

在這裡，我要進一步加個附注：新天地之所以新，在於核心價值，不在於形式。就像上海的新天地一樣，外觀是舊的，但整體的精神是新的，設計及規劃則是前瞻的概念。當我們思考兩岸三地的新天地時，不能忽略了這個核心價值的議題。

但我也要坦誠向大家報告忘記過去、擺脫過去，是很困難的事情，有人三言兩語都是在談過去，十年、二十年、三十年、四十年及五十年，每到選舉都拿出來炒作一番，我在講誰，大家也都知道。

台灣、香港和大陸要強化合作信心，攜手邁進世界舞台

其次，我要指出的是，怎麼樣務實掌握當前兩岸三地交流合作的現實。現在已經進入二十一世紀全球化的時代，當然我們也注意到WTO部長會議即將在香港召開，也有人反對全球化。但我們兩岸三地間的距離日益縮小，而相互的依存度則不斷的增加。假如說，地球村上的成員，已然逐漸構成了生命共同體，則我們更需要掌握整體的趨勢，相互扶持、積極合作，才有前途。因為我們若錯失一時，將會延誤一世。今天大陸、台灣、和香港，一定要創造一加二大於三的效果。

台灣自一九八七年開放探親開啟兩岸交流契機，大陸又正逢推動改革開放政策，所以兩岸經貿便快速發展，香港成功扮演中介角色，形成了兩岸三地經貿互利三贏。到二〇〇四年香港與大陸貿易總額成長了將近十倍，台灣和大陸貿易總額則成長了四十倍以上。

不僅如此，二〇〇四年台灣對大陸與香港的出口，已占台灣總出口的百分之三十六・七，是台灣最大的出口地區，遠超過第二大出口地區的美國百分之十六・二；大陸亦是香港第一大出口地區，二〇〇四年香港對大陸的出口依存度已高達百分之四十四。

此外，隨著大陸經濟崛起，全球資金亦轉向大陸投資。香港累計至二〇〇四年為止，已投資大陸二千四百一十六億美元，占全球直接投資大陸金額的百分之四十三，是世界投資大陸最多的地區，台灣則緊接香港、美國及日本之後，為全球第四大投資大陸地區，累計至二〇〇四年為止，直接投資大陸金額達三百九十六億美元，占全球投資大陸金額的百分之七。兩岸三地經貿發展到現在，可說是唇齒相依，互相依賴。

如果台灣與大陸兩岸之間，商品與人員能直接往來，加上直接通航，我相信兩岸三地的經貿發展一定能夠更創高峰。

除了狹義的經貿投資之外，兩岸三地還有結構性的互補共利之處，根據IMD2005年競爭力排名，香港總體競爭力排名僅次於美國，是全球第二名，而兩岸三地中的台灣及大陸，則依序為全球第十一名及第三十一名。

許多年前，美國的學者密爾頓．傅利曼（Milton Friedman）曾說：「你看香港這塊石頭上住了六百萬人，為什麼那麼富裕呢？」他回答自己的問題說：「沒有什麼特別的，自由嘛！」

香港是自由貿易港，經濟自由度相當高，依據美國「傳統基金會」與《華爾街日報》聯合公布的「二〇〇五年全球經濟自由指數」排名，香港多年來均排名世界第一，不論是稅率及政府財政負擔、政府經濟干預、貿易政策、資本流動及外人投資、貨幣政策、銀行體制、私人財產權及對企業法規限制等自由度均相當高，人為干預少，政府清廉度高及依法行事做法備受肯定，都成為香港發展的核心競爭力。近一兩年來，有不少台灣的科技公司到香港股市上市，而許多台商在大陸的公司也以到香港上市為首選。為了規避民進黨政府對台商投資大陸的不合理限制，香港正逐漸成為台灣中小企業的籌資中心。

而大陸則是地大物博，長於生產，有廣大的市場，充沛的勞動力，儼然已經成為「世界的市場」、「世界的工廠」。尤其航太、高科技的發展一日千里，成長名列前茅。台灣的優勢則是教育普及，中小企業成為社會堅實的中產階級，專業人才，長於研發、創新、設計、行銷，而且對企業忠誠度高，是不可多得的合作夥伴。當然，成功的「台灣經驗」，也累積了不容小覷的資金規模，實力可觀。台灣的資訊產業在世界上已經占有一席之地，是台灣最具競爭力的行業。二〇〇四年台灣的晶圓代工、筆記型電腦、主機板、封測等產業均為世界第一。

交流有助於合作，合作有利於發展。我記得在推動亞台營運中心計畫時，《紐約時報》的記者來訪問我，我說：台灣、香港和大陸三者相結合，將是如虎添翼，老虎再添兩隻翅膀，這力量是無法阻擋的。

我常說，兩岸三地結合起來，一起來賺世界的錢，有何不好？話雖然說得很白，但代表了彼此結合後的力量，無與倫比。

開創和平穩定未來，建立合作機制，鞏固三贏基礎

第三個部分，我要強調的是新天地未來，應該要以宏觀前瞻的眼光，建立合作機制，一方面鞏固三贏的基礎，另一方面要營造有助和平穩定的發展環境。

從經濟面來講，香港和中國大陸之間的經濟合作已經有CEPA，但台灣和大陸之間則無任何的經濟合作機制。

我們非常擔心台灣在國際上被邊緣化，這樣對台灣必定不是好事情，對兩岸三地也不會是正面的發展。因此台灣的執政者，絕不能阻撓兩岸三地經貿合作的潮流趨勢，這是連外國人都替我們操心的事。

因此我與胡錦濤總書記晤面時提出兩岸共同市場的概念，這個著眼點就是考慮到如果兩岸要加強經濟的交流合作，相互扶持，優勢互補，我們就要致力發展一套有前瞻性、而且互利互惠的機制。未來我們努力的方向，例如首先要排除貿易的障礙；再來就是關稅的降低或豁免；生產要素或相關條件，如人員、資金、貨物、技術、資訊的自由轉移；貨幣的統一；乃至於經貿政策的一致化。事實上我們看看歐洲共同市場與歐盟、歐元的出現，也是經過半個多世紀的努力、奮鬥、實驗而成，「歐洲人能，中國人為何不能呢？」只要有堅強的信心，就不會被挫折或等待磨損；堅持信心與努力，未來我們一定可以掃除合作的障礙。

最後我要強調的是，兩岸三地新天地的發展，除了要掃除歷史悲情意識、拋棄閉關自守心態，以及強化合作決心之外，我們尤其要開創一個和平穩定的發展環境。兩岸三地的差異，必然要經過時間的融合與相互的諒解。如果我們不能設身處地的多站在對方立場想問題，多深入了解對方的想法，又如何能夠化解對立，減少摩擦，弭平誤會？甚至於化解危機，避免衝突呢？這也就是今年四月二十九日我與胡錦濤總書記晤面時，提出國共兩黨在「正視現實，開創未來」的共同體認下，而簽署國共兩黨五大願景的思想背景。我們一定要透過溝通，尋求諒解，才能創造一個和平安定的空間，讓我們心無旁鶩，發揮智慧，大展身手。這也就是我念茲在茲提出「和平多贏、共存共榮」的原因。

各位朋友！各位同學！開創兩岸三地合作繁榮的新天地，我們彼此責無旁貸！也是我們的挑戰！

尤其建構新天地的設計者，兩岸三地的知識分子，責任重大，讓我們大家一起把這神聖光榮的責任給扛起來！一千多年前，宋朝的范仲淹曾說過一句話：「先天下之憂而憂，後天下之樂而樂」，這是中國知識分子最高尚的傳統，也是我對兩岸三地當政者的一個期許。我記得，美國史丹佛大學胡佛研究所馬若孟（Ramon Myers）教授曾經提醒：「當前最突出的問題是，兩岸三地的政治領袖與社會菁英，是不是還要重蹈二十世紀歷史悲劇的覆轍？」這也就是我在今年四月底、五月初，到大陸進行和平之旅的著眼點。而一般的評價認為，和平之旅也確實有助於開啟了和平契機。但是我們也不能太過樂觀，必須提高警覺。因為歷史的悲情、封閉的政策、狂妄的作為、對現實的誤判，會立即摧毀我們所爭取到的契機。對於有心致力推動兩岸三地和平發展的好朋友們，我最後要呼籲大家的是，我們不能只停留在開創契機與推開門窗的角色，搭橋之後還要鋪一條充滿和平發展的康莊大路，讓我們大步前行，攜手開創一個開放、穩定、合作的環境，帶給人民安和樂利，子孫長遠的幸福。觀念能轉動世界，推動進步，我們現在都站在中華民族歷史的轉捩點上，兩岸三地的新天地就在我們的面前，等待我們開墾、灌溉和耕耘。我也願意與大家共同勉勵，獻身為新天地的園丁。連戰也一直深信：不管任務有多艱鉅，只要開始動手，就有完成的一天。

古人有一句話：「為者常成，行者常至。」就像NIKE一句廣告詞所說的「JUST DO IT」，即便是要把最美好的豐收留給我們的下一代！我們也應該盡速啟程，迎向中華民族的新天地！

最後，我要再次感謝劉校長和香港中文大學頒贈榮譽博士學位，從現在開始，能夠成為各位的校友，是我個人莫大的榮耀。謝謝大家！

芝加哥大學專題演講全文

時間：二〇一五年十月

受邀參加芝加哥大學一百二十五周年慶祝活動

校長先生、各位優秀的教師及行政人員、各位同學，以及各位女士先生：

能在此盛會就兩岸關係發表個人想法，我感到榮幸，也很高興。我尤其感到殊榮，因為我從這所非凡的大學畢業。

身為來自中華民國台灣的校友，我想談一談兩岸關係，各位可能對這個議題有興趣。

日本在甲午戰爭大敗當時由滿清統治的中國，於是滿清政府在一八九五年將台灣割讓給日本。幸運的是，二次世界大戰結束，日本於一九四五年投降之後，將台灣歸還給中華民國。中國在該年也因此再度統一，但卻在一九四九年因為國共內戰而分崩離析，中國共產黨勝利，而國民黨軍失利。中華人民共和國於一九四九年十月一日建立，中華民國則遷移到台灣。自此之後，兩個政權對主權的主張相互重疊，因此，直至今日，彼此不承認對方。

去年是這種獨特且史無前例的關係的六十週年。我去年在加州大學柏克萊分校與馬里蘭大學的講座上，我從激烈的戰爭、漫長的冷戰，以及最終的和解等不同面向概述這段關係。今天，我會從和解的角度切入，試著檢視兩岸關係在未來的前景。

一九八七年十月，開始了一項重要的發展：國民黨軍隊退伍老兵在被迫與家人分離四十年之後，出於人道考量，蔣經國總統決定允許他們得以返回大陸與家人團聚。當時由鄧小平所領導的北京政府快速回應，並且歡迎這些老兵返鄉。不過這依然是個悲傷故事。上萬名老兵返回大陸探親。正如一位評論者所描述：「初次離開台灣是回家。」

其他國民後來也隨之為了貿易、投資、求學與觀光而進入大陸，而中華民國政府則對此睜一隻眼閉一隻眼。這代表了突破性發展，因為商人將資金、技術和新穎管理風格投入大陸。在特定情況，他們甚至參與制定所需的法規。所有這一切絕對是促進加速大陸爾後幾十年來的經濟發展。

這些民間人際交流顯然影響了隨後幾年的兩岸關係走向。這些民間活動產生動力，而國家措施仍維持落後和控制。這種落差更造成台灣政府與人民之間的變化，最終使得政府廢除規定、管制與心態，以便能跟上人們主動在海峽兩岸所尋求的新聯繫與關係。

到了一九九二年，隨著兩岸經濟關係快速成長，海峽兩岸決定建立新的機制來處理這個領域的事務。在中華民國政府架構下，一個是內閣等級的獨立單位於焉成立，命名為「大陸委員會」。這個單位頒布名為《兩岸人民關係條例》的法律。中華人民共和國也同樣在國務院之下成立了「台灣事務辦公室」。

也是在一九九二年，雙邊都有感需要舉行對談來處理逐漸出現的議題。由於雙邊政府一直以來都不承認對方，因此必須建立代表組織以便舉行對談。在台北的「大陸委員會」之下，台灣成立一個非營利組織，名為「海峽交流基金會」。與此對應的則是在北京所成立的「海峽兩岸關係協會」。雙方不在彼此的護照上蓋章，但核發獨立的小本子，稱為《台灣居民來往大陸通行證》或是《大陸居民往來台灣通行證》。

為了初次會議的目的，在一九九二年十月，兩個代理組織皆派出代表前往香港參與首次舉行的對談。他們立刻「一個中國」的定義上遇到障礙。對台灣來說，指的是中華民國，台灣與大陸構成中國。對北京而言，這是中華人民共和國，台灣是中國的一部分。最後，雙邊同意各自表述，應該先將議題暫放一邊，並且在未來繼續進行正式的商業會談。這在本質上是「九二共識」或是「一個中國，各自表述」，這場共識的結果，就是雙邊代理組織的會長辜振甫與汪道涵於一九九三年四月在新加坡進行正式會談。當中簽訂四點協議。雙方在會談中都一絲不苟保持平等與尊嚴。出於對等需求，北京與台北實際上共進行二十四輪所謂的正式與非正式官方談判，以及在一段友好關係似乎開展之後，進行了二十七輪秘密談判。在九〇年代融冰的兩岸關係得來不易，一般認為不只是對台灣持續民主化的過程至關重要，也對台灣與全世界的關係很重要，包含美國在內。在這十年間，台灣僅次於沙烏地阿拉伯，成為全球對美採購先進軍備的第二大國。同時，儘管內在與外在環境的快速變化，台灣的經濟奇蹟持續成長不衰。當然，兩岸的民間經濟交流也進一步繁榮茁壯。

兩起事件，一短一長，諷刺地介入兩岸關係的平順演進。

李登輝訪問母校康乃爾大學，北京政府視為是挑釁的行為，接著在一九九五年與一九九六年的飛彈危機使得兩岸關係倒退。原本訂在一九九五年下半年舉行的第二次辜汪會談因此遭到中斷。一直到了一九九八年，在中華民國政府再次向全球保證兩岸關係沒有改變，辜汪終於再度見面，這次場地在上海，兩人會面並非為了談判。在李登輝於一九九九年七月發表的「特殊的國與國關係」論之後，更進一步的交流全部夭折。在中華民國政府再次向全世界保證兩岸關係不變之後，這次事件很快結束。

倡議台灣在法理上獨立的陳水扁，於兩千年三月當選中華民國總統。中華民國的政策是維持與中華人民共和國的現狀，儘管獲得大多數人支持，他開始推動一連串背離此一政策的措施，像是舉行公投、更改國名、制定新憲法等，有些評論稱之為「切香腸戰術」，藉由不斷製造衝突來壯大聲勢，而這些衝突則是根基於誤信美國會在後面挺他。他的挑釁行為驚動美國、觸怒中華人民共和國。就在二〇〇四年重新大選時，美國政府開始在幾項有爭議的議題上明確表達立場。美國政府明顯贊同台灣與大陸之間能有更大的交流。美國的新主張明白拒絕民進黨對於「過度依賴大陸」與可能的「挖空台灣經濟」的論點。需要有直接的聯繫，以美國的觀點來看，他們希望能帶往「三贏」的局面。為了重啟兩岸對話，也需要新的聲明，並且清楚反對「單方面改變台灣海峽現狀」。

我相信，這種策略上的明確性有利於保持台灣海峽的不穩定的平衡。訊息似乎很清楚，也就是一邊不會低估美國幫助台灣防衛的決心，而另一邊不會高估美國支持任何贊成獨立的舉動。誤判的可能性希望可以因此降低。

順帶一提，甚至就在去年十一月，歐巴馬總統到北京進行國事訪問時，提到美國歡迎兩岸雙方增加在經濟、政治與其他領域上的對話與互動。

然而，陳水扁根深蒂固就是一個投機份子，他繼續探究，沒有注意美方的種種諸多警告。他堅持宣布獨立是自決的普遍人權的固有部分。

在一個後來的場合上，他清楚表示台灣不應該在自身加諸限制。他說，台灣應該認真考慮透過公民投票來申請加入聯合國，成為新的會員國。在二〇〇七年六月十八日，他宣布加入聯合國議題的公投，將與隔年（二〇〇八年）的總統大選綁在一起。他最煽動的言論出現在二〇〇七年九月八日，在世界台灣同鄉會的年會上，陳水扁說透過民主化的過程與終結國家統一委員會綱領，「一個獨立的新國家已經誕生，這個國家是台灣，面積三萬六千平方公里，人口兩千三百萬人。」

在二〇〇五年三月初，中華人民共和國頒布一項名為《反分裂國家法》的新法，其中清楚包含發生台灣法理獨立的話，要採取非和平方式。大約在同一時間，一項由美國機構進行的民意調查發現，在中國的受訪民眾之中有百分之七十四的人表達台灣問題只能以武力方式解決。說台灣海峽在二〇〇五年春天開戰是一觸即發並非言過其實。

為了消除緊張情勢及尋求和平，尤其是提供兩千三百萬台灣人民另一個可行的替代方案，我應中國共產黨中央委員會總書記胡錦濤之邀，在二〇〇五年四月二十九日前往北京進行和平之旅。在經過四場真摯友善的談話以及根據九二共識的原則，以及「重視現實，共創未來」的原則，我們在同一天發表聯合願景聲明，可以總結如下：

一、在公正與九二共識的基礎上恢復兩岸談判；

二、終止兩岸敵對狀態，達成和平協議，包含創建信任建立機制；

三、促進兩岸全面經濟合作，最終推進兩岸共同市場；

四、促進彼此對於臺灣參與國際活動的看法交流；以及

五、建立黨對黨溝通平台。

這些問題雖然重要，但在兩岸關係絕不是第一次提出。然而，以前提出這些問題時，都沒有得到單邊或雙邊的回應。我們將和平之旅成果向當時的民主進步黨政府報告，希望政府會贊同並執行共識的幾項要點。事情並未如此發展。一如大多數人所預料，民進黨政府拒絕一切。

儘管如此，在二〇〇五年七月所舉行的全國黨代表大會上，國民黨將這五點願景納入政綱。另一方面，為了執行大會的共識，逐漸發展出一個

非正式協商與溝通管道的系統。在此一系統的最上層，是兩黨領導層級的會面。例如，在二〇〇五年後，我與胡錦濤會面了四次，而在我之後的吳伯雄主席也與他見了三次。

在這些會議，台灣參與世界衛生大會（ＷＨＡ）的問題、暫停海峽兩岸在外交上拔河之爭、重啟海基會與海協會之間的對談、以及台灣參與國際社會等議題全都有提到。會談期間，在部分議題達成理解甚至同意。

兩岸雙邊所面臨懸而未決的議題中，台灣的安全與簽署和平協議絕對是其中最重要的議題。在我們原先於二〇〇五年四月所達成的五點願景的原始討論，很明顯的是政治議題不可避免，也不能無限期延後。相信透過逐漸累積的善意與相互信任，雙邊之間的敵意與懷疑將會逐漸消弭，並且為建立友好關係奠定基礎。

可以確定的是，通往最終協定的道路絕不可能安穩順行。但是，如同胡錦濤在我們二〇〇八年四月再度會面時所指出，我們永遠都能將分歧擱置一旁，尋找彼此共同點。換句話說，這不是一場零和遊戲。重要的是如何建立互信，避免隱憂並且為未來努力。

照目前現在狀況來看，根據台灣的估計，大約一百萬台灣人因為生意、投資或求學等住在大陸。目前，雙方貿易，包含香港在內，在二〇〇九年為一千〇九十三億美元，占了總貿易的百分之二十八點八，出口為八百三十七億美元，而進口是兩百五十六億三千萬，台灣有五百八十億七千萬的盈餘。台灣的總貿易盈餘為兩百九十億四千萬美元。假如沒有大陸與香港的貿易盈餘，台灣會有兩百九十億三千萬的貿易赤字。

重啟海基會與海協會的對談，雙邊開始定期、直航與船運服務。台灣向大陸觀光客敞開大門。此外，雙邊簽署一連串協議，包含對金融服務的理解的備忘錄。雙方目前就兩岸經濟合作架構協議（ＥＣＦＡ）進行協商，預計在今年簽署。最近，胡錦濤趁農曆春節參訪中國南方，再次同意與台灣簽署ＥＣＦＡ。

我們還記得在進入二〇〇九年的新年除夕，胡錦濤透透過六點意見對於兩岸關係，正式並公開提到政治議題討論，並建議雙邊應考慮初步聯絡以及交換看法。台灣是兩方中比較小的，表現不立即、回應極為謹慎也是可理解的。台灣政府維持的看法是經濟議題應該希望超越政治議題，比較簡單的議題應該先比困難的議題處理。馬英九補充，在他第一任任期，他不會碰觸政治議題，不過，假使續任的話，他不排除他會碰觸政治議題。

再一次，在海峽兩岸關係上，如同一九八七年之後的時期，一般民眾、媒體、智庫，透過他們的的民間行動，展開辯論，並提出了各種設想。做為一個大陸政策在黨派界線上高度分裂的國家，在兩岸的和平協議的議題上，在所有台灣進行的民調中，有很高比例的支持很值得注意。希望和平協議應該要囊括以下幾點：

九二共識與根據中華民國憲法的一個中國憲法原則可做為維持過渡期間目前現狀的基礎。

終止敵意狀態可以清楚表達。先前，在一九九一年五月一日，台灣政治終止所謂的《動員戡亂時期臨時條款》。因此，台灣在法律上不再與中國處於交戰。

信任建立機制無法透過套裝交易達成。或許應該是逐漸進行，藉由採用不同方式，像是建立熱線、打擊犯罪或是在公海共同進行搜救、退休軍事將領互相參訪交流、聯合演習或觀察對方的軍事演習，建立非軍事區，例如廈門與金門地區，最終導向討論在大陸的飛彈部署以及從國外購買軍備。

在外交方面，希望兩岸間的外交拔河之爭的暫停能正式達成。雙方能以單一個案的基礎來討論台灣參與國際組織事宜。

若有必要，亦可補充經濟政策。

所有解決方法、推薦、協議以及共識，在黨對黨的論壇達成，海基會及海協會的會談能做為雙方累積善意的象徵。

綜上所述，我認為海峽兩岸關係是全球時間最久的衝突。為和平出現以上所說的爭論並非全然學術，而是有形的新力量加速了匯集的動力，這麼說很實際。

在過去三十年來，中國有長足進步，在國內與國際事務上也表現得信心滿滿。很合理地希望中國不但可以，也會展現同理心，在處理台灣議題上是根據公平的基礎，以合理方式對待台灣，並以與現實相稱的方式。孟子說過：「惟仁者能以大事小，惟智者能以小事大。」這是中國最重要的哲學家之一的智慧，值得我們深思考量。

來自國際社會的支持。海峽兩岸關係曾經一度是全球最不穩定的因素之一。一九九五至一九九六年的飛彈危機，以及二〇〇四年的公投挑釁皆引起國際關注。在台灣的美國與歐洲商會每年向台灣當局請求對大陸敞開大門，但卻徒勞無功。在國民黨於二〇〇八年重回政權之後，情況改變。更密切的協調、商議以及合作發生。台灣、大陸、國際社會的三贏局面逐漸成形。無疑將有助產生一股自我加強與自我維持的和平推動。

海峽兩岸互動已經在關係上產生結構變化。目前，台灣在大陸的投資達到七百七十億美元。雙方貿易已經達到一千三百億美元。台灣到大陸的投資人數，從起初每年四十萬人，到目前一年超過四百萬人，而大陸來台人士去年超過九十萬人，其中有六十萬人是觀光客。在天災的互相救助協助上將雙邊人民更拉近一步。

來自台灣人民的支持。三項最近在去年六月與七月所進行的民調顯示，在台灣的受訪民眾有七成認為比起經濟合作或其他議題，支持簽署和平協議是兩岸關係中最重要的議題。似乎大多數台灣人民都了解任何促進和平的事都值得嘗試。

政治評論指出和平協議似乎是個棘手但無法避免的議題。對中華人民共和國而言，他們需要和平協議，才能宣布終止兩岸的敵對狀態，也有跡象顯示他們開始對於目前仍未有和平協議失去耐心。如我先前所指出，馬政府說過，在兩岸對談上，簡單的議題應該要先處理，棘手的放在後面處理，經濟議題先於政治議題。因此，至少可以這麼說，局勢難以捉摸。我們只能推測以下幾種情況：

一、馬政府最後同意處理政治議題，在他於第一任任期內解決經濟議題於之後。

二、馬英九假如連選連任，在第二任任期內開始展開政治議題會談。假使某種和平協議或甚至某種對和平協議的理解可以達成，都算是成功。

三、假如民進黨在二〇一二年重掌政權，並表示願與大陸根據九二共識談論和平協議、放棄台獨，那麼民進黨便破壞自己的目的。所以這個狀況不可能發生。

四、假如民進黨在二〇一二年重掌政權，並表示願以國對國的基礎討論和平，這會陷入僵局，因為中華人民共和國永遠不會同意這樣的假設。而且，假如民進黨繼續主張台獨路線，他們在重掌政權之後，將會是我們所有人的災難。

事情會如何發展，只有時間能知道。就讓我們抱最大的希望吧。

結論是，海峽雙邊在歷史上已經走了很長一段。雙邊都見證了中國的分裂、長期以來的衝突與敵意、激烈交戰、冷戰，以及現在的和解。無論上天安排的目的為何，由此可得到的教訓是，中華民族明確不想要再有磨難、不再流血、不再有戰爭。為了和平、發展、合作、互惠和雙贏局面，我們一直有建設性地推動，我相信，我們的子子孫孫會對這一代感到驕傲。而且我也相信在不遠的將來，完整的中華民族，與其他偉大的國家，將會是我們這個世界的永續和平的基石。

感謝各位。

【英文原文】

Mr. President, distinguished members of the faculty and administration, members of the student body, ladies and gentlemen:

It is indeed an honor and pleasure to address this distinguished gathering on the subject of cross-Strait relations. I feel especially privileged because I am an alumnus of this great university.

As an alumnus from Taiwan, the Republic of China, I would like to talk about cross-Strait relations, which may be of interest to you.

Taiwan was ceded to Japan by China under the Manchu Dynasty in 1895 after her defeat in the first Sino-Japanese War of 1894-95. Fortunately, Taiwan was restored to the Republic of China by Japan after it surrendered in 1945 following the end of World War II. China thus became united again in that year, but was divided in 1949 as a result of a civil war in which the Communists were victorious and the Nationalists suffered defeat. The People's Republic of China was established on October 1, 1949 and the Government of the Republic of China relocated to Taiwan. Ever since, the two have had overlapping claims of sovereignty and cannot, therefore, recognize each other to this day.

Last year marked six decades of this unique and unprecedented relationship. In my lectures at Berkeley and the University of Maryland last year, I gave an overview of this relationship, from the stormy hot war, the long cold war, and eventually

reconciliation. Today, I will start from the point of reconciliation and try to look at the prospects of cross-Strait relations in the near future.

In October 1987, an important development started: out of humanitarian considerations, President Chiang Ching-kuo decided to allow Nationalist army veterans to visit the Mainland for family reunion after some forty years of forced separation. The Beijing government under Deng Xiao-ping responded very quickly

and welcomed the return of these veterans. It was a sad story nevertheless. Tens of thousands of veterans visited their homes on the Mainland. As one commentator described it, "The first time leaving the island is going home."

Other citizens followed for trade, investment, studies, and tourism while the ROC government looked the other way. This represented a breakthrough development as the businessmen infused the Mainland with their capital, technological know-how, and new management style. On certain occasions they even participated in the writing of needed laws and regulations. All this, no doubt, propelled the accelerated economic development on the Mainland during the following decades.

These people-to-people exchanges clearly influenced the course of the cross-Strait relations in subsequent years. These civilian initiatives engendered much dynamism while state measures remained back-ward and controlling. This disparity engendered further dynamics between the government and people on Taiwan and eventually moved the government to dismantle the rules, regulations, and the state of mind so as to keep up with the news ties and relationships that the people were actively seeking across the Strait.

By 1992, as the cross-Strait economic relations grew rapidly, both sides across the Strait decided to set up new mechanisms to handle affairs in this area. In the ROC government structure, a separate cabinet-level agency named the Mainland Affairs Council was established. Its legislature enacted a law titled Statute Governing Relations Across the Taiwan Strait. The PRC did likewise by setting up a Taiwan Affairs Office under its State Council.

In 1992, too, both sides also sensed the need to hold talks for solving emerging issues. As the governments on both sides did not, as they still do not, recognize each other, proxy organizations had to be set up to conduct the talks. Under the Mainland Affairs Council in Taipei, Taiwan established the Straits Exchange Foundation (SEF), a non-profit organization. Its counterpart, the Association for Relations Across the Taiwan Strait (ARATS) was also set up in Beijing. Neither does stamp visas on the other's passports, but issue a separate booklet titled Permit for Mainland (or Taiwan) Compatriots to Visit Taiwan (or Mainland).

For the purpose of a preliminary meeting, the two proxy organizations sent delegations to Hong Kong for the first ever meeting in October 1992. They immediately hit snags over the definition of "One China." For Taiwan, it is the Republic of China, and both Taiwan and the Mainland constitute China. For Beijing, it is the PRC, and Taiwan is a part of China. Finally, both sides agreed that having stated their respective interpretations, they should shelve the issue and proceed to the formal business talks in the future. That, in essence, was the "Consensus of 1992," or "One

China, different interpretations." As a result of this consensus, the principals of the two proxy organizations at the time, C. F. Koo and Wang Taohan, were able to meet for formal talks in April 1993 in Singapore. Four agreements were signed. Parity and dignity for both sides were meticulously observed at the meetings. Out of parallel needs, Beijing and Taipei in actuality engaged in 24 rounds of the so-called officially unofficial and unofficially official negotiations and 27 rounds of secret negotiations after a period of rapprochement seemed to have set in. This hard-earned thawing on cross-Strait relations in the 1990's was widely deemed essential not only to Taiwan's continuation of its democratization process but also to its relationships with the rest of world, including the United States. It was during this decade that Taiwan became the second largest buyer of advanced US military equipment in the world, second only to Saudi Arabia. In the meantime, Taiwan's economic miracle continued unabated despite rapid changes in its internal and external environment. And of course, cross-Strait people-to-people economic exchanges further flourished.

Two episodes, one short and the other long, ironically intervened with the smooth evolution of cross-Strait relations.

The missile crises of 1995 and 1996 set the relationships backward following Lee Teng-hui's visit to Cornell University, his alma mater, which Beijing considered to be provocative. The second Koo-Wang meeting scheduled for later 1995 was therefore disrupted. It was not until 1998, after the ROC government reassured the world that cross-Strait relations had not changed, that they finally met again, this time in Shanghai, but not for talks.

Further exchanges were all aborted following Lee's "special state-to-state relationship" statement of July 1999. This episode quickly ended after the ROC government once again reassured the world that cross-Strait relations had not changed.

Chen Shui-bian, an advocate of de jure independence for Taiwan, was elected President of the ROC in March 2000. Despite majority support for the ROC's policy to maintain the status quo with the PRC, he began to push forward a series of policy departures, such as holding a referendum, changing the name of the country, writing a new constitution, etc., described by some commentators as a salami tactic to gain ground by implementing incessant conflicts based on the mistaken belief that the US would stand behind him. His provocations alarmed the US and angered the PRC. Right before the 2004 re-election, the US government began to lay out its clear position on a number of contentious issues. The US government was clearly in favor of greater exchanges between Taiwan and the Mainland. The DPP's arguments about "excessive dependence on the Mainland" and a potential "hollowing-out of Taiwan's economy" were unambiguously rejected by the new US statement. Direct links were called for, and in the US view, they would lead to a "win, win, win" situation. The new statement also called for the resumption of cross-Strait dialogue and made clear its opposition to any "unilateral changes of the status quo over the Taiwan Strait."

This strategic clarity, I believe, was beneficial to the preservation of the precarious balance across the Taiwan Strait. The message seemed clear enough that one side would not underestimate

US resolve to help in Taiwan's defense, and the other would not overestimate US support of any pro-independence moves. Chances for miscalculation would hopefully be thus reduced.

Parenthetically, even as recently as November last year, during his state visit to Beijing, President Obama said the United States welcomed the efforts by both sides of the Taiwan Strait to increase dialogues and interactions in economic, political, and other fields.

However, Chen was nevertheless an inveterate opportunist who continued his probes without heeding this and many other warnings coming from the USA. He insisted that declaring independence was an inherent part of universal human rights for self-determination.

On one later occasion, he made himself quite clear by saying that Taiwan should not impose on itself any restrictions. It should, he said, seriously consider, through a plebiscite, applying for admission to the United Nations as a new member state. On June 18, 2007, he declared that a plebiscite on the UN issue would be tied to the presidential election the following year (2008). His most provocative statement came on September 8, 2007, at the annual meeting of the World Taiwanese Federation, when Chen said that through the process of democratization and the termination of the National Reunification Council and Guidelines, "a new and independent country has been born and this country is Taiwan, with a territory of 36,000 square kilometers and a population of 23 million."

Earlier in March 2005, the PRC enacted a law titled the "Anti-Secession Act," which clearly included the use of non-peaceful means in the event of Taiwan's de jure independence. Around the same time, a poll conducted by an American institution indicated that around 74 % of those polled in China expressed the view that the Taiwan issue could be resolved only by military means. It would not be an over-exaggeration to say that the Taiwan Strait was nearly on the brink of war in the spring of 2005.

To reduce tensions and in search of peace, particularly to offer the 23 million Taiwanese a viable alternative, I went to Beijing on April 29, 2005 on a journey of peace at the invitation of Hu Jintao, General Secretary of the Chinese Communist Party. After four sessions of sincere and friendly discussions and based on the principle of the 1992 Consensus and the principle of "facing the reality squarely, and creating the future jointly," we issued a joint vision statement of five points the same day, which could be summarized as follows:

1) Resumption of talks on the basis of parity and the 1992 Consensus;
2) Termination of the state of hostilities between the two sides, reaching a peace agreement including the establishment of a confidence-building mechanism;
3) Promoting full-scale economic cooperation across the Strait leading eventually to a cross Strait common market;
4) Promoting the exchange of views with regard to Taiwan's participation in international activities; and
5) Establishing a party-to-party platform for consultation.

These issues, important as they are, were by no means raised for the first time in cross-Strait relations. None of these issues raised before, however, was responded to unilaterally or bilaterally in the past. We reported the results of the journey of peace to the then DPP administration in hopes that the government would endorse and implement some of the points in the consensus. It did not happen that way. The DPP government rejected everything as most people had expected.

Nevertheless, the five points of vision were incorporated into the KMT party platform by the party's national congress in July 2005. On the other hand, in order to carry out the consensus of the meeting, a system of informal channels of consultation and communication gradually developed. On the top of the system is the meeting between the leaderships of the two parties. For example, after 2005, I met with Mr. Hu four times and my successor Mr. Wu met with him three times.

During these meetings, the problem of Taiwan's participation in the WHA, the freezing of the diplomatic tug-of-war between the two sides of the Taiwan Strait, the resumption of talks between the SEF and the ARATS, and Taiwan's participation in the international community were all raised. Understanding and even agreement were reached on some of the issues during these meetings.

Among all the outstanding issues facing the two sides across the Strait, the issue of Taiwan's security and the signing of a peace agreement no doubt stands out as the most important one. It is quite obvious that in our original discussion on the 5 points of vision reached in April 2005, political issues could not be avoided, nor indefinitely postponed. It was believed that through gradual accumulation of good will and mutual trust, hostilities and suspicions between the two sides would gradually dissipate and ground for cordial relationship would thus be prepared.

To be sure, the road to final entente will be by no means turbulence-free. But, as Mr. Hu pointed out to me again in a meeting in April 2008, we could always shelve the differences, and search for the common ground. In other words, it is not a zero-sum game. The important thing is how to build mutual trust, avoid the pitfalls, and work for the future.

As things stand now, there are, by Taiwan's estimate, around one million Taiwanese living on the Mainland for business, investment, or studies. Currently, two-way trade, including Hong Kong, stood at US$109.3 billion in 2009, representing 28.8% of the total trade, with US$83.7 billion in exports versus US$25.63 billion in imports, with a surplus of US$58.07 billion in Taiwan's favor. The total trade surplus of Taiwan was US$29.04 billion. If there were no trade surplus with the Mainland and Hong Kong, Taiwan would have a trade deficit of US$29.03 billion.

With the resumption of SEF-ARATS talks, the two sides have started regular, direct flights and shipping services. Taiwan has opened its doors to Mainland tourists. In addition, the two have signed a series of agreements, including a memorandum of understanding on financial services. They are now in the process of negotiating an Economic Cooperation Framework Agreement (ECFA), which is expected to be signed this year. Recently, in his visit to South China during the Lunar New Tear holiday, Hu Jintao again endorsed an ECFA with Taiwan.

We still remember that on the New Year's Eve into 2009, Hu,

through the statement of his six points on cross Strait relations, formally and publicly referred to the discussion of political issues and suggested preliminary contact and exchange of views be considered by the two sides. Taiwan, the smaller of the two, understandably appeared less forthwith and responded with greater caution. The government in Taiwan holds the view that economic issues should hopefully precede political ones and that easier issues should be taken up before more difficult ones. Ma Ying-jeou has added that in his first term, he would not touch on political issues, although, he did not rule out doing so in his second term if re-elected.

Once again, in cross-Strait relations, like the post-1987 period, private citizens, media, think tanks, through their civilian initiative, took up the debate and offered various scenarios. Being a country whose Mainland policies have been highly divided along the partisan lines, it is quite interesting to note that on this particular issue of a peace agreement across the Strait, there is a high-degree of support in all public opinion polls in Taiwan. Hopefully, a peace agreement ought to include the following:

1) The 1992 consensus and the constitutional principle of one China according to the ROC Constitution can serve as the basis for the maintenance of the status quo during the interim period.
2) The termination of the state of hostilities can be clearly stated. Earlier, on May 1, 1991, Taiwan had formally terminated the so-called "Temporary Provisions Effective during the Period of Mobilization of Communist Rebellion." Taiwan is, therefore, legally no longer at war with the Mainland.

3) Confidence-building mechanisms cannot be achieved through a package deal. They should perhaps proceed gradually by adopting measures, such as setting up hotlines, combating crimes, or conducting rescue missions jointly on the high seas, exchange of visits between retired military personnel, joint maneuvers or observing each other's war games, establishment of a de-militarized zone, such as the Xiamen-Kinmen region, and eventually leading to the discussion of missile deployment on the Mainland and the procurement of military equipment from abroad.
4) In foreign affairs, it is hoped that a freeze of diplomatic tug-of-war can be formally reached. Taiwan's participation in international organizations can be taken up by both sides on a case-by-case basis.
5) If necessary, economic policies can also be added.

All resolutions, recommendations, agreements, and consensus, reached on party-to-party forums and the SEF-ARATS meetings can be included as signs of accumulated good will from both sides.

To summarize, let me point out that the cross-Strait relationship is one of the world's most enduring conflicts. It is realistic to say that the emergence of the above mentioned debate for peace is not something purely academic, but rather a gathering momentum accelerated by tangible new forces.

1) In the last 30 years, China has achieved tremendous progress and it has shown considerable confidence in domestic and world affairs. It is reasonable to hope that China can and will exhibit

empathy in dealing with Taiwan on a basis of parity, treating Taiwan with reasonableness and in a way commensurate with reality. Mencius once said, "The small (states) have to be smart, and not impulsive, in dealing with the big (states), and the big should be tolerate, and not overbearing in dealing with the small." It was the wisdom of one of the foremost philosophers in China worthy of our pondering and consideration.

2) Support from the international community. The cross-Strait relationship was once upon a time one of the most unstable factors in the world. The missile crisis of 1995-1996 and the plebiscite provocation of 2004 all caused international concern. American and European Chambers of Commerce in Taiwan have appealed annually to Taiwan's authorities for the opening up to the Mainland, but in vain. Situations changed after the KMT returned to power in 2008. Closer coordination, consultation, and cooperation took place. A win-win-win situation for Taiwan, the Mainland and the international community is being formed. It will no doubt help to generate a self-strengthening and self-sustaining impetus for peace.

3) The cross-Strait interactions have already caused structural changes in the relationship. At present, Taiwanese investment on the Mainland has reached US$ 77 billion. Two-way trade has reached US$ 130 billion. Taiwanese visitors to the Mainland have grown from 400,000 per year initially to well over 4 million a year at present, while Mainland arrivals reached over 900,000 last year, including 600,000 tourists. Mutual relief assistance during natural disasters brought people on both sides ever closer.

4) The support of the people in Taiwan. Three recent polls conducted between June and July last year indicated that 70% of those polled in Taiwan supported the signing of a peace agreement as the most important issue in the cross-Strait relationship, far more than economic cooperation or other issues. It seems that most of the Taiwanese people understand that anything that contributes to peace is worth trying.

Political commentators have pointed out that a peace agreement seems to be a knotty but unavoidable issue. For the PRC, they need it so that they could declare an end of the state of hostilities across the Strait, and there are signs that they are beginning to show some impatience for it is nowhere in sight. The Ma administration has said, as pointed out earlier, that easier issues should be dealt with before knotty ones, and economics issues over political ones, in cross-Strait talks. Therefore, the situation is tricky, to say the least. We can only surmise the following scenarios:

1) The Ma administration finally agrees to tackle political issues after economic issues have been resolved during his first term.
2) Ma agrees to start talks on political issues during his second term, if re-elected.
   If some sort of a peace agreement, or even some sort of an understanding on a peace agreement, could be reached, it will be called a success.
3) If the DPP should come back to power in 2012 and express a willingness to talk about a peace agreement with the Mainland on the basis of the 1992 Consensus and forsaking Taiwan

independence, then the DPP would defeat its own purpose. So this scenario is impossible.

4) If the DPP should come back to power in 2012 and express a willingness to talk about a peace agreement on a state-to-state basis, it would mean deadlock because the PRC would never agree to such a hypothesis. And if the DPP should continue to pursue the Taiwan independence route, after being returned to power, then that would be a calamity for us all.

How things are going to unfold, only the future will tell. Let's us hope for the best.

In conclusion, the two sides of the Strait have come a long way in history. Both sides have witnessed the division of China, the long period of conflict and enmity, the hot war, the cold war, and now the reconciliation. Whatever the purpose may be in the Divine design, a clear lesson can be drawn, i.e., the Chinese Nation clearly wants no more suffering, no more bloodshed, and no more wars. And I believe our children and grandchildren will be proud of this generation for what we have been doing in pushing constructively for peace, development, cooperation, reciprocity, and the win-win situation. And I also believe that in the not-too-distant future, the whole Chinese Nation, along with other great nations, will be the bedrock of a lasting peace in this world of ours.

Thank you for your attention.

專有名詞縮寫對照表

縮寫	中譯名稱	原文
ABAC	APEC企業諮詢委員會	APEC Business Advisory Council
ADOC	APEC數位中心計畫	APEC Digital Opportunity Center
ASTEP	台星經濟夥伴協定	Agreement between Singapore and the Separate Customs Territory of Taiwan, Penghu, Kinmen and Matsu on Economic Partnership
ECFA	海峽兩岸經濟合作架構協議	Cross-Strait Economic Cooperation Framework Agreement
FTA	自由貿易協定	Free Trade Agreement
FTAAP	亞洲太平洋自由貿易區	Free Trade Area of the Asia-Pacific
ICAO	國際民航組織	International Civil Aviation Organization
NII	國家資訊基礎設施	National Information Infrastructure
TIFA	貿易暨投資架構協定	Trade and Investment Framework Agreement
TPP	太平洋夥伴全面進步協定	The Trans-Pacific Partnership
UNFCCC	聯合國氣候變化綱要公約	The United Nations Framework Convention on Climate Change
WHA	世界衛生大會	World Health Assembly

社會人文BGB549

連戰回憶錄

從破冰到永平

連戰 — 著

總編輯 — 吳佩穎
研發副總監 — 郭昕詠
編輯指導 — 李建榮
校對 — 陳佩伶、翁蓓玉、魏秋綢
封面設計 — 張議文
封面照片攝影 — 王海齡
內頁照片攝影 — 李培徽、古金堂、楊永山、省政府新聞處
內頁排版 — 簡單瑛設

出版者 — 遠見天下文化出版股份有限公司
創辦人 — 高希均、王力行
遠見・天下文化・事業群　董事長 — 高希均
事業群發行人／CEO — 王力行
天下文化社長 — 林天來
天下文化總經理 — 林芳燕
國際事務開發部兼版權中心總監 — 潘欣
法律顧問 — 理律法律事務所陳長文律師
著作權顧問 — 魏啟翔律師
社址 — 台北市104松江路93巷1號2樓

讀者服務專線 — 02-2662-0012｜傳真 — 02-2662-0007；02-2662-0009
電子郵件信箱 — cwpc@cwgv.com.tw
直接郵撥帳號 — 1326703-6號　遠見天下文化出版股份有限公司

製版廠 — 中原造像股份有限公司
印刷廠 — 中原造像股份有限公司
裝訂廠 — 精益裝訂股份有限公司
登記證 — 局版台業字第2517號
總經銷 — 大和書報圖書股份有限公司｜電話 — 02-8990-2588
出版日期 — 2023年1月17日第一版第1次印行

定價 — NT900元
ISBN — 9786263550636
電子書ISBN — 9786263550841 (PDF)
9786263550810 (EPUB)
書號 — BGB549
天下文化官網 — bookzone.cwgv.com.tw

連戰回憶錄：從破冰到永平 / 連戰著 . -- 第一版 . -- 臺北市：遠見天下文化出版股份有限公司, 2023.01
面；　公分 . -- (社會人文；BGB549)

ISBN 978-626-355-063-6(精裝)

1.CST: 連戰　2.CST: 回憶錄　3.CST: 臺灣政治

783.3886　111021837

天下文化
BELIEVE IN READING